grammaire transformationnelle du français

syntaxe du nom

D. Clément
W. Thümmel
SYNTAXE DE L'ALLEMAND STANDARD. 224 pages

J.-P. Corneille
(Université de Liège)
LA LINGUISTIQUE STRUCTURALE. 256 pages

M. Coyaud
(C. N. R. S.)
LINGUISTIQUE ET DOCUMENTANTION. 176 pages

D. Delas
J. Filliolet
(Paris-Nanterre)
LINGUISTIQUE ET POÉTIQUE. 208 pages

Jean Dubois
(Paris-Nanterre)
GRAMMAIRE STRUCTURALE DU FRANÇAIS
nom et pronom. 192 pages
le verbe. 216 pages
la phrase et les transformations. 192 pages

Jean Dubois
F. Dubois-Charlier
ÉLÉMENTS DE LINGUISTIQUE FRANÇAISE
syntaxe. 296 pages

Jean Dubois
Claude Dubois
INTRODUCTION A LA LEXICOGRAPHIE
le dictionnaire. 218 pages

F. Dubois-Charlier
(Paris-Sorbonne nouvelle)
ÉLÉMENTS DE LINGUISTIQUE ANGLAISE
syntaxe. 276 pages
la phrase complexe et les nominalisations. 296 pages

F. François
SYNTAXE DE L'ENFANT AVANT 5 ANS. 240 pages

M. Galmiche
SÉMANTIQUE GÉNÉRATIVE. 192 pages

A. J. Greimas
(Hautes Etudes)
SÉMANTIQUE STRUCTURALE. 208 pages

M. Gross
(Paris-Vincennes)
GRAMMAIRE TRANSFORMATIONNELLE DU FRAN-
ÇAIS **syntaxe du verbe.** 192 pages

Groupe μ
(Université de Liège)
RHÉTORIQUE GÉNÉRALE. 208 pages

L. Guilbert
(Paris-Nanterre)
LA CRÉATIVITÉ LEXICALE. 286 pages

H. Hörmann
(Université de la Ruhr)
INTRODUCTION A LA PSYCHOLINGUISTIQUE.
316 pages

Michel Hugues
INITIATION MATHÉMATIQUE AUX GRAMMAIRES
FORMELLES. 160 pages.

R. Lafont
F. Gardès-Madray
(Montpellier)
INTRODUCTION A L'ANALYSE TEXTUELLE. 192 pages

M. Le Guern
(Lyon)
SÉMANTIQUE DE LA MÉTAPHORE ET DE LA MÉTO-
NYMIE. 128 pages

J. Lyons
(Université d'Edimbourg)
LINGUISTIQUE GÉNÉRALE
introduction à la linguistique théorique. 384 pages

J.-B. Marcellesi
B. Gardin
(Rouen)
INTRODUCTION A LA SOCIOLINGUISTIQUE
la linguistique sociale. 264 pages

T. Todorov
(Paris-Vincennes)
LITTÉRATURE ET SIGNIFICATION. 128 pages

R.-L. Wagner
(Paris-Sorbonne nouvelle)
L'ANCIEN FRANÇAIS. 272 pages

langue et langage

grammaire transformationnelle du français

syntaxe du nom

par

Maurice Gross

Université Paris VII
laboratoire d'Automatique documentaire
et linguistique

LIBRAIRIE LAROUSSE

17, rue du Montparnasse, et 114, boulevard Raspail, Paris VI

ISBN 2-03-070343-5

TABLE DES MATIÈRES

INTRODUCTION 9

I PROPRIÉTÉS GÉNÉRALES
DES DÉTERMINANTS ET PRÉDÉTERMINANTS

1 Définitions 12
    1.1   Déterminants 12
    1.2   Notations 13
2 Classification 17
3 Propriétés distributionnelles 19
    3.1   Définition des propriétés............................ 19
        3.1.1 *Constitution des groupes nominaux* 19
        3.1.2 *Formes comparatives* 23
        3.1.3 *Propriétés morphologiques* 24
    3.2   Caractérisation des formes 24
    3.3   Eléments de sens des propriétés 26
4 Déterminants et pronoms 28
    4.1   Pronominalisation et déterminants 28
    4.2   Pronominalisation et position syntaxique 31
        4.2.1 *Position sujet* 31
        4.2.2 *Position complément direct* 33
        4.2.3 *Position complément indirect* 35
    4.3   Remarques sur la pronominalisation de *Dét de (GN + N)* ... 36
    4.4   Pronominalisation d'adjectifs 37
5 Déterminants et adverbes 38
6 Permutations 42
    6.1   Permutation des *Dadv* 42
    6.2   Permutation des *Préd* 45
    6.3   Remarques sur les permutations 47

II GROUPES NOMINAUX INDÉFINIS

1 Structure de base 49
    1.1   Groupes nominaux en *Dnom*...................... 49
    1.2   Groupes nominaux en *Dadv* 54

	1.3	Groupes nominaux en *Dadj*	56
	1.4	Exceptions	57
2	**Formes substantivales**		**59**
	2.1	Noms déterminatifs (*Nd*)	59
	2.2	Déterminants et modifieurs du *Nd*	64
3	**Formes en *moins* et *plus***		**67**
	3.1	Formes de *Dadv* et *Dnom*	68
	3.2	Formes superlatives	69
	3.3	Autres emplois	72
4	**Formes *Dét de Dnum***		**73**
5	**Formes en *quel***		**76**
6	**Formes en *quelque***		**80**
7	**Formes en *chaque***		**82**
8	**Formes en *seul***		**84**
9	**Négations**		**88**
	9.1	Formes de négation	88
	9.2	Négations et sujets	91
10	**Formes en *certain***		**95**
11	**Formes en *peu***		**96**
12	**Formes en *autre*, *même***		**97**
13	**Formes en *tout***		**101**
14	**Formes en -*ment***		**106**
15	**Déterminant zéro**		**108**
	15.1	Contractions d'articles	108
	15.2	Compléments d'objet direct	111
	15.3	Compléments prépositionnels	112

III GROUPES NOMINAUX DÉFINIS

1	**Types de référence**		**116**
	1.1	Coréférence	116
	1.2	Référence lexicale	122
2	**Groupes à pronom démonstratif**		**125**
	2.1	Le complément de définition	125
	2.2	Le pronom démonstratif	128
	2.3	Le modifieur (*Modif*)	130
3	**Groupes à article défini**		**133**
	3.1	Groupes *Artd N Modif*	133
	3.2	Groupes interrogatifs en *quel*	134

3.3 Pronoms relatifs en *quel* 136
3.4 Groupes possessifs 138

4 Groupes à adjectif démonstratif 141

4.1 Groupes nominaux démonstratifs 141
4.2 Groupes génériques 144
4.3 Noms propres 144
4.4 Relatives sans antécédent 147

5 Position des adjectifs 148

6 Remarques sur la structure du groupe nominal 152

6.1 Structure globale 152
6.2 Récursivité des structures 154

IV EXTENSIONS DE LA NOTION DE DÉTERMINANT

1 Formes adverbiales « supplétives » 156

2 Combinaisons de déterminants 158

2.1 Combinaisons *Dadv Dadv* 158
2.2 Combinaisons *Adv Dadv* 164
2.3 Combinaisons *Dnom Dnom* 166
2.4 Combinaisons *Adv Dnom* 167
2.5 Combinaisons *Dadj Dadj* 168
    2.5.1 *Fractions* 168
    2.5.2 *Numéraux* 169
    2.5.3 *Autres combinaisons* Dadj Dadj 169
2.6 Combinaisons *Dnom Dadj* 170
2.7 Combinaisons *Adv Dadj* 171
2.8 Combinaisons *Dadv Dadj* 173
2.9 Combinaisons *Préd Préd* 173

3 Prédéterminants 178

3.1 Entrées composées de la table *Préd* 178
    3.1.1 *Formes prépositionnelles* 178
    3.1.2 *Autres formes* 180
3.2 Prédéterminants et conjonctions 184
    3.2.1 *Réduction des conjonctions* 185
    3.2.2 *Exemples* 186
3.3 Déterminants, prédéterminants, et « restructuration » du groupe nominal 195
    3.3.1 *Une relation entre formes déterminantes nominales* .. 195
    3.3.2 *Structure des* Dnom *restructurés* 197
    3.3.3 *L'extension des restructurations* 203
3.4 Aspect du verbe, déterminants et prédéterminants 211

V RECHERCHES NOUVELLES SUR LA NATURE DU GROUPE NOMINAL

1 Groupes nominaux à structure double 215

2 Groupes nominaux à modifieur complétif 218

3 Groupes nominaux à dépendances entre *Dét* et *Modif* 222

    3.1 Groupes nominaux à modifieur d'unicité 222

    3.2 Compléments à locution prépositionnelle 225

4 Groupes nominaux et nominalisations 229

CONCLUSION 233

BIBLIOGRAPHIE 236

ANNEXE des TABLES 242

INDEX 247

INTRODUCTION

Le premier volume de notre *Grammaire transformationnelle du français* traitait de la syntaxe du verbe. Nous y avons présenté une typologie de la phrase simple qui permettait d'effectuer une classification des verbes du français. Les compléments du verbe pris en compte étaient essentiellement les objets directs et indirects en *à* et *de*. Cette limitation permettait d'utiliser le modèle traditionnel du groupe nominal sans créer de distorsions trop sensibles, sans avoir par exemple à trop craindre que la nature des déterminants du sujet ou des compléments interfère avec la structure générale de la phrase simple. Cette approximation s'est révélée satisfaisante, elle nous a permis d'étudier la syntaxe du verbe d'une façon relativement indépendante de celle du nom.

C'est donc la syntaxe du groupe nominal que nous présentons ici, et, en premier lieu, l'étude de la détermination du substantif : Nous examinons les détails de la combinatoire superficielle du déterminant et du nom, la recherche de sources transformationnelles pour ces constructions nous conduira ensuite à réviser certaines structures de phrases simples.

Les grammaires et études traditionnelles donnent des listes substantielles de déterminants et prédéterminants de noms. Les classifications de ces mots sont généralement effectuées par référence aux principales parties du discours : adjectif, adverbe, nom ou pronom. Les définitions, du fait de la diversité morphologique et syntaxique observée, soulèvent toutes des problèmes importants, et l'on constate qu'en général ces classifications sont défectueuses de divers points de vue.

D'une part, les grammairiens ont tenté de construire des classes *disjointes* définies au moyen des parties du discours. Cette approche est la plus économique, puisque les notions de base sont déjà utilisées pour la description des classes ouvertes. Mais une telle procédure conduit à une redondance importante dans les descriptions. Par exemple, *beaucoup* et *certains* sont appelés déterminants. Par ailleurs ces formes sont des adverbes et des adjectifs respectivement, lorsqu'ils apparaissent dans

Luc a beaucoup travaillé
Luc a vu certaines erreurs.

De plus, dans

(Beaucoup + certains) viendront

ces éléments sont décrits comme pronoms. Comme les classes des pronoms, des adverbes et des déterminants, sont des classes deux à deux disjointes, il est nécessaire de considérer trois éléments lexicaux *beaucoup* et trois éléments lexicaux *certains* ; pourtant les propriétés syntaxiques et sémantiques des éléments ainsi séparés sont voisines et les formes sont identiques dans les trois rôles.

D'autre part, les classifications ne sont jamais systématiques : elles

9

n'aboutissent ni à la constitution de listes d'éléments qui tendraient à l'exhaustivité ni à l'étude exhaustive de la distribution des propriétés syntaxiques par rapport aux classes ainsi constituées.

Nous établirons ici une classification, elle sera basée sur des critères distributionnels et transformationnels nous permettant de constituer quatre classes disjointes d'un comportement global relativement régulier. Nous reconstruirons ainsi en grande partie et sur des bases précises la classification traditionnelle. Mais l'étude détaillée de la distribution des propriétés des déterminants (et prédéterminants) montrera que leur diversité est considérable.

En général, deux (pré)déterminants quelconques n'ont pas le même ensemble de propriétés syntaxiques. Dans l'état actuel des connaissances les tentatives de généralisation sont donc hasardeuses. En partant de cette classification, nous verrons qu'il est cependant possible ou envisageable de réduire certaines irrégularités et d'introduire des règles d'un caractère général reliant entre elles des formes *a priori* difficiles à apparenter. Nous avons également élargi le cadre de l'étude des (pré)déterminants. Alors que la plupart des études ne concernent que leurs positions à l'intérieur du groupe nominal, nous mettons en évidence l'importance qu'il y a à les examiner à l'intérieur d'une phrase entière, leur fonctionnement varie alors avec la position syntaxique qu'occupent les substantifs auxquels ils sont attachés et avec la nature et la forme du verbe principal.

Le domaine que nous avons couvert apparaîtra d'une grande complexité. Une partie de cette complexité est certainement due à des subsistances diachroniques et à des variations dialectales. Mais mis à part de tels accidents (toujours difficiles à séparer des phénomènes structurels généraux), il subsiste une image formalisée du groupe nominal qui n'a plus rien à voir avec les descriptions simplistes données jusqu'à présent en grammaire générative. Nous verrons que la notion traditionnelle qui avait été formalisée sans aucune critique n'est adéquate que dans quelques cas particuliers. Le cas général se dessine à travers l'étude détaillée des (pré)déterminants d'une part et de l'étude de compléments du verbe différents des objets d'autre part. Les faits révèlent des interdépendances imprévues, mais d'un caractère général, entre des parties internes au groupe nominal (par exemple des modifieurs) et des éléments de la phrase externes au groupe (par exemple le verbe principal). De telles observations soulèvent la question de la nature structurelle profonde du groupe nominal. Celle-ci ne peut plus être considérée comme une notion de base, mais doit être dérivée lors des opérations fondamentales qui constituent la phrase. Ces faits appellent bien d'autres révisions théoriques. Nous ne les avons pas discutées, pour la simple raison qu'il devrait être évident qu'aucune des théories formelles actuelles n'est susceptible d'accueillir de façon éclairante la plupart des données rassemblées ici, c'est-à-dire de fournir des explications aux nombreuses restrictions et nouvelles contraintes observées. Il ne nous a donc pas semblé utile de formaliser davantage nos descriptions et nous nous sommes restreint à un appareillage formel destiné surtout à dégager la généralité des faits observés.

Après avoir examiné certaines propriétés générales des (pré)déterminants au chapitre I, nous étudierons plus particulièrement les indéfinis au chapitre II, les définis au chapitre III et les groupes complexes aux chapitres IV et V.

Nous remercions ici tout particulièrement Jean-Claude Chevalier, Zellig Harris, Claude Muller et Jean Stéfanini dont les nombreuses suggestions ont permis d'améliorer considérablement nos discussions, ainsi que N. Bely et Ph. Vasseux qui ont construit les programmes de tabulation des données.

I

PROPRIÉTÉS GÉNÉRALES
DES DÉTERMINANTS ET PRÉDÉTERMINANTS

1 Définitions

1.1 *Déterminants*

En première approximation, nous pouvons définir les (pré)déterminants au moyen de relations entre verbes et substantifs de la manière suivante : Considérons la phrase

(1)   *Certains enfants mangent beaucoup de bonbons*

elle comporte des relations sémantiques appelées contraintes de sélection ou de cooccurrence dans la terminologie de la grammaire (générative) transformation-nelles. Ces contraintes lient le nom *enfants* et le verbe *mangent* d'une part, le verbe *mangent* et le nom *bonbons* d'autre part. Nous pouvons schématiser la phrase (1) par

(1a)   *Dét$_0$ enfants mangent Dét$_1$ bonbons.*

Dans cet exemple *Dét$_0$* et *Dét$_1$* seront les déterminants des noms situés à leur droite.

En français, les déterminants sont souvent obligatoires ; ainsi les formes

> *Dét$_0$ enfants mangent bonbons*
> *enfants mangent Dét$_1$ bonbons*
> *enfants mangent bonbons*

où *Dét$_0$*, *Dét$_1$* ont été supprimés de (1a), ne sont pas acceptées en tant que phrases. Cette observation constitue l'une des bases de la classification des déterminants donnée par J.-C. Chevalier. Une telle définition nous conduit à étudier des segments *Dét* variables par leur contenu. Dans

> *Une foule d'enfants mange des masses de bonbons*

nous avons *Dét$_0$ = une foule de* et *Dét$_1$ = des masses de.* Dans

> *Toute une école d'enfants en bas âge mange des bonbons*

où nous avons *Dét$_0$ = toute une école de,* le déterminant comporte aussi un substantif. Nous n'examinerons que quelques cas particuliers de ces situations très générales, mais nous construirons un cadre susceptible d'être étendu à une étude lexicale plus complète des déterminants nominaux. La même définition appliquée à

> *Cette belle enfant mange des bonbons*

fournit *Dét$_0$ = cette belle* où le déterminant comporte un adjectif. Dans

(2)   *Certains de mes enfants mangent beaucoup de ces bonbons*

nous avons $Dét_0 = $ *certains de mes* et $Dét_1 = $ *beaucoup de ces.* Dans

(3)   *Mes enfants mangent ces bonbons*

nous avons $Dét_0 = $ *mes* et $Dét_1 = $ *ces.* La comparaison des déterminants de
(1), (2) et (3) montre que les déterminants de (2) sont complexes et qu'ils
doivent être analysés en termes des déterminants de (1) et (3) qui sont plus
simples. Nous aborderons le problème de la composition des déterminants au
chapitre IV. Nous ne tenterons pas de donner des (pré)déterminants une
définition *a priori* qui soit plus rigoureuse que celle que nous venons d'esquisser.
Nous avons considéré que les définitions traditionnelles permettaient dans une
large mesure de les reconnaître, et donc que les listes apparaissant dans les
grammaires constituaient un point de départ satisfaisant pour des études plus
détaillées. Nous ne compléterons donc guère ces listes, mais nous les préciserons et classerons leurs éléments de manière à rapprocher le plus possible les
unes des autres les formes qui ont les mêmes emplois syntaxiques [1].

1.2 *Notations*

Nous utilisons la notation des équations non commutatives pour condenser
des ensembles de séquences. Ainsi l'expression

$$X = Y (E + de)$$

correspond aux règles de réécriture

$$X \to Y$$
$$X \to Y \, de$$

encore notées

$$X \to Y \, (de)$$

en grammaire générative. Le signe $+$ signifie approximativement « ou », et E
est l'élément neutre de la concaténation, c'est-à-dire la séquence vide. A quelques reprises, nous avons cependant employé des parenthèses pour indiquer des
éléments facultatifs, par exemple dans les entrées de nos tables. Dans certains
exemples, des parenthèses isolent des segments de phrases non pertinents à la
discussion.

Nous venons d'observer que certains déterminants comportaient la préposition *de,* nous les notons

Dét de

et nous ferons surtout référence à la partie *Dét* de ces déterminants observée
par exemple dans les parenthèses de

(Beaucoup + certains + un certain nombre) de mes amis viendront.

Cette remarque est causée par l'existence de déterminants ayant un emploi
double, ainsi, *certains* se construit de plus sans *de* :

Certaines personnes viendront

dans ce cas nous devons écrire *Dét* pour la partie « importante » du déterminant : $Dét = $ *certains.*

---

1. Des recherches ont été amorcées dans la direction d'une étude exhaustive, celles que Barbara
Hall a effectuées sur des notes prises à un cours de N. Chomsky. Ces études sont restées incom-
plètes et n'ont jamais été publiées.

L'élément lexical sur lequel porte notre classification sera donc noté *Dét* dans tous les cas, et ses variations possibles de forme seront considérées comme des propriétés syntaxiques des *Dét*. Les parties des éléments discontinus seront séparées par trois points, comme dans *ne ... pas* ou *le seul ... Rel.*

Nous emploierons en outre les symboles suivants, abréviations dont les interprétations sont transparentes en général :

— *Ddéf* pour déterminant défini,

— *Dind* pour déterminant indéfini,

— *Dnum* pour déterminant numéral : *Dnum = un + deux + trois +* etc.,

— *Artg* pour article défini générique : *Artg = le + la + les,* ainsi que d'autres formés de la même façon et qui seront définis à mesure des besoins.

Les groupes nominaux seront notés N_i où i est un indice numérique qui donne la position syntaxique du groupe : N_0 est le sujet, N_1 le premier complément, etc. Nous utiliserons cependant le symbole *GN* pour groupe ou syntagme nominal au lieu de N_i dans les assertions où la position syntaxique n'intervient pas.

Le symbole *N* correspond à un substantif sans déterminant. Lorsque ce substantif doit être spécifié morphologiquement ou sémantiquement, nous lui adjoignons un suffixe symbolique :

— *Nplur* pour nom au pluriel,

— *Nsing* pour nom au singulier,

— *Nmas* pour nom de masse,

— *Nnomb* pour nom nombrable,

— *Nabs* pour nom abstrait.

Les suffixes symboliques peuvent être combinés, nous aurons par exemple *Nnomb, sing* pour substantif nombrable au singulier.

Lorsque nous utilisons des séquences comme

(Ddéf + Dind) Nplur

nous impliquons que *Ddéf* et *Dind* s'accordent en nombre avec *Nplur*, ce qui exclut donc certaines possibilités combinatoires (ainsi dans cette expression, *le, la, un* ne pourront pas correspondre à *Ddéf* ou à *Dind*).

En règle générale, nous utilisons des symboles différents pour décrire des catégories différentes, c'est-à-dire des comportements syntaxiques différents par rapport à un ensemble donné de règles. Les symboles *Dadv, Dnom* et *Préd* par exemple sont de ce type.

Dans de nombreux cas, les symboles ne sont que des abréviations qui n'ont aucun statut théorique, ni même aucune utilisation dans les règles de la grammaire. Considérons notre analyse des articles définis du chapitre III, ils sont notés *Artd = le + la + les.* Nous les obtenons à partir des pronoms *Pron = lui + eux + elle(s),* ceux-ci sont obtenus eux-mêmes à partir de *N* par une règle de substitution notée *N → LUI.* Pour décrire les phénomènes où ces pronoms et ces articles interviennent, nous n'avons en fait besoin que du symbole *N,* et des marques de genre (la voyelle *-v* du féminin) et de nombre (le *-s* du pluriel) qui y sont éventuellement attachées. Les règles affecteront les formes nominales

$$N\ (E + -v)\ (E + -s)$$

qui donnent par substitution les pronoms *Pron* :

$$LUI\ (E + -v)\ (E + -s)$$

puis leurs formes réduites (par la règle $LUI \to L$) :

$$L\ (E + -v)\ (E + -s)$$

ce qui dispense entièrement des catégories *Pron* et *Artd*. Alors, ces abréviations ont des définitions précises :

$$Pron = LUI\ (E + -v)\ (E + -s) \quad \text{et} \quad Artd = L\ (E + -v)\ (E + -s).$$

De la même façon, le symbole *Adjd* (adjectif démonstratif) doit être éliminé de la grammaire, ses différentes formes étant représentées par

$$ce\ (E + -v)\ (E + -s)\ (= Adjd).$$

De même encore, nous souhaitons dériver l'interprétation générique des articles définis de leur forme de base. En conséquence, il n'y a pas lieu non plus d'utiliser la notation *Artg* dans la grammaire, la forme *L* suffit.

Nous avons fait diverses utilisations d'un même symbole. Considérons la façon dont sont notés le genre et le nombre, nous avons une façon abrégée de désigner ces éléments, soit *g* et *n* respectivement. Ces symboles sont utilisés des deux façons suivantes :

a) comme des marques ou morphèmes, indépendants des formes auxquelles ils s'attachent, nous précisons alors les notations en considérant que ni le masculin ni le singulier ne sont marqués, ce qui nous amène donc à écrire

$$g = E + fém \quad \text{et} \quad n = E + plur.$$

Une analyse morphologique plus poussée nous conduit à considérer *fém* comme une voyelle, intermédiaire entre le *e* devenant muet en finale de *fermière* par exemple et le *a* de *la* ou *ma* ; nous écrirons donc *fém* = *-v* (suffixe vocalique). De même, le pluriel sera noté *-s*, de manière à rendre compte directement des liaisons qu'il occasionne.

Nous avons donc ici une hiérarchie redondante à trois niveaux. Mais seules les marques *-v* et *-s* sont nécessaires, les autres symboles ne sont destinés qu'à faciliter la présentation en termes des concepts de la grammaire traditionnelle ;

b) comme des indices, par exemple dans *GN déf, plur*. Ici également, il ne s'agit que de faciliter la présentation. Dans une grammaire formalisée ces notations disparaîtraient au profit des marques, sans que la correspondance indices et marques soit simple. Cette correspondance est en effet celle des règles de redondance de la grammaire générative.

Dans l'ensemble donc nos représentations sont concrètes, c'est-à-dire proches de formes effectivement observées. Nous ne devrions réserver les symboles qu'aux catégories absolument indispensables, souvent d'ailleurs de façon provisoire. Nous pensons en effet que le nombre des catégories doit être réduit de façon extrêmement sensible par rapport à la pratique actuelle des linguistes. Ceux-ci ont développé de nombreuses variétés d'appareillages abstraits dont la redondance est telle qu'aujourd'hui, il n'est techniquement plus possible de réduire une solution à ses solutions équivalentes tant le nombre des possibilités à étudier *a priori* est élevé. La diminution du nombre des catégories devrait être l'un des buts fondamentaux de la syntaxe, alors qu'elle ne semble plus être considérée que comme une activité subsidiaire ; elle pourrait pourtant aboutir, comme le suggère les travaux de Harris, à la disparition de toute autre catégorie que celle de mot, et une grammaire serait alors constituée de règles opérant sur des structures, sans qu'il y ait à repérer les positions dans les structures par des noms de catégorie.

Nous ne faisons pas de distinction entre les termes mot, morphème, forme ou élément lexical. Si les mots sont en général considérés comme des formes directement observables, alors que les morphèmes ou les éléments du lexique ont été réduits par une analyse morphologique à des états minimaux, il faudrait préciser ce que signifie directement observable. Or il n'existe que deux possibilités, celle de mot écrit, donc de séquence entourée de deux blancs et celle de mot parlé, notion peu claire, vraisemblablement dérivée de la précédente. Dans les deux cas une analyse linguistique a été utilisée pour obtenir la segmentation en mots. Comme une telle analyse ne peut pas distinguer entre mot et morphème (car il existe un continuum de telles notions), nous ne chercherons pas non plus à opérer une telle distinction, et souvent, le manque apparent de précision qui en résultera au niveau morphologique reflétera simplement l'existence de problèmes non résolus de délimitation de séquences.

Nous considérons encore les termes nom et substantif comme synonymes. Il ne faudra pas non plus rechercher de différence technique entre les termes phrase et discours, nous les traitons ici comme des variantes stylistiques.

Nous ferons souvent suivre chaque déterminant par le nom entre parenthèses de la table à laquelle il appartient ; cette notation est nécessaire pour les *Dét* ayant des entrées dans plusieurs tables, nous écrirons par exemple *plus (Dadv)* et *plus (Dnom)*.

Les transformations sont notées entre crochets : [passif].

Nous indiquerons parfois l'application d'une transformation à une phrase au moyen d'une notation où la transformation est considérée comme une opération appliquée à une phrase ; utilisant les nouvelles notations, nous placerons le nom de l'opération *à droite* de l'argument. Par exemple, une phrase active étant repérée par le nombre (1), la phrase passive correspondante par le nombre (2), nous écrirons (1) [passif] = (2). Cette notation a ici le même avantage qu'en mathématiques : lorsque plusieurs transformations s'appliquent à une phrase, elles seront écrites dans l'ordre où elles s'appliquent, et non pas dans l'ordre inverse que nécessitait l'ancienne notation.

Les transformations d'effacement d'éléments x seront notées [x z.], ou bien encore $x \rightarrow E$; les transformations permutant un élément y seront notées [y p.].

Notre classification est présentée sous forme de tables. Chaque entrée de la table est un *Dét* figurant sur une ligne, chaque colonne correspond à une propriété syntaxique π. A l'intersection d'une ligne *Dét* et d'une colonne π, nous placerons le signe + lorsque *Dét* aura la propriété π, le signe — dans le cas contraire. *Stricto sensu*, les propriétés π sont toutes distributionnelles : ce sont des formes de phrases et de *GN* où entrent ou non les *Dét* ; les propriétés transformationnelles se déduisent des π que l'on groupe par paires.

Comme à l'habitude, les séquences inacceptables sont précédées de l'astérisque, mais le lecteur devra prendre garde au fait que souvent, les intuitions pourront être inversées par une interprétation contrastive, cette situation particulière est due à la nature des phénomènes discutés.

2 Classification

Nous sommes parti donc d'une liste d'une centaine d'éléments *Dét* compilée d'après des grammaires traditionnelles (Chevalier, Grevisse, Martinon, Sandfeld). Nous avons séparé les déterminants définis des indéfinis, et nous avons d'abord cherché à établir une classification de ces derniers. La plupart des *Dét* recensés apparaissent comme difficilement décomposables en *Dét* morphémiquement plus simples, du moins par les méthodes que nous utilisons.

Les critères de notre classification sont basés sur les trois propriétés syntaxiques suivantes :

(i) *Dét* peut se combiner directement avec *N* (le nom commun sans déterminant), cette propriété est notée *Dét N*. Nous avons par exemple

Max a lu (chaque + certains) articles (s)

(ii) *Dét* peut se combiner avec *GN* (groupe nominal avec déterminant) au moyen de la préposition *de*, cette propriété est notée *Dét de GN*. Nous avons ainsi

(Bon nombre + beaucoup + certains) de mes amis sont partis.

Nous reviendrons à plusieurs reprises sur ce complément *de GN*. Notons déjà qu'il possède une interprétation précise dans le cas où *GN* est défini pluriel (c'est-à-dire nombrable) : nous percevons alors la relation d'inclusion ensembliste

$$\{ Dét \} \subsetneq \{ GN \}$$

(nous notons au moyen d'accolades les ensembles référents à des symboles de catégories). *Dét* est interprété comme un sous-ensemble propre de *GN*. Autrement dit, le domaine d'interprétation de *GN* constitue un ensemble de définition pour les formes *Dét de GN* où *Dét* est une variable. Nous appellerons en conséquence compléments de définition ces formes *de GN*. Dans le cas où *GN* a pour *N* principal un *Nmas* ou certains *Nabs*, la relation d'inclusion peut perdre tout ou partie de son sens ; la construction restant la même, nous étendrons cependant la terminologie à ces autres cas (I, 4.1).

Chacune de ces deux propriétés est considérée comme satisfaite lorsque la construction *Dét N* ou *Dét de GN* est acceptable dans une position syntaxique N_i, et pour un choix lexical approprié de *N* ou du *N* principal de *GN* ;

(iii) *Dét* peut fonctionner comme adverbe, ce qui est habituellement défini par la possibilité de constituer une phrase de forme N_0 *V Dét*. *Beaucoup* possède cette propriété mais pas *certains* :

Luc dort beaucoup
* Luc dort certains.

Au moyen de ces propriétés nous définirons les quatre classes suivantes :

— *Dadv*, qui comprend les *Dét* ayant les propriétés *Dét de GN* et N_0 *V Dét*, mais qui n'ont pas la propriété *Dét N* ;

— *Dnom*, qui est constituée de *Dét* ayant la propriété *Dét de GN*, mais pas les propriétés *Dét N* et N_0 *V Dét* ;

— *Dadj*, qui est caractérisée par la propriété *Dét N* et l'absence de N_0 *V Dét* ;

— *Préd*, qui comprend les prédéterminants, c'est-à-dire des éléments n'ayant ni la propriété *Dét N*, ni *Dét de GN*. Ces *Dét*, qui apparaissent devant des groupes nominaux, sont considérés comme ayant la propriété *Dét GN*. Dorénavant donc, et de façon générale, nous considérerons les *Préd* comme distincts des *Dét*. Nos définitions sont résumées dans le tableau I, la classification est donnée en Annexe.

Tableau I

Classes et effectifs	Exemples	*Dét N*	*Dét de GN*	N_0 *V Dét*
Dadv : 39	*beaucoup*	−	+	+
Dnom : 49	*bon nombre*	−	+	−
Dadj : 30	*certains, chaque*	+		−
Préd : 52	*à peu près, environ*	−	−	

Les deux cases sans signe correspondent aux situations où la propriété n'intervient pas dans la définition de la classe, ainsi nous donnons pour *Dadj* et *Préd* deux exemples, chacun correspond à l'une des deux possibilités « + » ou « − ».

Dans une large mesure, nos définitions reconstruisent les catégories traditionnelles. Ainsi, *Dadv* comprend des déterminants adverbiaux peu mobiles, *Dnom* des déterminants nominaux, *Dadj* des adjectivaux, et *Préd* des adverbiaux mobiles. Nous reviendrons sur le sens précis de ces notions lors de l'étude des propriétés des déterminants. Notons que la quasi-totalité des éléments lexicaux communément appelés déterminants ou prédéterminants tombe dans une et une seule de ces quatre classes. Toutefois, nous avons classé quelques *Dét* sans tenir compte de ces définitions ; par exemple, *le peu ... Rel (Dnom)* devrait figurer en *Dadv*, *ne ... ni (Dadv)* et *ne ... jamais (Dadv)* dans *Préd*, et *dans les (Dnom)* en *Dadj*. Nous justifierons la position adoptée lors de l'étude de ces éléments particuliers.

Les définitions syntaxiques masquent peut-être une certaine homogénéité sémantique des éléments étudiés, nous donnons ci-dessous des exemples de cette situation. Mais nous avons considéré que des études syntaxiques détaillées étaient une condition préalable nécessaire à l'extraction de toute notion de sens générale, donc sérieusement motivée, et nous n'avons alors guère tenté de relier les propriétés syntaxiques aux notions de sens traditionnellement associées aux déterminants. Nous avons d'ailleurs constaté à ce propos qu'il n'existait pas de correspondance directe entre les deux sortes de notions, les notions sémantiques ne sont en fait jamais claires. Il semble en effet impossible de redéfinir de façon précise des notions de sens floues comme de masse ou abstrait, ou de découvrir des éléments de sens nouveaux pertinents à la description.

Exemple 1 :

Sémantiquement, *beaucoup de* et *bien de* s'emploient souvent de la même façon : tous deux peuvent précéder des *GN* définis, et il y a quasi-synonymie entre

Luc a lu beaucoup de livres

et

Luc a lu bien des livres.

Ces deux éléments ont été classés différemment pour la raison formelle que nous avons

* *Luc lit bien de livres.*

Mais nous observons d'autres particularités de *bien de* :

— incompatibilité avec la négation (ce qui n'est pas le cas avec *beaucoup de*) :

* *Luc ne lit (pas + plus) bien des livres*

— des contraintes sémantiques de détermination différentes de celles de *beaucoup* :

Luc a bien de la peine
? * *Luc a bien de la viande* [2].

L'intuition est que dans *bien des livres*, *bien de la peine*, etc., l'article défini est du même type générique que dans les articles indéfini pluriel *des* et partitif *de la*. Nous pouvons donc considérer que *bien* est une adjonction à ces articles, encore qu'une telle analyse ne permette pas de rendre compte des restrictions que nous venons de mentionner.

Exemple 2 :

Considérons les phrases

Luc mangera plus de gâteaux
Luc mangera d'autres gâteaux
Luc mangera un supplément de gâteaux [3]
Luc mangera encore des gâteaux

---

2. Cette séquence est interprétable mais avec *bien* synonyme de *effectivement*, il est alors nécessaire d'avoir un contexte :

Luc a bien de la viande, mais il ne sait pas la faire cuire.

Cette construction de *bien* n'est pas compatible non plus avec la négation.

3. Cette phrase est probablement à mettre en relation avec

Luc mangera des gâteaux supplémentaires.

elles sont largement synonymes et ne diffèrent de

Luc mangera des gâteaux

que par un *Dét* ou un *Préd* : *plus (Dadv), d'autres (Dadj), un supplément (Dnom), encore (Préd).* Nous voyons donc qu'ici, la classe syntaxique du *Dét* ou *Préd* n'influe guère sur son interprétation.

3   Propriétés distributionnelles

3.1   *Définitions des propriétés*

3.1.1   *Constitution des groupes nominaux*

Les déterminants peuvent être contraints par la nature (sémantique) de leur substantif :

{ ? Luc a un peu de (courage + ennuis)
   Luc a un peu de vin

{ Une quantité énorme de (lits + sable) (subsiste)
   ? Une quantité énorme de sincérité (subsiste).

Les substantifs sujet et complément(s) d'un verbe étant sémantiquement déterminés par le verbe, il peut en résulter une contrainte indirecte entre verbe et déterminants. Les contraintes que nous décrivons ne sont donc valables que si les *GN* étudiés sont placés dans des contextes verbaux appropriés.

Les listes traditionnelles réexaminées ici comportent toutes des *Dét* couramment utilisés, mais certains exemples suggèrent que ces listes devraient être étendues à des *Dét* dont l'emploi est plus restreint. Ainsi, dans

Luc a dépensé au (dessus + dessous) de cent francs

au dessus et *au dessous* sont des *Dét* de la classe *Dnom* (II, 4). Le recensement de tels *Dét* n'est pas aisé, car leurs contraintes distributionnelles font qu'ils n'apparaissent qu'en compagnie de certains verbes. C'est ainsi que les formes suivantes, parallèles aux exemples précédents, ne sont guère acceptables :

? * Luc a mangé au (dessus + dessous) de trois pommes

encore qu'une négation comme *ne ... guère* dans cette forme la rendrait plus acceptable.

Nous avons étudié la distribution des catégories nominales traditionnelles suivantes :

N = Nmas, noms de masse ; ces *N* prennent l'article partitif *de Artg (du sable, de la crème)* ;

N = Nnomb, noms nombrables[4] *(canal) ;* ils peuvent se mettre au pluriel de façon naturelle, et acceptent les déterminants numéraux *Dnum ;*

N = Nabs, noms abstraits, nous avons étudié ici quelques noms acceptant l'article partitif et ne se mettant que difficilement au pluriel *(timidité).*

---

4. Les catégories de masse et nombrable ne s'excluent pas, nous avons par exemple *du gâteau* et *(des + trois) gâteaux.*

Dans les tables *Dadv*, *Dnom* et *Dadj*, les distributions de tels *N* accompagnés de *Dét* sont représentées par des colonnes dont les intitulés sont les suivants :

Dét de Nplur :

> *Beaucoup de canaux (meurent)*
> *Une quantité de canaux qui surprend Eva (meurt)*
> * *Un morceau de canaux (meurt)*
> * *La plupart de canaux (meurent)*
> * *Plusieurs de canaux (meurent).*

Dét de Ddéf Nplur :

> *Beaucoup de ces canaux (meurent)*
> *Une quantité de ces canaux qui surprend Eva (meurt)*
> * *Un morceau de ces canaux (meurt)*
> *La plupart de ces canaux (meurent)*
> *Plusieurs de ces canaux (meurent).*

Dét de Dind Nplur :

Nous avons essentiellement examiné cette propriété avec *Dind* = *Dnum* = *trois*

> * *Beaucoup de trois canaux (meurent)* [5]
> * *Une quantité de trois canaux qui surprend Eva (meurt)*
> * *Un morceau de trois canaux (meurt)*
> * *La plupart de trois canaux (meurent)*
> * *Plusieurs de trois canaux (meurent)*
> *Près de trois canaux (meurent)*
> *Un groupe de trois canaux (meurent).*

Dét de Nnomb, sing :

Le nom est ici nombrable au singulier :

> ? * *Beaucoup de canal (meurt)*
> ? * *Une quantité de canal qui surprend Eva (meurt)*
> *Un morceau de canal (meurt)*
> * *La plupart de canal (meurent)*
> * *Plusieurs de canal (meurent).*

Dét de Nmas :

> *Beaucoup de crème (tombe)*
> *Une quantité de crème qui surprend Eva (tombe)*
> ? * *Un morceau de crème (tombe)*
> * *La plupart de crème (tombent)*
> * *Plusieurs de crème (tombent).*

Dét de Nabs :

> *Beaucoup de timidité (la gênerait)*
> ? * *Une quantité de timidité qui surprend Eva (la gênerait)*
> ? * *Un morceau de timidité (la gênerait)*
> * *La plupart de timidité (la gênerait)*
> * *Plusieurs de timidité (la gênerait).*

---

5. Remarquons que dans la construction en *avoir*
> *J'ai (assez + trop) de trois canaux*
ces formes sont acceptables, alors qu'elles ne le sont pas dans le cas général :
> * *J'ai nettoyé (assez + trop) de trois canaux.*

Dét de Artg N :

En général, les *Dadv, Dnom,* et *Dadj* n'entrent pas dans cette construction :

> * *Beaucoup de (l'air + la chance)*[6] *(est nécessaire).*

Cette propriété met donc en contraste les prédéterminants et les autres *Dét,* puisque certains éléments de *Préd* entrent dans cette construction ; la séquence *de Artg* doit y être considérée comme un article partitif ou indéfini pluriel :

> *Bien (des livres + de la chance) (est nécessaire).*

Pour les éléments de *Préd* nous avons encore étudié les constructions[7]

Préd Dnum Nplur :

> *(Environ + quelques) trois livres (arriveront).*

Préd un Nsing :

> *(Environ + seul) un livre (arrive)*
> *Luc lit à peine un livre par an.*

Préd Ddéf Nplur :

> *Luc lira (tous + surtout) ces livres.*

Dans un certain nombre de cas, lorsque le *GN* comporte un numéral, la forme

Préd Ddéf Dnum Nplur est nettement plus acceptable :

> ? * *Luc lira (environ + à quelque chose près) ces livres*
> ?   *Luc lira (environ + à quelque chose près) ces cinq livres.*

Cette différence est perceptible également dans les phrases associées où *Préd* est permuté à droite de *livres.*

Préd Ddéf Nsing :

> *Luc lira (tout + surtout) ce livre.*

Nous avons indiqué que certains *Dadj* avaient des propriétés adjectivales ; l'une d'elles consiste à occuper la position de *Adj* dans les *GN*

> *(Ddéf + Dind) Adj N.*

Nous avons donc étudié pour *Dadj* la possibilité d'avoir les constructions

> *Ddéf Dadj N*   et   *Dind Dadj N*

nous avons par exemple

> *Les diverses personnes (convoquées attendent)*
> *Une telle personne (peut attendre),* etc.

mais

> * *Les certaines personnes (attendent)*
> * *Les plusieurs personnes (attendent),* etc.

---

6. Ces constructions peuvent être acceptables, mais avec article défini porteur de coréférence, donc différent de *Artg.*

7. Certaines constructions sont ambiguës car les *Dét* correspondants peuvent être interprétés soit comme adverbe modifiant le verbe, soit comme prédéterminant, ainsi

> *Luc a discuté à peine trois dossiers*

signifie

> *Luc a discuté superficiellement trois dossiers*

et

> *Luc a discuté près de trois dossiers.*

Cette ambiguïté dépend du verbe principal,

> *Luc pèse à peine soixante kilos*

n'est pas ambigu.

3.1.2 Formes comparatives

Certains *Dét* sont accompagnés de la forme *que P*, l'association étant discontinue :

> *Paul mange plus de bonbons que Marie n'en mange*
> *Paul a mangé tellement de bonbons qu'il sera malade.*

Il existe deux types de phrases *P* associées à ces *Dét*. Dans un cas *P* doit être parallèle à une phrase, ici la principale, *que P* est alors réductible à son sujet ou à un complément :

> *Paul mange plus de bonbons que (Marie + de gâteaux).*

Dans l'autre cas ce parallélisme est interdit, et *P* doit rester complet :

> *Paul a mangé tellement de bonbons qu'il sera malade*
> *∗ Paul mange tellement de bonbons que (Marie + de gâteaux).*

Dans des cas où *P* a une parallèle, *que P* peut être omis, et le *Dét* prend une valeur référentielle :

> *Paul mange plus de bonbons*
> *= Paul mange plus de bonbons qu'avant cela*

cela renvoie alors à une phrase du contexte gauche ou à une situation passée. Dans les cas où *P* est complet, *que P* peut être omis, alors le *Dét* prend une valeur spéciale qui correspond à une phrase sous-entendue. Les *P* complets peuvent contenir des négations ou des comparatifs, ce n'est pas vrai pour les *P* parallèles (II, 3.1).

Nous avons étudié la distribution de ces adjonctions *que P*, elles sont limitées à *Dadv* et *Préd*. Dans les cas où les *Dét* correspondants apparaissent en position sujet, la forme *que P* peut devoir être extraposée de son *GN* :

> *D'autant plus de gens lisent qu'ils en ont le loisir*
> *∗ D'autant plus de gens qu'ils en ont le loisir lisent*
> *Autant de garçons que de filles lisent*
> *? Autant de garçons lisent que de filles*

les colonnes

> *Dét de GN que P VΩ*
> *Dét de GN VΩ que P*

représentent ces propriétés (I, 6.3).

Notons encore l'existence des formes discontinues

> *Dét ... pour (que Psubj + V°Ω)*

avec *Dét = assez + suffisamment + trop* (Rouveret), utilisées comme dans

(1) { *Luc a été assez gentil pour faire cela*
       Suffisamment de personnes ont vu Luc pour avoir pu le juger
       Luc a vu trop de gens pour avoir pu décider.

Ces compléments en *pour* sont à distinguer d'autres compléments en *pour* (dits de but ou de cause) dont la distribution n'est pas dépendante d'un *Dét :*

(2)   *Luc attend Eve pour lui dire merci*
(3)   *Eve condamne Luc pour avoir dit cela.*

Pour opérer la distinction, nous noterons que dans (2), l'infinitive ne peut guère être au passé :

> *? ∗ Luc attend Eve pour lui avoir dit merci*

et que (3) n'a pas la source complétive

Eve condamne Luc pour qu'il (a + ait) dit cela.

Les exemples (1) qui nous intéressent n'ont pas en général ces restrictions ; de plus la dépendance entre le *Dét* et le complément en *pour* apparaît nettement dans les phrases où la confusion n'est pas possible, nous avons

Trop de personnes ont vu Luc, pour avoir pu le juger

alors que *? (Des + ces) personnes ont vu Luc, pour avoir pu le juger.*

De même si nous supprimons *trop* dans le troisième exemple de (1) nous n'obtenons pas l'interprétation correspondante de *pour VΩ* :

Luc a vu des gens pour avoir pu décider.

3.1.3 *Propriétés morphologiques*

Nous avons encore représenté les variations morphologiques d'accord en genre et en nombre des formes *Dét N* et *Dét de (GN + N)*.

Tous les *Dadv* sont invariables. Dans *Préd*, seuls *tout* et *tous* sont variables, ce qui rend ces éléments exceptionnels parmi les prédéterminants. C'est dans *Dnom* et dans *Dadj* que nous trouvons donc l'essentiel des formes variables. Elles sont représentées au moyen des propriétés suivantes :

— « Accord fém » : quand *N* est un nom féminin, *Dét* est noté + s'il prend une marque du féminin (l'entrée de la table est toujours donnée au masculin) ;

Dans la table *Dadj*, nous avons indiqué l'accord en nombre :

— dans la colonne « Accord sing », le signe « + » indique que *Dét Nsing* est acceptable *(un cheval)*, le signe « − » indique que * *Dét Nsing* (* *plusieurs cheval) ;*

— dans la colonne « Accord plur », nous avons adopté la même convention : signe « + » lorsque nous observons *Dét Nplur (plusieurs chevaux)* ; signe « − » lorsque nous avons * *Dét Nplur* (* *chaque chevaux).* Les formes *un (certain + seul)* n'ont pas de pluriel (* *des (certains + seuls) N).* Nous n'avons noté cette propriété que pour les formes simples, des distinctions comme *aux environs (Dnom)* vs. * *à l'environ* ne sont pas indiquées.

Dans la table *Dnom*, nous avons représenté l'accord en genre par la propriété « Accord fém ». Les *Dnom* ne s'accordent pas en nombre avec *N*. Cependant, comme certains d'entre eux sont susceptibles de prendre des marques de nombre *(lequel, lesquels)*, nous avons indiqué cette possibilité au moyen des propriétés *Dét sing* et *Dét plur*.

3.2 *Caractérisation des formes*

Nous venons de décrire des familles de constructions *Dét de (GN + N)*, mais toutes les séquences *Dét de (GN + N)* observables dans des phrases ne sont pas des groupes nominaux. En fait, les séquences que nous décrivons ne possèdent pas toujours de définition formelle précise, elles correspondent souvent à plusieurs constructions que nous ne distinguons que par intuition.

Les *Dadv,* comme par exemple *beaucoup,* sont marqués − *Dét GN.*
Pourtant nous observons la séquence *Dét GN* dans

Luc aime beaucoup ces lits.

De la même façon, *beaucoup* marqué − *Dét N* apparaît comme + *Dét N* dans

Luc aime beaucoup tartes et gâteaux.

Mais dans ces phrases, le sens[8] indique clairement que *beaucoup* ne s'applique pas au complément d'objet direct, mais au verbe *aime. Beaucoup* devra alors être considéré comme un adverbe, et non pas comme un *Dét* affectant l'objet direct.

D'autres séquences qui superficiellement ont les propriétés que nous étudions doivent en fait être analysées de toute autre manière. Ainsi dans

Luc en a rempli certaines de vin
Luc a payé tout de sa poche
Luc parle beaucoup d'eux, etc.

les séquences *Dét de N* sont à cheval sur deux compléments, ce qui peut être mis en évidence par extraction dans *C'est ... Qu ;* en d'autres termes, *de GN* n'est pas ici complément de définition.

Les articles partitifs présentent des ambiguïtés formelles qui, au contraire des précédentes, sont liées à des problèmes de l'analyse des (pré)déterminants. Examinons les constructions

(1)   *Dét GN*
et   (2)   *Dét de GN.*

Lorsque dans (1), *GN* comporte un déterminant partitif (ou indéfini pluriel), c'est-à-dire *de (le + la + les),* le groupe peut prendre la forme

Dét de (le + la + les) N

identique à la forme de (2) où *GN* est accompagné de l'article défini *le, la* ou *les.* Dans la plupart des cas, il est assez aisé de séparer les deux constructions sur une base intuitive. En effet, dans le cas (1) l'article *le (la, les)* est générique (il est noté *Artg*) :

bien (du courage + des événements)

tandis que dans le cas (2), l'article défini a en général valeur référentielle (il renvoie au contexte, III, 1.1) :

Luc est au courant de beaucoup des événements.

Un problème analogue est posé par d'autres déterminants de forme *de Ddéf* (parfois aussi appelés partitifs) qui apparaissent dans

De (ces personnes + mes amies) sont restées avec Luc
Eve a mangé de (ce + ton) pain
Luc a lu de (ces + leurs) livres.

---

8. Certaines propriétés formelles peuvent également servir à distinguer ces phrases des formes en *Dét* ; par exemple, une extraction fournira

Ce sont ces lits que Luc aime beaucoup

alors que la même extraction appliquée à la construction en *Dét*

Luc aime beaucoup de ces lits

conduirait à la séquence

* *Ce sont de ces lits que Luc aime beaucoup*

qui, même si elle était considérée comme acceptable, ne serait pas liée à la phrase précédente. Par ailleurs, la construction sans article n'est possible que dans une conjonction.

Dans ces constructions (de niveau plutôt littéraire[9]) la séquence *de Ddéf* est interprétée comme *une partie de Ddéf*. Les séquences *Dét de Ddéf* pourraient être alors interprétées comme des formes (2), nous reviendrons sur cette possibilité en II, 1.2 et II, 2.

3.3 *Eléments de sens des propriétés*

Nous avons associé à des catégories sémantiques de *N* certaines propriétés syntaxiques (présence du partitif, variations en nombre). Cette association est loin de constituer une caractérisation, elle ne doit être considérée que comme un moyen de construire des exemples en termes des catégories intuitives de la grammaire traditionnelle. Les tentatives de caractérisation se heurtent en effet à des difficultés diverses. D'une part, les catégories sémantiques mentionnées ne sont pas toujours opératoires : étant donné la liste des *N* extraits d'un dictionnaire, il n'est pas possible de leur attribuer systématiquement et de façon reproductible une ou plusieurs de ces catégories. D'autre part, la distribution des propriétés syntaxiques associées est susceptible de varier de manière importante à la suite d'extensions du sens des *N*. Nous mentionnerons quelques exemples de ces difficultés.

(i) Dans

> *Luc a vu du monde*
> *Luc a reçu un coup*

les substantifs *monde*[10] et *coup* sont-ils concrets ou abstraits ? Il n'est même pas sûr que cette question ait un sens, et cette situation affecte un grand nombre de *N*.

L'utilisation de *N* clairement concrets avec un article générique tend à les rendre abstraits, c'est le cas de *plagiste*, *société*, *peinture*, *musique*, dans

> *Le plagiste a une grande importance dans la société moderne*
> *La musique est plus distrayante que la peinture.*

L'interprétation d'un substantif donné peut encore dépendre du verbe qui l'accompagne. Dans

> *Ce discours pèse trois kilos*

discours peut être considéré comme concret, par contre dans

> *Luc a eu l'idée d'un discours*

discours doit probablement être qualifié d'abstrait.

De telles situations et, de façon générale, la majorité des emplois métaphoriques peuvent modifier notablement la distribution des déterminants, ainsi que leur interprétation (III, 1.1).

(ii) La plupart (sinon la totalité) des constructions *Dét de GN* peuvent varier en contenu par suite d'extensions extra-linguistiques portant sur le *N*. Ainsi

> *un morceau de crème*

---

9. Ces constructions étaient courantes en français classique (Haase).
10. Remarquons que *monde* ne peut pas, dans ce sens, se mettre au pluriel.

est une construction déviante qui devient naturelle dans un contexte où la crème est solidifiée *(un morceau de crème glacée)*.

(iii) Nous avons pu suggérer que les *Nabs* (abstraits) prenaient l'article partitif et ne se mettaient pas au pluriel. En fait, il n'existe aucune étude permettant une telle affirmation et la situation est complexe. Si nous avons bien

Luc a de la timidité

et   ? * *Luc a (des + ces) timidités*

nous avons aussi

Luc a des difficultés
? * *Luc (a + a rencontré) de la difficulté*
Luc a (du + des) mérite(s).

La possibilité d'être mis au pluriel dépend en outre de la position syntaxique du *N* :

Luc a eu la difficulté de travailler sans outils
* *Luc a eu les difficultés de travailler sans outils.*

De façon symétrique, la phrase avec intonation d'admiration (Gross 1974, 1975a)

Luc a une de ces timidités ! ...

est acceptable avec *timidité* apparemment au pluriel. Notons cependant qu'il ne s'agit pas d'un véritable pluriel puisque nous avons

Luc a un de ces cheval(s ?) ! ...

mais   * *Luc a un de ces chevaux ! ...*

La plupart des *Nabs* qui ne prennent pas le pluriel sont néanmoins interprétables au pluriel de façon uniforme, les phrases

J'admire ces (timidités + sincérités)

peuvent être paraphrasées par

J'admire ces sortes de (timidités + sincérités).

Les interdictions de pluriel que nous avons notées pourront donc souvent être inversées par de telles interprétations. Notons encore le superlatif

J'ai la plus grande des (timidités + sincérités).

De la même façon, certaines interdictions du singulier sont interprétables. Nous avons noté que les substantifs nombrables *(Nnomb)* se mettaient obligatoirement au pluriel dans des formes comme

beaucoup de (GN + N)
= * *beaucoup de (E + ce) canal.*

Cependant, certains *Dét* sont interprétables avec *Nnomb* au singulier dans ces constructions, ce qui devrait conduire à inverser la marque que nous avons donnée à la propriété *Dét de Nnomb*. Ainsi, il est possible de paraphraser

Luc a nettoyé beaucoup de ce canal

par   *Luc a nettoyé une grande partie de ce canal.*

Mais, il n'en va pas de même pour

* *Luc a nettoyé un certain nombre de ce canal.*

Nous n'avons pas représenté non plus dans nos tables les changements d'interprétation liés aux changements de nombre. Seules y figurent les interprétations les plus immédiates.

4 Déterminants et pronoms

4.1 *Pronominalisation et déterminants*

Les grammaires traditionnelles classent comme pronoms des formes *Dét* (essentiellement des *Dadv*, *Dnom* et *Dadj*) qui, employées indépendamment d'un substantif, ont une interprétation référentielle. Par contre, lorsque ces mêmes *Dét* sont employés avec un *N*, ils perdent cette fonction et sont alors classés comme déterminants. Par exemple dans

(1)   *Beaucoup d'amis viendront*

beaucoup (de) est déterminant, mais dans

(2)   *Beaucoup viendront*

beaucoup est un pronom qui se référerait à partie de *mes amis* si le contexte gauche de (2) était

(3)   *Mes amis sont invités.*

Alors que la séquence de phrases (3) (2) constitue un discours cohérent, il n'en va pas de même pour (3) (1). L'incohérence de la séquence (3) (1) provient de l'absence d'une relation de référence entre les deux phrases.

L'interprétation de *Dét* dans (3) (2) est celle d'un ensemble inclus[11] dans l'ensemble qui correspond à l'antécédent du pronom (ici l'ensemble *mes amis*). L'antécédent doit donc être un *N* au pluriel. Cette relation d'inclusion est celle que nous observons entre *Dét* et le complément de définition *Ddéf Nplur* à l'intérieur des formes

Dét de Ddéf Nplur
= *trop de ces livres*

où l'ensemble { *Dét* } *(trop)* est inclus dans l'ensemble { *Ddéf Nplur* } *(ces livres)*. Cette construction est générale (I, 2) puisque tous les *Dadv*, *Dnom* et *Dadj*, à l'exception de *un morceau*, y entrent. Cette construction est encore apparentée à la construction synonyme

Dét d'entre Ddéf Nplur

qui apparaît comme un peu plus répandue que la précédente, puisque nous observons dans la position de *Ddéf Nplur* les pronoms *nous, vous, eux, elles* que l'on n'a pas en l'absence de *entre* ; nous avons

Dét d'entre (eux + elles)[12]
* *Dét d'(eux + elles)*

pour   *Dét ≠ un + l'un + chacun + aucun,*
et   *Dét d'(eux + elles)*
pour   *Dét = un + l'un + chacun + aucun.*

Remarquons que ces *Dét* comportent tous le morphème *un*.

---

11. Avec *Dét = tous* nous avons identité des deux ensembles, et
    Dét = aucun représente un sous-ensemble vide.
12. *Entre* est en distribution complémentaire avec d'autres éléments dans cette position (II, 3.2).

Exemples :

> *(beaucoup + certains + un grand nombre) d'entre eux*
> * *(beaucoup + certains + un grand nombre) d'eux*
> *(un + l'un + chacun + aucun) d'eux.*

Cette restriction à la distribution des pronoms est représentée dans des colonnes des tables *Dadv, Dnom*, et *Dadj.*

Une manière de régulariser cette situation consiste à admettre que la distribution de *entre* par rapport aux pronoms *eux* et *elles* est régulière. En d'autres termes, nous utiliserons la forme de base

> *Dét de GNdéf plur*

où le groupe nominal défini pluriel *GNdéf, plur* pourra être un pronom. A partir de cette forme de base nous décrirons les impossibilités résultantes au moyen d'une règle ayant l'effet de réduire les séquences *de (eux + elles)*. Nous écrirons en première approximation pour cette règle

> *[de LUI z.] : Dét de (eux + elles) → Dét.*

Cette règle s'appliquera facultativement pour

> *Dét = un + l'un + chacun + aucun*

et obligatoirement dans tous les autres cas de *Dét.*

L'avantage de ce traitement par rapport à une solution distributionnelle ne reproduisant que les observations devient apparent lorsque nous revenons au problème des éléments lexicaux doubles : déterminant-pronom. En effet, l'application de la règle *[de LUI z.]* relie directement les formes synonymes *Dét* et *Dét de (E + entre) (eux + elles)*, ce que ne peut pas faire une analyse distributionnelle. Il devient donc inutile de traiter comme doubles les éléments lexicaux *Dét* affectés par cette analyse. Nous considérons que chacun de ces *Dét* est uniquement un déterminant de groupe nominal, et lorsque le substantif est pronominalisé, la règle *[de LUI z.]* peut s'y appliquer, fournissant une occurrence de *Dét* dite pronominale.

La règle *[de LUI z.]* n'opère pas uniquement sur les formes *de eux, de elles,* elle peut également s'appliquer à des pronoms au singulier, c'est-à-dire à *de lui* et *de elle.* Ainsi, dans le discours

> *Nous avons gagné un gâteau, (un morceau + la moitié) me revient*

un morceau et *la moitié* ont une interprétation pronominale renvoyant à *gâteau.* Ce discours est synonyme de

> *Nous avons gagné un gâteau, (un morceau + la moitié) de (celui-ci + ce gâteau) me revient.*

Ici, *un morceau* et *la moitié* sont des *Dnom.* Nous étendrons comme nous l'avons fait précédemment la distribution de *lui* et *elle* à des positions où ils ne sont pas directement observables :

> * *Dét de (lui + elle)*[13].

---

13. Cette extension justifie notre notation de la règle où figure un pronom abstrait *LUI* non marqué en genre et en nombre, mais néanmoins morphologiquement proche de la forme masculin singulier qui est considérée comme non marquée (III, 1.2 ; III, 2.2 ; III, 3.1).

La règle [*de LUI* z.] pourra s'appliquer [14] à ces formes de base, ce qui permet encore de rendre compte de la synonymie des discours précédents sans faire intervenir plus d'un élément lexical. La relation d'inclusion entre le *Dét* et le complément de définition s'étend ici de façon naturelle à des cas d'ensembles non discrets.

Cette règle est encore utilisée dans le cas de types de références autres que celui que nous venons d'observer entre (3) et (1). Considérons

(4)   *Cette fille n'est pas invitée, mais beaucoup viendront*

beaucoup renvoie à *fille*, mais d'une manière autre que dans les exemples précédents. (4) est synonyme de

(5)   *Cette fille n'est pas invitée mais beaucoup de filles viendront*

et nous dirons que la référence de *beaucoup* à *fille* dans (4) est lexicale. Cette référence est explicitée dans (5) par une identité (au nombre près) d'éléments lexicaux. Nous prendrons (5) comme forme de départ, nous appliquerons à *beaucoup de filles* la substitution lexicale

$$N \to LUI \quad (N = fille)$$

ce qui fournit

(6)   * *Cette fille n'est pas invitée, mais beaucoup d'elles viendront*

forme à laquelle s'applique [*de LUI* z.] pour donner (4).

Etant donné que nous localisons la source de la coréférence d'un groupe nominal dans une proposition interne à ce groupe (III, 1.1) nous sommes justifié à appliquer la règle [*de LUI* z.] dans des cas de référence superficiellement aussi différents que la référence lexicale et la coréférence. Nous reviendrons sur ces notions en III, 1.

Notons qu'aucun des *Préd* n'a ce fonctionnement pronominal, des phrases comme

Luc mange seulement
Luc pense à ensuite

bien qu'ayant les formes N_0 *V Dét* et N_0 *V Prép Dét*, ne comportent pas ce type d'élément pronominal, ces propriétés sont marquées négativement en conséquence. La seule exception à cette régularité est celle de *tout - tous*. Ces formes ont été classées comme *Préd* pour la raison que nous avons toujours

* *tou(s) de (N + GN)*

mais *tout* et *tous* sont les deux seuls *Préd* ayant un emploi pronominal, ils sont donc à ce titre des exceptions par rapport à *Préd*. Leur analyse serait partiellement régularisée si nous pouvions justifier l'utilisation de formes de bases en *de* (Gunnarson), mais nous ne disposons d'aucun argument permettant d'étayer cette hypothèse. Notons toutefois qu'en anglais la construction correspondante *(all of them)* existe bien.

---

14. Les règles de pronominalisation
  de LUI $\to$ *en*
  de LUI $\to$ adjectif possessif (III, 3.4)
sont également susceptibles de s'appliquer à certaines formes *Dét de GN*. Ainsi
  Nous avons gagné un gâteau, (un morceau + la moitié) m'en revient
constitue vraisemblablement une étape intermédiaire dans la dérivation donnée (III, 4.1, remarque 1).

La limitation du phénomène à la position sujet resterait à expliquer. Nous avons en effet :

> ? * *J'ai écouté les invités, beaucoup # déçus*
> ? * *J'ai pensé aux invités, beaucoup # déçus*

alors que les sources considérées pour N_0 sont bien plus acceptables pour N_1 :

> *J'ai (écouté + pensé à) les invités, beaucoup étaient déçus.*

Ce serait donc la réduction qui ne pourrait pas opérer. Ce phénomène est à rapprocher de la réduction de certains compléments circonstanciels qui n'opère que lorsque leur sujet est coréférent au sujet de la principale :

> *J'ai (écouté + pensé à) Luc, avant de m'en aller*
> * *J'ai (écouté + pensé à) Luc, avant de s'en aller.*

Rappelons encore que des *GN* comportant certains *Dind* sont difficilement acceptés comme sujets avec la majorité des verbes du français. Nous avons

> ? * *Des étudiants travaillent*

forme qui n'est acceptée qu'avec l'interprétation

> *Il existe des étudiants qui travaillent*

cette interprétation n'est pas exigée dans la phrase formellement identique

> *Des étudiants arrivent.*

Les verbes du type *arriver* sont au nombre de quelques dizaines seulement, ceux du type *travailler* constituent le cas le plus fréquent. Cette restriction ne semble pas sémantique, en tous cas à un niveau superficiel. Considérons en effet la forme inacceptable (Martinon)

> * *Une liberté règne aujourd'hui*

l'adjonction d'un *Modif* au sujet la rend acceptable :

> *Une (grande liberté + liberté totale) règne aujourd'hui.*

On pourrait donc penser que la restriction provient d'un manque de spécificité sémantique du sujet, mais l'adjonction du *Modif certaine* rend également la séquence acceptable :

> *Une certaine liberté règne aujourd'hui*

or l'apport de *certaine* semble être nul du point de vue de la spécification sémantique de *liberté*. Nous sommes donc amené à considérer que cette particularité des sujets est syntaxique, et qu'elle consiste en l'obligation d'avoir un *Modif* accompagnant certains *Dind*.

4.2.2 *Position complément direct*

En position de complément direct (objet direct) la pronominalisation fait apparaître un pronom pré-verbal : le *Ppv le (la, les)* dans les cas définis, et en général *en* dans les cas indéfinis. Nous avons les formes parallèles

> N_0 *V Dét de GN*

et N_0 *en V Dét.*

Lorsque N_0 *en V Dét* existe, il existe toujours une forme associée N_0 *V Dét de GN* (un peu plus difficilement pour *différents (Dadj)* et *divers (Dadj)*). Inversement, à partir de N_0 *V Dét de GN* on peut généralement dériver la forme pronominalisée en *en :* les *Dét* suivants sont les seules exceptions :

33

— dans *Dnom*, d'une part *l'un* et *chacun*, d'autre part le type *près* et *de l'ordre* discuté précédemment. De plus, les formes en *lequel*, qui sont définies, ne donnent pas lieu au pronom *en*, nous les examinerons en II, 7 ;

— dans *Dadj*, *nul* et *tel* dont les emplois sont mal ancrés aujourd'hui et *le seul ... Rel* qui est un déterminant complexe défini. De plus, il existe dans *Dadj* des formes *Dét* qui n'ont aucun complément *de (GN + N)*, ce sont

$$Dét = chaque + tout + quelque + un\ certain$$

et les *Dét* comportant *quel*, ils n'auront donc pas de *Ppv en* associé. Parallèlement, nous constatons que ces formes n'ont pas d'emploi pronominal *(* Dét VΩ* et ** N_0 en V Dét)*, ce qui justifie encore notre analyse.

Les formes *N_0 en V Dét* sont en général ambiguës du point de vue de la référence : *en ... Dét* peut être avec son antécédent, soit en relation de référence lexicale, soit en relation de référence d'inclusion. Par contre les formes

$$N_0\ en\ V\ Dét \neq de\ N$$
$$= Luc\ en\ lit\ beaucoup \neq de\ livres$$

où *de N* est détaché (*N* sans déterminant), n'ont pas l'interprétation d'inclusion. Nous avons étudié la distribution des *Dét* dans cette dernière construction, nous avons constaté que ceux qui y entraient étaient sensiblement les mêmes que ceux de la construction *N_0 en V Dét*. Les exceptions à cette relation sont

— dans *Dnom*, *la plupart, le (E + plus) gros, le plus clair, ne ... rien* ;
— dans *Dadj*, les superlatifs *le (plus + moins) Adj* ;
ces *Dét* entrent dans la forme pronominale *N_0 en V Dét*, mais pas dans la forme à détachement.

Les segments détachés *de N* sont analysés à partir de groupes nominaux *Dét de N* où *N* ne comporte pas de déterminant, la propriété distributionnelle (I, 3.1.1) *Dét de N* (*N* singulier ou pluriel) et la propriété de pronominalisation avec détachement devraient donc être étroitement liées. C'est ce que l'on observe dans la table *Dadv* où ces deux propriétés ont la même distribution. Dans *Dnom* nous rencontrons une exception : *quelques uns*[15] :

$$* Luc\ a\ lu\ quelques\ uns\ de\ livres$$
$$Luc\ en\ a\ lu\ quelques\ uns \neq de\ livres.$$

Dans *Dadj* la situation est différente, aucun *Dét* ne se construit avec *de* et *N* sans déterminant, pourtant des formes avec *de N* détaché existent. Nous serons donc amené à utiliser des formes de base non attestées *Dét de N* dans l'analyse de ces constructions.

Nous avons encore noté dans les tables l'existence de formes détachées sans *Ppv* :

$$N_0\ V\ Dét \neq de\ N.$$

Nous avons par exemple

$$Tu\ as\ mangé\ lequel \neq de\ bonbon\ ?$$
$$Lequel\ as-tu\ mangé \neq de\ bonbon\ ?$$

---

15. Il est possible que l'explication de ce phénomène soit liée à la nature des relations entre *quelques N* et *quelques uns*.

J'ai mangé le (seul qui me plaisait + autre) ≠ de bonbon
J'ai lu les (plus + moins) chers ≠ de journaux.

L'analyse de ces constructions conduit également à l'utilisation d'une forme de base non attestée *Dét de N*.

Il existe encore des constructions où la pronominalisation conduit à la formation du *Ppv le (la, les)*, c'est-à-dire à

$$N_0 \text{ le V Dét.}$$

Les seuls *Dét* qui entrent dans cette construction sont *chacun (Dnom), tout (Préd), tous (Préd)*[16] :

Je les ai examinés chacun
Je l'ai mangé toute
Je les ai lus tous.

4.2.3 Position complément indirect

Les constructions pronominales correspondantes ont été notées

$$N_0 \text{ V Prép Dét.}$$

Leur interprétation diffère parfois des interprétations rencontrées (référence lexicale ou d'inclusion). De plus, les conditions dans lesquelles ces formes sont acceptables sont peu claires, ceci étant particulièrement vrai dans le cas des *Dadv*. Ainsi, il nous semble plus difficile de donner une interprétation aux séquences

Luc a (rêvé + pensé) à (beaucoup + peu + trop)

qu'aux séquences

Luc a besoin de (beaucoup + peu + trop).

Ces dernières sont des phrases plus naturelles, mais elles ne sont pas interprétables avec référence lexicale ou d'inclusion. Elles sont paraphrasables par

Luc a besoin de (beaucoup + peu + trop) de (choses + etc.)

ce qui suggère une analyse où un substantif spécifique (ici *choses*) serait effacé[17].

La situation n'est pas la même dans *Dnom* et *Dadj* où la majorité des *Dét* entrant dans N_0 *V Prép Dét* sont interprétables avec valeur(s) référentielle(s) :

Luc pense à (certains + la plupart).

Il apparaît donc que les phénomènes que nous venons d'étudier dépendent non seulement des *Dét* mais encore du verbe principal, c'est-à-dire de la nature

---

16. Diverses propriétés de ces *Dét* ont été étudiées par Borillo 1971, Fauconnier 1973 et Kayne 1975.
17. Cet effacement pourrait avoir lieu après pronominalisation *(choses → LUI)* auquel cas la règle [*de LUI* z.] s'appliquerait ici également. Ce type d'interprétation n'est pas limité à *Dadv* et aux compléments indirects. Nous l'observons encore dans

Luc (mange + exige) beaucoup
Tout l'amuse
Luc apprécie tout

et vraisemblablement dans

Beaucoup aiment cela

où *beaucoup* est interprétable comme *beaucoup de gens*.
Nul et *tel* accompagné d'une relative ne peuvent s'employer sans *N* qu'en position sujet, ils n'ont alors que l'interprétation *nulle personne, telle personne.*

du complément prépositionnel. Nous avons un autre exemple de cette dépendance avec la possibilité d'avoir des formes

N_0 en V Prép Dét, au moins avec Prép $= de$[18].

Nous avons ainsi

Il en suffit de peu pour faire cela

où en provient du complément indirect en de et où en ... peu peut présenter une référence d'inclusion ou une référence lexicale selon le contexte gauche. Il en est de même pour

Luc l'a rempli d'un grand nombre de billes
Luc l'en a rempli d'un grand nombre[19].

Dans certains cas, la présence d'un modifieur rend ces formes pronominales plus acceptables :

? * Luc pense à quantité
Luc pense à quantité qui lui conviennent.

Ces cas ont été marqués « + » dans N_0 V Prép Dét.

Notons le cas de Dét = chaque. Alors qu'en général un N accompagne obligatoirement chaque :

* Chaque viendra
* Luc a vu chaque

dans certaines positions syntaxiques nous observons chaque tout seul :

Luc a payé ces pots dix francs chaque
Luc en a acheté dix de chaque

ces deux phrases comportent également le sens d'un substantif (unité et sorte respectivement) qui aurait pu être effacé par [de LUI z.].

4.3   Remarques sur la pronominalisation de Dind de (GN + N)

Nous venons de dégager deux types de pronominalisations pour ces GN :

(i) suppression complète du complément de définition de (GN + N) ou
(ii) réduction de de (GN + N) à un pronom pré-verbal.

Notre présentation semble basée sur l'existence d'une liaison entre le type de processus et la position syntaxique occupée par le GN ; cependant, un examen plus approfondi fait apparaître que le type de pronominalisation est dans une certaine mesure, indépendant de la position syntaxique. Ainsi, nous n'avons examiné que le cas (i) en N_0 où le cas (ii) n'est pas exclu, et des discours comme

Nous avons gagné un gâteau, la moitié m'en revient

sont acceptables. Dans cet exemple en provient de la réduction de Dét de GN.

---

18. Avec Prép $= à$, il existe des formes (discutées par Kayne 1975) :

N_0 leur V Prép Dét

mais limitées à

Dét = tous + toutes
Luc leur a parlé à tous.

19. Cette observation qui concerne un assez grand nombre de verbes a été faite par J.-P. Boons, dans le cadre d'une étude sémantique de verbes constituant des contre-exemples au principe « A sur A » de Chomsky. Cf. également la note 11 du chapitre V.

Pour d'autres raisons, il est difficile de considérer que (i) est limité aux sujets et (ii) aux compléments directs. Considérons les phrases actives

On a mangé beaucoup de (E + ces) bonbons

(ii) s'applique à *beaucoup de (E + ces) bonbons*. Par contre dans les phrases passives correspondantes :

Beaucoup de (E + ces) bonbons ont été mangés

ce serait (i) qui serait appliqué au même *GN*. Si nous devions indiquer dans une grammaire que la transformation passive influe sur la forme de la pronominalisation, nous serions amené à formuler des règles relativement complexes. De même dans

Beaucoup d'étudiants arrivent

c'est (i) qui s'applique et non pas (ii), par contre dans la phrase obtenue par extraposition :

Il arrive beaucoup d'étudiants

ce sera (ii) et non (i) qui s'appliquera. Nous sommes donc encore dans une situation où il nous faut faire dépendre le type de la pronominalisation de l'application d'une transformation.

Une solution qui permettrait d'éviter cette difficulté consiste à remplacer les processus (i) et (ii) par les deux règles suivantes :

de LUI → en

cette règle s'appliquerait indépendamment de la position syntaxique du *GN* contenant *de LUI*, et

en → E,

l'effacement du *en* dépendrait de la position syntaxique du *GN*, et même, de la nature lexicale du verbe principal.

Cette situation a l'avantage d'exprimer que la pronominalisation est un processus unique, dont le résultat est susceptible de recevoir des modifications purement morphologiques. Nous développerons cette position en III, 1.

4.4 *Pronominalisation d'adjectifs*

Les adjectifs peuvent être à la source d'un pronom *le* porteur de référence lexicale, mais pas de coréférence :

N$_0$ est Adj
→ N$_0$ l'est.

Par ailleurs, certains *Dét* à comportement adverbial modifient des adjectifs. Cette possibilité est représentée dans nos tables par la propriété

N$_0$ est Dét Adj
= Luc est trop gros.

La pronominalisation de l'adjectif dans cette construction fournit en général

N$_0$ l'est Dét
= Luc l'est trop.

Mais dans quelques exemples, il se produit des interférences entre *Dét* et le pronom (Martinon). Ainsi, pour *Dét = beaucoup + autant* nous avons

(1)   ? * *Luc est beaucoup stupide*
(2)   ? * *Luc est autant stupide qu'Eve*

mais les formes

(3)   *? Luc l'est beaucoup*
(4)   *Luc l'est autant qu'Eve*

sont acceptables et elles proviennent de manière naturelle des précédentes par transformation. La propriété N_0 *l'est Dét* étant plus générale que la propriété N_0 *est Dét Adj*, nous devrions considérer ces deux propriétés comme indépendantes.

Nous pourrions envisager une autre solution pour ces pronominalisations. Puisque la forme

Luc est stupide autant qu'Eve

est acceptable, elle pourrait servir de source à (4) sans subir de permutation qui la transformerait en (2) ; mais cette solution n'est pas applicable de la même façon à (3), puisque

* Luc est stupide beaucoup

et nous sommes en présence de circonstances encore différentes avec *tant :*

Luc l'est tant qu'Eve ne lui parle plus

ne peut guère provenir de

? * Luc est tant stupide qu'Eve ne lui parle plus[20]
* Luc est stupide tant qu'Eve ne lui parle plus[21].

Ces phénomènes n'apparaissent qu'en *Dadv*. En *Préd* les deux constructions N_0 *est Préd Adj* et N_0 *l'est Préd* sont entièrement corrélées sauf peut-être pour *bien*[22]. Nous étudierons en IV, 1 des adverbiaux qui ne modifient que des adjectifs *(Advd)*. Leurs relations avec certains des *Dét* que nous venons de mentionner suggérera d'autres traitements de ces problèmes.

5   Déterminants et adverbes

Nous avons unifié la description des déterminants et des pronoms au moyen du processus d'effacement

de LUI → en → E

mais nous sommes toujours en présence du fait que pour décrire certains *Dét*, il faut *a priori* disposer de deux entrées lexicales, une entrée pour le déterminant-pronom, une autre pour l'adverbe, nous sommes ainsi en présence d'une redondance dont l'élimination est nécessaire. Nous proposons une solution qui permet d'aboutir à une description unifiée de ces emplois différents.

Nous pouvons constater une synonymie étroite entre des phrases de forme N_0 *V Dét* comme

Luc dort beaucoup
Luc est beaucoup arrivé premier

---

20. Ces phrases étaient courantes en français classique, elles le sont encore dans certains dialectes.
21. Cette forme est acceptable mais avec une interprétation différente de *tant* (en gros *tant = tout le temps*).
22. *Luc est bien stupide* est ambigu, l'une des interprétations est approximativement *Puisque Luc est stupide*, elle donne lieu à pronominalisation. L'interprétation qui nous concerne correspond à *bien = très*.

et des phrases comme

Luc dort beaucoup de temps
Luc est arrivé premier beaucoup de fois

où *beaucoup* est déterminant d'un substantif complément aspectuel du verbe. Ce complément explicite les interprétations de *beaucoup* fonctionnant comme adverbe. Nous considérons que les phrases comportant ces compléments aspectuels sont les sources des phrases où *Dét* est adverbe. Des *N* spécifiques comme *temps, fois*[23] seraient effacés dans des conditions voisines de celles où des *N* compléments (voire sujets) sont effacés. Nous aurions des dérivations du type

$$N_0 \ V \ D\acute{e}t \ de \ (fois \ + \ temps)$$
$$\rightarrow N_0 \ V \ D\acute{e}t \ de \ LUI$$
$$\rightarrow N_0 \ V \ D\acute{e}t.$$

Dans ces conditions la fonction adverbiale des *Dét* ne serait qu'une variante pronominale d'un type déjà rencontré, et il deviendrait inutile de leur affecter une entrée supplémentaire et redondante.

Les arguments en faveur d'une telle analyse sont les suivants :

— le type d'effacement proposé n'est pas nouveau, nous l'avons considéré en I, 4.2.3 (cf. aussi note 17),

— nous apparentons des phrases sémantiquement liées et réduisons la taille du lexique,

— d'un point de vue distributionnel, il y a corrélation entre la présence de compléments aspectuels du type *Dét de (fois + temps)*, et celle de l'adverbe *Dét* avec l'interprétation correspondante. Ces compatibilités dépendent du verbe. Nous ne les avons vérifiées que pour quelques verbes, mais ceux-ci sont représentatifs de classes volumineuses. Par ailleurs, nous avons pu constater également des corrélations inverses : par exemple, ni l'adverbe *beaucoup* ni les compléments *beaucoup de (fois + temps)* ne sont compatibles avec *peser* et son complément :

* Ce lit pèse beaucoup dix kilos
* Ce lit pèse dix kilos beaucoup de (fois + temps).

Un verbe comme *exploser* est compatible avec *beaucoup de fois* mais pas avec *beaucoup de temps* :

Ces sortes de bombes ont explosé beaucoup de fois
* Ces sortes de bombes ont explosé beaucoup de temps.

Simultanément

Ces sortes de bombes ont beaucoup explosé

n'a que l'interprétation de répétition explicitée par *beaucoup de fois*.

Néanmoins, un certain nombre de questions posées par cette analyse

---

23. Les substantifs *fois* et *temps* entrent dans des catégories sémantiques dont nous avons suggéré la distribution avec les *Dét* : *fois* est nombrable, *temps* serait de masse Notons cependant que la question

Combien de temps est-il resté ?

est tout à fait normale, alors que *combien* est plus difficilement combinable avec d'autres *Nmas* :

Combien de sable veut-il ?

restent ouvertes. Certaines font partie d'une discussion des relations entre aspect et déterminants, discussion amorcée en IV, 3.4.

Nous ne disposons pas d'arguments nous permettant de choisir des *N* spécifiques sous-jacents aux *Dét* adverbiaux, tout en excluant d'autres *N* qui sont candidats pour les mêmes raisons sémantiques[24] (par exemple *à beaucoup de reprises* au lieu de *beaucoup de fois*). D'autres exemples tendent à indiquer que l'éventail de ces *N* n'est pas limité aux seuls compléments aspectuels. Ainsi

Luc aime beaucoup Eve

pourrait être dérivé de

Luc aime Eve avec beaucoup de (force + intensité)

ou   *Luc aime Eve de beaucoup de façons*
ou   *Luc aime Eve pour beaucoup de raisons.*

Si ces trois phrases devaient être considérées comme sources de la phrase avec *beaucoup* adverbe, un nouveau problème se poserait, celui de l'effacement supplémentaire d'une préposition *(avec, de, pour)*. Ce problème n'est en fait pas entièrement nouveau, une phrase comme

Luc est resté beaucoup de temps dans son lit

devant vraisemblablement être dérivée de

Luc est resté pendant beaucoup de temps dans son lit

par effacement de *pendant*[25]. Il existe aussi des cas de *Dét* où la préposition doit rester :

Luc viendra (sous + dans) peu (E + de temps)[26].

Un autre problème est celui de la permutabilité des *Dét* adverbiaux. Alors que *Dét* ne peut apparaître qu'entre auxiliaire et participe passé :

Luc est beaucoup resté dans son lit

les sources comme *Dét de temps* ou *pendant Dét de temps* n'occupent pas les mêmes positions :

? * *Luc est beaucoup de temps resté dans son lit*
Pendant beaucoup de temps, Luc est resté dans son lit
? * *Beaucoup, Luc est resté dans son lit.*

Les opérations d'effacement que nous proposons ne rendent pas compte de ces différences. Nous pourrions éventuellement considérer que l'effacement du *N* retire son caractère nominal à *Dét*, ce qui entraînerait un caractère adverbial nouveau ; cependant, des *Dét* comme *un peu*, *un tantinet* qui ont leur caractère

---

24. Une façon d'aboutir à ce résultat consisterait, premièrement à isoler du lexique français sur une base purement intuitive les *N* sémantiquement adéquats, deuxièmement à étudier les combinaisons des *Dét de N* avec chaque verbe du lexique du français, et ce, pour chacune des interprétations possibles des *Dét* adverbiaux. Une telle vérification, bien que longue, est possible.

25. L'effacement de *pendant* ne transforme pas le complément en complément direct passivable, et *de temps* ne peut pas donner le pronom *en* :

* *Luc en est resté beaucoup dans son lit*

de plus, *beaucoup* est difficilement séparable de *de temps* :

? *Luc est beaucoup resté de temps dans son lit.*

L effacement serait donc du type [Prép z.] (Gross 1975). Cependant, il est possible de former une relative (réduite ?) en *que* sur ce complément :

Luc est resté dans son lit le temps qu'il fallait (rester).

26. Ces formes réduites sont limitées à *Dét = peu* ;

* *Luc viendra (dans + sous) (beaucoup + trop).*

40

nominal marqué par l'article ont toujours la propriété adverbiale de permutabilité.

Nous avons représenté les distributions suivantes de *fois* et *temps* dans nos tables :

— table *Dadv, Dét de fois, Dét de temps ;* lorsque *fois* et/ou *temps* est autorisé avec un *Dét*, alors il peut toujours apparaître sans article ; il est également possible d'avoir des constructions avec article :

> *beaucoup de (fois + temps)*
> *beaucoup des fois où il est venu*
> *beaucoup du temps qu'il nous a consacré*

— table *Dnom*, les propriétés correspondantes ont été notées

> *Dét de (Dét) fois* et *Dét de (Dét) temps*

pour rappeler que dans certains cas un déterminant *(Dét)* est obligatoire :

> * *la plupart de (fois + temps)*
> *la plupart (des fois + du temps).*

La présence obligatoire de l'article avec *fois* est entièrement corrélée avec l'impossibilité d'avoir la construction *Dét de Nplur :* lorsque cette dernière construction n'est pas possible et que *fois* est autorisé, alors la présence de l'article est nécessaire. Nous n'observons pas de relation analogue entre la construction de *temps* et l'impossibilité des constructions *Dét de Nnomb, sing* et *Dét de Nmas ;*

— table *Dadj*, les propriétés représentées sont

et
> *Dét fois (= plusieurs fois)*
> *Dét temps (= un certain temps).*

Nous avons encore étudié la distribution d'une propriété qui met en jeu des déterminants et certains adverbes. La forme de ces adverbes est particulière. Nous avons

> *Ce produit agit de (E + une) façon curieuse*
> *Ce produit agit de (E + une) curieuse façon*
> * *Ce produit agit de (E + une) façon.*

Dans ces compléments *de N*[27] un modifieur doit obligatoirement accompagner le *N* précédé d'un article indéfini (ici *un*[28]). Mais au lieu d'un adjectif, il est possible d'avoir certains *Dét :*

> *Ce produit agit de (beaucoup + un petit nombre) de façons*
> *Ce produit agit de (diverses + plusieurs) façons*
> *Ce produit n'agit de (de + en) aucune façon.*

Si les adjectivaux *Dadj* ne sont pas surprenants dans cette position, il n'en va pas de même pour les *Dadv* et *Dnom :* bien que respectivement adverbiaux et nominaux, ils sont ici complémentaires d'adjectifs :

> * *Luc a une envie de faire cela*
> *Luc a une envie furieuse de faire cela*
> *Luc n'a aucune envie de faire cela.*

Cette propriété des *Dét* est notée dans la colonne *de Dét de manière* pour les

---

27. D'autres *N* que *façon, manière* entrent dans ce paradigme (V, 3.1).
28. Au pluriel, l'article indéfini *des* disparaît par application de la règle de cacophonie (II, 15.1).

tables *Dadv* et *Dnom*, dans la colonne *de Dét manière* pour la table *Dadj*. Elle n'est pas pertinente à la table *Préd*, quoique nous ayons

Ce produit agit de bien des façons
Ce produit n'agit que d'une façon...

Nous avons explicité une propriété adjectivale des *Dét* au moyen de la construction

N_0 *est Dét*
= *Ces personnes sont (peu + trois + qui sait combien).*

Dans le cas des *Dnom* portant sur des *Dnum* (II, 4), nous avons en fait représenté la construction

N_0 *est Dét de Dnum*
= *Ces personnes sont de l'ordre de trois cents.*

6   Permutations

Les *Dadv* et les *Préd* ont des caractères adverbiaux, ils peuvent être soumis à des déplacements dans la phrase[29].

6.1   *Permutation des* Dadv

Nous observons les formes

N_0 *V Dadv de (N + GN)*

où *Dadv de (N + GN)* est objet direct ; lorsque *V* est au passé composé *(V = Aux V-pp)*, *Dadv* peut avoir la propriété N_0 *Aux Dadv V-pp de (N + GN)* :

Luc a bu (beaucoup + énormément) de (vin + ce vin)
= *Luc a (beaucoup + énormément) bu de (vin + ce vin)*

Dadv est également permutable dans les formes passives impersonnelles, il peut alors occuper deux positions :

Il a été bu (beaucoup + énormément) de (vin + ce vin)
= *Il a été (beaucoup + énormément) bu de (vin + ce vin)*
= *Il a (beaucoup + énormément) été bu de (vin + ce vin).*

Les *Dadv* ne peuvent pas être déplacés à partir de compléments prépositionnels :

* *Luc a beaucoup réfléchi à de problèmes*
* *Il a été beaucoup réfléchi à de problèmes.*

La seule position que les *Dadv* provenant de N_1 objets directs peuvent occuper de façon naturelle en français moderne est à gauche d'un participe passé :

* *Beaucoup Luc a bu de vin*
? * *Luc, beaucoup, a bu de vin*
* *Luc a bu de vin, beaucoup.*

Les formes comme

Luc beaucoup boit de vin

étaient courantes en français classique.

---

29. Aucun élément de *Dnom* ni de *Dadj* ne subit de permutation, à l'exception de *rien* (*Dnom*) qui se comporte plutôt comme les négations de *Dadv*. Notons que les phrases *Luc a à peine mangé de pain* auraient pu faire classer *à peine* (*Préd*) comme *Dadv*. *Rarement* a la même particularité.

Nous décrirons ces observations au moyen de la transformation

[*Dadv* p.] : *V-pp Dadv* → *Dadv V-pp*.

Cette formulation permet à la règle de s'appliquer deux fois à la même phrase, ce qui est nécessaire si l'on veut rendre compte des formes passives impersonnelles qui comportent deux *V-pp*. Certaines conditions d'application de cette règle varient avec *Dadv*. En général l'application est facultative, comme le montrent nos exemples précédents, mais avec les négations elle doit obligatoirement opérer :

* * Luc n'a bu plus de ce vin*
= *Luc n'a plus bu de ce vin.*

La règle est susceptible de s'appliquer dans des conditions voisines aux *Dadv* modifiant les adjectifs :

Luc a été (trop + infiniment) stupide
= ? *Luc a (trop + infiniment) été stupide.*

(Cette situation n'est pas liée à la forme en -*ment* du *Dadv*, puisque *suffisamment* est permutable.) Nous n'avons pas représenté ces restrictions dans nos tables.

La permutation doit être généralisée aux combinaisons de *Dadv*. Nous avons vu que *beaucoup* était permutable, il en est de même de *trop* :

Luc a bu trop de vin
= *Luc a trop bu de vin.*

Ces deux *Dadv* peuvent déterminer simultanément un *N* :

(1)   *Luc a bu beaucoup trop de vin.*

Si nous appliquons strictement à (1) la règle [*Dadv* p.] nous obtenons le résultat incorrect

* * Luc a beaucoup bu trop de vin*

le résultat désiré devant être

(2)   *Luc a beaucoup trop bu de vin.*

Une solution pourrait donc consister à appliquer deux fois [*Dadv* p.], une fois à *beaucoup* et une fois à *trop*, nous aurions alors

(1) [*Dadv* p.] [*Dadv* p.] = (2).

Cette double application est différente de celle que nous avons effectuée sur les passifs impersonnels, puisque [*Dadv* p.] avait été appliqué deux fois à *beaucoup* ; les conditions d'application de [*Dadv* p.] sont donc complexes. Ainsi dans

Il a beaucoup trop été bu de vin

[*Dadv* p.] aura été appliqué quatre fois. Mais deux dérivations sont *a priori* possibles pour cette phrase :

Il a été bu beaucoup trop de vin
[*Dadv* p.] → * *Il a été beaucoup bu trop de vin*
[*Dadv* p.] → * *Il a beaucoup été bu trop de vin*
[*Dadv* p.] → * *Il a beaucoup été trop bu de vin*
[*Dadv* p.] → *Il a beaucoup trop été bu de vin*

où les deux applications à *beaucoup* précèdent les deux applications à *trop*, et

Il a été bu beaucoup trop de vin
[*Dadv* p.] → * *Il a été beaucoup bu trop de vin*
[*Dadv* p.] → *Il a été beaucoup trop bu de vin*
[*Dadv* p.] → * *Il a beaucoup été trop bu de vin*
[*Dadv* p.] → *Il a beaucoup trop été bu de vin*

où les applications à *beaucoup* et à *trop* sont alternées.

Comme la première dérivation ne fournit pas la phrase

Il a été beaucoup trop bu de vin

alors que la seconde la fournit, c'est cette dernière que nous pouvons retenir.

Une autre solution, qui nous semble préférable, consiste à attribuer la forme *Dadv* à des combinaisons de déterminants (IV, 2). Nous aurions une règle de composition du type

$$(_{\text{Dadv}} T) \, (_{\text{Dadv}} W) \rightarrow (_{\text{Dadv}} TW)$$

appliquée par exemple à

$$(_{\text{Dadv}} \textit{beaucoup}) \, (_{\text{Dadv}} \textit{trop})$$

et qui fournirait

$$(_{\text{Dadv}} \textit{beaucoup trop})$$

[*Dadv* p.] serait alors défini formellement de la manière suivante :

$$[\textit{Dadv p.}] : \textit{V-pp} \, (_{\text{Dadv}} U) \rightarrow (_{\text{Dadv}} U) \, \textit{V-pp}$$

où *U* serait une variable. Nous pouvons invoquer divers arguments en faveur de cette solution :

— les solutions n'utilisant que [*Dadv* p.] mènent à des formes intermédiaires jamais attestées, cette nouvelle solution les évite,

— les combinaisons de déterminants ne sont pas limitées à des combinaisons d'éléments de *Dadv* comme pourraient le suggérer nos exemples. Nous avons également des combinaisons comme

(1)   *Luc a mangé bien peu de gâteaux*
(2)   *Luc a bien peu mangé de gâteaux*

où *bien* est le *Préd* qui apparaît dans

(3)   *Luc a mangé bien des gâteaux.*

Mais *bien* tout seul n'est pas permutable :

(4)   * *Luc a bien mangé des gâteaux*[30].

Dans la première solution proposée, la transformation [*Dadv* p.] limitée aux *Dadv* élémentaires doit opérer sur (1) pour donner

(5)   * *Luc a bien mangé peu de gâteaux*[30]

une seconde application fournissant (2). Dans ces conditions il nous faut redéfinir [*Dadv* p.] de façon à pouvoir l'appliquer à *bien*, dès lors [*Dadv* p.] s'appliquera à (3) pour donner (4), ce qui est indésirable. Par contre, dans la solution où la règle [*Dadv* p.] est généralisée à des *Dét* complexes, la séquence *bien peu* reçoit la description $(_{\text{Dadv}} \textit{bien peu})$[31] lors du processus de composition, et nous obtenons directement (2) à partir de (1), sans utiliser de formes intermédiaires difficiles à justifier, et sans engendrer de formes inacceptables.

---

30. Cette séquence est interprétable, mais de façon non pertinente à notre discussion.

31. De la même façon *très peu*, *vraiment peu*, et *si peu... que P* recevront les descriptions $(_{\text{Dadv}} \textit{très peu})$, $(_{\text{Dadv}} \textit{vraiment peu})$, et $(_{\text{Dadv}} \textit{si peu})... \textit{que P}$. Dans la solution où *Dadv* est limité à des éléments simples, *très* et *si* devraient être considérés comme des *Dadv* permutables, ce qui conduit encore à des formes inacceptables. Cependant, les expressions comme *jamais assez*, *pas trop* n'auront probablement pas cette description, puisque l'élément négatif est permutable sans que l'autre le soit :

Luc n'a pas bu trop de vin
= *Luc n'a pas trop bu de vin.*

6.2 *Permutation des* Préd

Les *Préd* adverbiaux (marqués + N_0 *V Préd*) peuvent occuper dans la phrase des positions beaucoup plus variées que celles des *Dadv*. Nous en avons étudié systématiquement un certain nombre qui diffèrent des précédentes :

— la propriété N_i *Préd* indique que le prédéterminant peut figurer à droite du groupe nominal, sans changement de sens :

Luc a lu à peine trois livres
= Luc a lu trois livres à peine

— dans les groupes nominaux prépositionnels, les déterminants ne peuvent apparaître qu'à droite des prépositions en général, et les prédéterminants peuvent aussi prendre cette position, mais certains d'entre eux peuvent être déplacés à gauche de *Prép* (propriété N_0 *V Préd Prép* N_1), sans changement de sens :

Luc tient à en gros trois livres
= Luc tient en gros à trois livres.

Dans certains cas la position du *Préd* par rapport à *Prép* remet en question l'intérêt des deux notions groupe nominal et groupe nominal prépositionnel, notions considérées comme distinctes. Considérons la phrase

(a)   *Même ma fille a lu ce livre.*

Elle a pour forme passive

(b)   *Ce livre a été lu même par ma fille.*

Si *même ma fille* était considéré comme un *GN* (ce qui semble plausible), alors le passif de (a) devrait être

(a) [passif] = ? * *Ce livre a été lu par même ma fille.*

Dans le cas contraire, le problème de la description de *même* reste entier (Kuroda 1965). Les faits sont différents pour *en gros* par exemple, puisque nous avons

(c)   *En gros trois filles ont lu ce livre*
et (d)   *Ce livre a été lu par en gros trois filles*

mais nous avons aussi

(e)   *Ce livre a été lu en gros par trois filles*

ce qui pose donc un problème pour la description des positions des *Préd*. Cependant, nous pouvons décrire (e) à partir de (c) en posant

GN = en gros trois filles

et en appliquant le passif à (c) ce qui fournit (d) ; ensuite, nous appliquons à (d) la règle de permutation

[*Préd* p.] : *Prép Préd GN → Préd Prép GN*

qui fournit (e). Dans le cadre de cette solution, la forme (a) [passif] peut être considérée comme une forme intermédiaire à laquelle s'applique obligatoirement la permutation. Nous reviendrons en II, 9 sur ce traitement.

Nous n'avons pas décrit toutes les positions que pouvaient occuper les *Préd* dans la phrase, car certaines donnent lieu à des difficultés d'observation. Ainsi,

Luc, en gros, a lu trois livres
En gros, Luc a lu trois livres

semblent interprétables avec *en gros* modifiant *trois livres,* mais on pourrait aussi bien concevoir que *en gros* modifie le verbe. Dans d'autres cas analogues comme

Luc a mangé la moitié des gâteaux qui étaient là

il semble qu'il y ait ambiguïté entre la moitié du nombre des gâteaux et la moitié de chaque gâteau. Ce type de problème concerne la majorité des *Préd,* il rend les décisions d'acceptabilité difficiles à prendre lors de l'étude de leurs positions. Dans la plupart des cas donc, il existe des ambiguïtés d'interprétation souvent discutées dans d'autres contextes[32] (ces *Préd* sont considérés comme des quantificateurs dont la portée varie en fonction de leur position dans la phrase).

Les positions dans lesquelles les *Préd* très mobiles peuvent apparaître sont les mêmes que celles d'autres familles d'adverbes :

(Hier + heureusement), Luc a lu trois livres
Luc, (hier + heureusement), a lu trois livres
Luc a, (hier + heureusement), lu trois livres
Luc a lu, (hier + heureusement), trois livres
Luc a lu trois livres (hier + heureusement).

la position immédiatement à gauche de *V-pp* (propriété N_0 *Aux Préd V-pp* Ω) n'a donc rien qui la distingue des autres positions, ce qui n'était pas le cas pour les *Dadv.* Nous ne proposerons pas d'utiliser la règle [*Dadv* p.] pour la décrire, nous considérons que l'ensemble des positions de tous les adverbes mobiles, quelle que soit leur classe sémantique, doit être décrit de manière uniforme.

Les *Préd* adverbiaux se distinguent néanmoins des autres adverbes par plusieurs propriétés :

— certains apparaissent de part et d'autre d'une préposition, ce qui n'est pas le cas des adverbes de temps et de manière par exemple :

* Luc tient à heureusement trois livres
* Luc a gagné à hier la roulette.

La règle [*Préd* p.] doit être étendue aux formes en *quel (Dadj* et *Dnom)* pour rendre compte de paires comme

{ *Max viendra à je ne sais quelle heure*
{ *Max viendra je ne sais à quelle heure.*

— le comportement des *Préd* par rapport à l'extraction dans *C'est … Qu* n'est pas le même que celui de la majorité des autres adverbes. Nous avons étudié la possibilité d'avoir la construction

C'est (E + Prép) Préd GN Qu [*P*]   ([*P*] signifie reste de *P*)
= *C'est en gros trois livres que Luc a lu*
ou   = *C'est d'en gros trois livres que Luc parle.*

En général, on ne peut extraire qu'un seul complément de verbe à la fois[33], nous avons par exemple

* C'est hier ces livres que Luc a lu

---

32. Par exemple, Fauconnier 1974 discute de la permutabilité et des interprétations possibles de *chacun.* Kayne 1975 a effectué une étude détaillée de *tous.*
33. Certains adverbes de temps peuvent être extraits dans ces mêmes conditions. Nous avons par exemple

Luc pense souvent à Eve

la possibilité d'extraire simultanément ces *Préd* et un *GN* justifie donc la dénomination de prédéterminant qui leur a été donnée[34].

6.3 *Remarques sur les permutations*

Certains *Dadv* peuvent subir des permutations d'adverbes (celles que subissent les *Préd*)[35]. C'est le cas de *tellement*, dont on pourrait analyser les positions de la façon suivante. La forme de départ serait du type

Des amis ont bu du vin tellement qu'ils sont malades

(avec peut-être une pause entre *tellement* et *qu'*) et *tellement* serait déplacé dans les positions autorisées de

Tellement d'amis ont bu du vin que P
? Des amis tellement ont bu de vin que P
Des amis ont tellement bu de vin que P
Des amis ont bu tellement de vin que P.

Cette analyse rendrait compte du fait que la forme *que P* ne peut apparaître qu'une seule fois et en fin de phrase. Nous avons vu que *que P* ne pouvait pas faire partie du sujet (I, 3.1.2), mais nous observons cette interdiction dans d'autres positions :

Max a donné tellement de vin à Luc qu'il est malade
*? * Max a donné tellement de vin qu'il est malade à Luc*
*? * Max a tellement donné de vin qu'il est malade à Luc.*

Cette analyse n'explique pas la modification d'article que subit le *GN* sur lequel *tellement* porte. Elle est difficilement applicable aux autres *Dadv* associés à *que P* car les formes de départ du type précédent ne sont pas acceptées :

* Max a bu du vin tant qu'il est malade, etc.

pourtant elle rendrait bien compte de la distribution des *Dadv* dans les phrases et elle permettrait de faire l'économie de la règle [*Dadv* p.], cette dernière permutation devenant alors un cas particulier de la permutation générale des adverbes.

Bien que présentant des difficultés d'application au niveau des détails (II, 1.2), cette solution a nettement notre préférence ; elle permettrait d'unifier un nombre important de phénomènes apparentés ; elle recouvrirait en particulier ce qu'on a appelé le problème de la portée des quantificateurs dans les langues naturelles (par analogie avec la question de la portée en logique mathé-

---

dont les formes extraites associées

C'est souvent Luc qui pense à Eve
C'est souvent à Eve que Luc pense

subissent un changement de sens qui pose alors un problème nouveau.

34. La restriction *ne ... que*, de même que des négations comme *ne ... pas* et *ne ... plus* posent des problèmes spéciaux ; il est en effet possible qu'elles soient transportées au cours d'une extraction :

C'est... Qu # Luc n'a vu (pas + que) Eve
= Ce n'est (pas + que) Eve que Luc a vu.

Mais alors l'analyse des formes à sujet extrait comme

Ce n'est (pas + que) Luc qui a vu Eve

pose un problème puisque la restriction et la négation ne s'appliquent pas directement aux sujets :

* (Pas + que) Luc n'a vu Eve.

35. Notons que *jamais* est dans ce cas (II, 9).

matique). Nous n'avons pas cherché à la développer plus avant. Notre projet était en effet d'étudier le fonctionnement morpho-syntaxique des *Dét*, les problèmes soulevés apparaissent d'une nature telle que la solution globale que nous venons de suggérer n'apporte pas de réponses immédiates à nos multiples interrogations de détail.

Nous limiterons donc là nos spéculations en résumant les deux directions générales qui nous semblent devoir apporter une solution aux problèmes évoqués :

— une voie d'analyse qui a fort peu été explorée jusqu'à présent, celle qui consiste à utiliser des formes de départ constituées de deux phrases parallèles explicitant certains contrastes (Harris 1968). Ces formes, utilisées par exemple en IV, 3.2, rendent compte de certaines permutations et de l'apparition de diverses expressions dans des positions de déterminants,

— l'introduction des adverbes et donc des *Préd*, voire des *Dét*, qui se fait à partir de formes comme

> *(E + le fait) que Luc ait lu trois livres est heureux*
> *Que Luc lise trois livres a eu lieu hier*
> *(E + le fait) que des amis aient bu du vin est de façon telle que P.*

La combinaison de ces deux idées devrait être des plus fructueuses.

II

GROUPES NOMINAUX INDÉFINIS

1 Structure de base

En I, 2, nous avons utilisé des critères de classement des *Dind* basés sur des différences de cooccurrence. Ces différences s'apparentent à celles qui séparent les grandes parties du discours. Notre intention était de mettre en valeur des variations dont nous rendrions compte au moyen de règles transformationnelles. En fait, nous montrerons que la structure de base du groupe nominal indéfini est donnée dans tous les cas par les règles

$$GN = Dét\ de\ (N + GN)$$

et que les variantes s'obtiennent par des règles simples et bien motivées. Nous examinerons de ce point de vue les *Dnom* en premier lieu, leur caractère nominal fait qu'ils sont formellement plus explicites, ils pourraient donc mieux éclairer la nature des différents constituants en jeu.

1.1 *Groupes nominaux en* Dnom

Un *GN* comme

une salle de cent personnes

est *a priori* ambigu, ce qui peut être aisément constaté sur

(1)   *Luc a ennuyé une salle de cent personnes*
(2)   *Luc a construit une salle de cent personnes.*

Dans (1), *salle* est ressenti comme déterminant et *cent personnes* est alors objet direct. Dans (2), c'est *salle* qui est objet direct et *cent personnes* est complément de nom. Ces intuitions sont recoupées par les observations suivantes : le substantif *salle* ne peut pas être modifié de la même façon dans les deux cas :

Luc a ennuyé une salle pleine d'enfants
* Luc a construit une salle pleine d'enfants

(cette dernière séquence est acceptable avec un temps de l'adjectif postérieur au temps principal). De même, dans

Luc a ennuyé une élégante salle de cent personnes

ce sont les *personnes* qui sont élégantes, alors que ce sera l'architecture de la *salle* dans

Luc a construit une élégante salle de cent personnes.

Si l'on cherche à donner dans le cadre de la grammaire générative, des représentations formelles distinctes pour ces deux types d'interprétation, il est possible d'adopter les deux descriptions suivantes : à l'interprétation de (1) nous associerons l'arbre (A1) où *personnes* est le substantif principal, et à l'interprétation de (2) l'arbre (A2) où c'est *salle* qui est *N* principal :

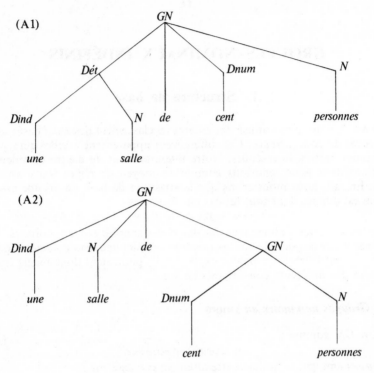

Figure II, 1

Ces représentations[1] sont loin d'être satisfaisantes. Dans les deux cas, la position de la préposition *de* pose un problème, nous ne disposons d'aucun argument permettant de l'attacher au *GN* principal (comme nous l'avons fait) plutôt qu'à un nœud voisin quelconque. De plus, ni la structure (A1) ni la structure (A2) n'indiquent que la séquence *une salle* est un *GN*, ce qui semble pourtant souhaitable.

Mais bien d'autres représentations sont possibles. Par exemple, nous pouvons placer la distinction entre les deux constructions au niveau transformationnel. Les constructions de (1) et (2) auraient toutes deux la forme superficielle satisfaisante (A3) de la figure II, 2 :

---

1. B. Hall et N. Chomsky ont attribué aux *GN* correspondants de l'anglais des structures voisines de celles que nous discutons ici, cf. également Stockwell, Schacter, Partee.

(A3)

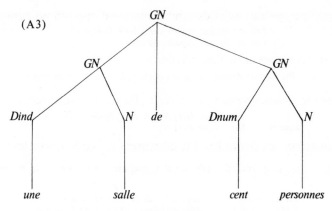

Figure II, 2

mais elles auraient des sources différentes. Pour nos exemples, nous aurions les sources respectives

Luc a ennuyé cent personnes qu'une salle contient
Luc a construit une salle qui contient cent personnes

formes qui rendent bien compte, d'une part des relations entre le verbe principal et le *N* principal du *GN*, d'autre part des relations entre les deux *N* d'un même *GN*. De plus, (A3) décrit le comportement commun des deux cas de *GN* par rapport aux transformations [passif], [extraction], [interrogation], [relativation], alors que (A1) et (A2) pourraient suggérer qu'il existe deux types de comportement. Mais cette analyse pose tous les problèmes du passage d'une relative à un complément de nom postposé ou antéposé ; de plus, elle nécessite l'utilisation d'un verbe privilégié (ici *contenir*) dont le choix semble difficile à justifier par des raisons autres que sémantiques. Donc d'autres sources variantes des précédentes sont envisageables :

Luc a ennuyé cent personnes (abritées + contenues) dans une salle
Luc a construit une salle (abritant + contenant + qui est de) cent personnes.

Remarquons que les interprétations du type (A1) peuvent se retrouver dans d'autres formes. Ainsi dans les phrases synonymes

(3)   *Une année de travail a fatigué Luc*
(4)   *Le travail d'une année a fatigué Luc*

travail est le sujet. Dans (3) *une année* est un *Dét*, dans (4) un complément de nom. Nous pourrions envisager, pour relier ces deux constructions voisines en forme et en sens, d'utiliser une transformation ayant l'effet d'échanger les deux substantifs (et leur *Dét*) à l'intérieur d'un *GN :*

le travail de (une + cette + l')année
[*Dnom* p.] → *(une + cette + l')année de travail*
des fruits de cette sorte
[*Dnom* p.] → *cette sorte de fruits.*

51

Cette analyse[2] permettrait aussi de rendre compte d'oppositions comme

Luc est fatigué depuis une année de travail
Luc est fatigué depuis une année.

La restriction proviendrait de l'interdiction

Luc est fatigué depuis (un + le) travail (E + de cette année)[3].

Précisons le fonctionnement de la règle [*Dnom* p.]. Nous écrirons

$$Dét_i \ N_i \ de \ Dét_j \ N_j \quad avec \quad Dnom = Dét_j \ N_j$$
$$[Dnom \ p.] \rightarrow Dét_j \ N_j \ de \ Dét_i \ N_i$$

et nous examinerons les *Dét* en jeu. Les principaux cas de $Dét_i$ sont les suivants :

— $Dét_i$ = *de Artg* (indéfini pluriel *des*, partitifs *du, de la*) ; la permutation fournit

(Max achète) (des chevaux + de la viande) de cette sorte
= * *(Max achète) cette sorte de (des chevaux + de la viande)*

et la règle de cacophonie (II, 15) s'applique à ces formes donnant

(Max achète) cette sorte de (chevaux + viande).

On vérifie bien que les phrases en correspondance sont synonymes ;

— $Dét_i$ = *un ;* nous avons

(Max aurait tendance à acheter) un cheval de cette sorte
[*Dnom* p.] → * *(Max aurait tendance à acheter) cette sorte d'un cheval*

forme intermédiaire à partir de laquelle une règle [*un z.*] conduit à

(Max aurait tendance à acheter) cette sorte de cheval.

Le contexte entre parenthèses que nous utilisons cette fois n'est pas le même que dans l'exemple où $Dét_i$ = *des ;* le fait d'avoir le singulier *un* pour $Dét_i$ nous oblige en effet à adapter ce contexte de façon à obtenir l'interprétation générique de *un*. C'est seulement à cette condition qu'il y aura synonymie entre les deux formes reliées par [*Dnom* p.]. Nous n'aurions pas

(Max a acheté hier) un cheval de cette sorte
= *(Max a acheté hier) cette sorte de cheval.*

En effet, la deuxième phrase ne limite pas à *un* le nombre de chevaux achetés, ce qui est le cas de la première. Cette différence est générale, considérons encore les phrases suivantes :

Un cheval de ce type gagne toujours
Ce type de cheval gagne toujours

---

2. Notons que cette transformation ne s'appliquerait pas à tous les *N* déterminants ; ainsi nous avons

une cuillerée de cette soupe
mais
? * *la soupe de cette cuillerée*
cependant, dans des cas productifs comme

une rue de maisons identiques
les maisons identiques de cette rue
nous observons les deux constructions, il en est de même pour certains *N* classifieurs :

cette (qualité + couleur + sorte) de pomme
[*Dnom* p.] → *une pomme de cette (qualité + couleur + sorte).*

3. Ces phrases sont interprétables, mais comme synonymes de

Luc est fatigué depuis qu'il a commencé (un + le) travail

52

elles sont bien synonymes, par contre les phrases

Un cheval de ce type a gagné hier
Ce type de cheval a gagné hier

ne le sont pas : la seconde phrase, mais pas la première, peut correspondre à plusieurs courses et plusieurs chevaux. Il est donc difficile d'appliquer la règle dans le premier cas sans l'appliquer au second ;

— $Dét_i \neq un + des$; dans tous ces cas, la permutation ne s'applique pas. Il est aisé de voir qu'elle conduit à des formes inacceptables :

(Max achète) deux chevaux de cette sorte
[*Dnom* p.] → * *(Max achète) cette sorte de deux chevaux.*

A la différence des deux premiers cas, il n'existe aucune raison syntaxique ou sémantique d'effacer un *Dét* comme *deux*, bien au contraire.

L'examen de $Dét_j \ N_j$ ne révèle pas de contraintes spéciales sur les *Dét*, et nous avons par exemple dans le contexte droit de *Max achète* :

des chevaux d'une certaine sorte
= *une certaine sorte de chevaux*
des chevaux de trois types
= *trois types de chevaux*
des chevaux de la qualité que tu sais
= *la qualité de chevaux que tu sais*, etc.

Notons toutefois la restriction

* *un cheval de ces sortes*
= * *ces sortes de cheval.*

Mais cette contrainte a une explication naturelle. Les formes *de* $Dét_j \ N_j$ auront leur source dans des phrases comme

Ce cheval est de cette sorte

et elles seront introduites dans des *GN* par relativation et réduction (I, 6.3 ; III, 6) :

Max achète un cheval Qu Ce cheval est de cette sorte
= *Max achète un cheval qui est de cette sorte*
[*qui être z.*] → *Max achète un cheval de cette sorte.*

Considérons maintenant la source du *GN* interdit, soit

Ce cheval est de ces sortes

elle est inacceptable pour une raison sémantique : un cheval, au demeurant un objet quelconque, ne peut appartenir qu'à une sorte et une seule. Il est intéressant de noter que le langage naturel organise les catégories d'objets en classes DISJOINTES.

Nous avons vu que l'application de [*Dnom* p.] posait un problème dans le cas $Dét_i = un$. Ce problème possède un caractère plus général et [*Dnom.* p.] peut relier des phrases non synonymes. Les différences de sens que l'on observe alors sont constantes, elles mettent en jeu des interactions entre interprétation des déterminants et aspect du verbe. Il semble ainsi que nous ayons d'une part une ambiguïté du $Dét_i$ qui peut être spécifique ou générique, d'autre part nous avons la possibilité d'interpréter le verbe soit perfectivement soit imperfectivement. La difficulté que nous avons observée serait localisée dans une correspondance entre ces paires d'interprétations. Nous en discuterons d'autres exemples en IV, 3.4.

La règle [*Dnom* p.] nous permet donc d'analyser la phrase (1) de la façon suivante :

? Luc a ennuyé cent personnes d'une salle
[*Dnom* p.] → (1) = *Luc a ennuyé une salle de cent personnes.*

Nous avons ainsi proposé pour les *GN* compléments de (1) et (2) deux possibilités d'analyse :

(i) deux structures de surface différentes : (A1) et (A2), et les structures profondes correspondantes seraient voisines des structures de surface ;

(ii) une structure de surface unique : (A3), la distinction étant surtout opérée par deux structures profondes à contenus différents.

Mais la proposition (i) est encore compatible avec une analyse où des transformations différentes s'appliqueraient à des structures profondes différentes. L'éventail des possibilités formelles est donc très étendu à l'intérieur de la grammaire générative[4]. En l'absence de toute possibilité de choix sûr, nous nous efforcerons de ne décrire les formes étudiées qu'en termes de séquences de catégories. Nous aurons cependant à faire appel parfois à la représentation (A3). Celle-ci est la plus neutre tant du point de vue de l'organisation en constituants des *GN* que du point de vue de leur source transformationnelle. Nous la noterons

$$GN = Dét\ de\ (N + GN).$$

Nous avons organisé les *Dnom* selon les sous-classes suivantes (cf. Annexe) :

— le premier groupe est constitué de formes *Dét Nd*. Dans ces formes *Dét* et *Nd* peuvent varier, ces *Nd* constituent une classe ouverte (II, 2) ;

— le second groupe comporte les *Dnom* à article défini ;

— *chacun, quelques uns* et *ne ... rien* apparaissent ensemble, quoique *chacun* devrait plutôt être considéré comme un élément du groupe précédent, en un certain sens *chacun* est défini ;

— *(E + bon) nombre, plein* et *quantité* sont des *N* sans *Dét* ;

— les formes interrogatives se subdivisent en formes *U lequel* qui sont définies et *U combien* qui sont indéfinies ;

— enfin, nous avons donné des exemples de la sous-classe productive des *Dnom* s'appliquant à *Dnum* (II, 4).

1.2 *Groupes nominaux en* Dadv

Nous considérons que les séquences *Dadv de (N + GN)* sont du même type que les précédentes, donc que nous avons

$$GN = Dét\ de\ (N + GN), \quad pour \quad Dét = Dadv.$$

Cependant, le caractère adverbial de ces *Dét* (c'est-à-dire leur mobilité) et l'existence des partitifs *de Ddéf* mentionnés en I, 3.2 (cf. aussi II, 2) suggère une

---

4. Rappelons encore la possibilité (non transformationnelle) que permet l'application de règles d'interprétation différentes à une seule structure plus ou moins superficielle comme (A1), (A2) ou (A3).

analyse des *Dadv* qui pourrait être différente des précédentes. Nous pourrions en effet proposer les hypothèses plausibles qui suivent :

— *Dadv = beaucoup*, dans *beaucoup de ces personnes*, est uniquement un adverbe, ce qui est compatible avec l'idée d'analyse de I, 6.3,

— *GN* (dans une séquence comme *beaucoup GN*) a pour déterminant *de Ddéf*.

Cette analyse pourrait à première vue présenter certains avantages. Nous devons décrire de toutes façons, et la distribution des partitifs *de Ddéf N*, et celle des adverbes comme *beaucoup*. Ces deux phénomènes sont indépendants. Les formes syntaxiques *beaucoup de Ddéf N* résulteraient alors d'une simple juxtaposition entre l'adverbe *beaucoup* et *de Ddéf N*. Sémantiquement et morphologiquement (pluriel obligatoire de *N*), il semble que nous rendions compte de l'interprétation des *GN* ainsi formés.

Mais cette analyse se heurte à plusieurs difficultés. D'une part, la distribution des partitifs *de Ddéf* est limitée. Nous avons vu sur les exemples (1) de I, 3.2 que les formes *de Ddéf N* pouvaient s'observer dans les positions sujet et objet direct. Mais elle ne peuvent pas apparaître dans des positions indirectes :

> ? * *Luc a parlé à de ces personnes*
> ? * *Luc a discuté sur de ces questions*[5].

Comme la distribution de *beaucoup de GN* n'est pas limitée de la même façon, il nous faudrait décrire, à partir des séquences inacceptables qui précèdent,

et
> *Luc a parlé à beaucoup de ces personnes*
> *Luc a discuté sur beaucoup de ces personnes.*

De plus, l'étude de *beaucoup* adverbe montre que sa mobilité est très limitée. Les séquences

> *Ces garçons ont dormi beaucoup*
> *Ces garçons ont beaucoup dormi*

sont acceptables, mais il est difficile d'accepter *beaucoup* à gauche du sujet :

> ? * *Beaucoup, ces garçons ont dormi*

Pourtant la phrase

> *Beaucoup de ces garçons ont dormi*

est naturelle, et, d'après l'analyse discutée, elle devrait être dérivée de la séquence douteuse

> ? * *De ces garçons ont dormi beaucoup*

par déplacement de *beaucoup*. L'étude du déplacement des adverbes indique encore des restrictions dont il serait difficile de tenir compte ; en général, nous n'observons pas d'adverbes immédiatement à la droite d'une préposition :

> * *Luc pense à malheureusement Eve*

alors que *beaucoup (de)* apparaît bien dans cette position. L'analogie avec les *Préd* qui ont des caractères adverbiaux, indique bien que ceux-ci peuvent appa-

---

5. Ces phrases sont acceptables avec intonation exclamative, elles sont naturellement prolongeables par *je ne vous dis que ça* ! Nous les marquerons alors d'un point d'exclamation et de points de suspension. La restriction sur la distribution des partitifs de *Ddéf N* est à rapprocher des observations de Foulet sur la distribution du partitif *de Artg N*.

raître à la droite immédiate de *Prép* (I, 6.2), mais souvent, ils peuvent occuper aussi une position à gauche de *Prép* (grâce à la règle [*Préd* p.]), ce qui n'est pas le cas de *beaucoup (de)* :

Luc tient à à peu près trois livres

[*Préd* p.] → *Luc tient à peu près à trois livres*

mais   * *Luc tient beaucoup à de livres*

Cette analyse nécessiterait donc l'institution d'un nouveau type d'adverbe, limité aux éléments du type *beaucoup* qui apparaissent comme *Dét*. Ceci annulerait l'intérêt qu'il y avait à ne considérer *beaucoup* que comme un adverbe d'un type général. Notons qu'en plus de toutes ces difficultés syntaxiques, il n'y a pas toujours équivalence sémantique entre les formes qui seraient reliées ainsi.

Pour toutes ces raisons, nous abandonnerons cette analyse et nous bornerons notre emploi des représentations formelles de *Dadv* à la formule *GN = Dté de GN* déjà utilisée pour les *Dnom*, et que nous étendrons encore à la plupart des *Dadj*.

1.3 *Groupes nominaux en* Dadj

Les *Dadj* entrent tous dans la construction *Dét N* mais pas dans *Dét de N* (avec *N* au singulier ou au pluriel, sans *Dét*). La situation est exactement inverse pour les *Dadv* (* *Dét N*, mais *Dét de Nplur*). La plupart des *Dnom* entrent dans les mêmes constructions que les *Dadv*, les exceptions sont en partie explicables, ou du moins elles ne sont pas surprenantes (II, 1.4). De plus, tous les *Dadv* entrent dans *Dét de Ddéf N (E + Modif)* ; il en est de même pour bon nombre des *Dnom*, les exceptions (II, 1.4) sont proches des *Préd* (II, 4). Pour les *Dadj*, les exceptions à cette construction (II, 1.4) ne sont pas surprenantes non plus, elles sont en majorité liées aux exceptions de *Dnom* qui n'entrent pas dans *Dét de Nplur*.

Donc, on peut considérer que d'une manière générale les *Dadj* entrent dans la construction

Dét de GN ;   Dét = Dadj et   *GN = GNdéf, plur.*

Les *Dadj* s'écartent des *Dadv* et des *Dnom*

— par l'absence de la construction

Dét de N

— et par la présence de la construction

Dét N.

Il est alors naturel de considérer qu'une transformation[6] d'effacement [*de* z.] s'applique à des formes *Dadj de N* sous-jacentes aux formes *Dadj N* observées. Il devient alors possible de considérer que les *Dadj* ont eux aussi la construction générale de base

Dét de (N + GN).

---

6. Comme pour toutes les transformations, cet effacement n'est déclenché que par des éléments lexicaux bien déterminés.

Qui plus est, la forme de base *∗ Dét de N* permet de rendre compte des constructions où une forme détachée *de N* apparaît en compagnie d'un *Dadj*. La règle [détach] s'appliquera alors aux *Dadj* de la même façon qu'aux *Dadv* et *Dnom*, nous aurons par exemple

$$N_0 \text{ en } V \text{ Dét } \# \text{ de } N$$
$$= Luc \text{ en voit un } \# \text{ de cheval}$$
$$N_0 \text{ } V \text{ Dét } \# \text{ de } N$$
$$= Luc \text{ voit l'autre } \# \text{ de cheval,}$$

Nous rendons également compte de la référence lexicale observée dans diverses constructions. Ainsi dans

$$Luc \text{ en voit deux}$$

en ... deux peut se référer lexicalement (I, 4.1 ; III, 1.2) à un antécédent. La source de *en* ne doit donc pas être *de Ddéf N* qui conduirait à une référence d'inclusion, la seule source plausible reste donc *Dét N = deux N*. Mais nous savons par ailleurs (Gross 1968 ; Pinchon) que *en* est en règle générale associé à *de*, nous aurions affaire à une exception si *Dét N* était la source de *en ... Dét* en l'absence d'un *de*. Si par contre *∗ Dét de N* est la source de *Dét N*, c'est-à-dire si [*de z.*] s'applique, alors nous pouvons dériver *en ... Dét* de *∗ Dét de N* en toute généralité.

Nous sommes donc également conduit dans le cas de *Dadj* à utiliser la construction de base

$$GN = Dét \text{ de } (N + GN).$$

Nous avons donc décrit la majorité des *Dadv, Dnom* et *Dadj*, de façon *directe* au moyen de cette structure, mais un certain nombre d'entre eux ne peuvent être décrits dans ce cadre général qu'au prix de l'introduction de règles et de conditions spéciales. Nous examinerons des exemples de cette situation ci-dessous (II, 2 à II, 14).

1.4 *Exceptions*

Nous avons vu (I, 2) que tous les *Dadv* sauf *un peu* (II, 11) étaient marqués − *Dét N* et + *Dét de Nplur*.

Tous les *Dnom* sont marqués − *Dét N*, mais quelques uns sont marqués − *Dét de (Nsing + Nplur)*, ce qui les rend donc différents des *Dadv*. Les *Dnom* tels que − *Dét de N* sont de deux sortes, les premiers (i) ont des constructions qui ne s'analysent commodément qu'au moyen de la forme de base *∗ Dét de N*, les seconds (ii) n'ont pas du tout les mêmes constructions, le recours à la forme *∗ Dét de N* pour les décrire ne peut donc guère être invoqué. Ces cas sont les suivants :

(i) — *la moitié* n'entre dans *Dét de N* qu'à condition d'être accompagné d'une relative (II, 2) :

    ∗ *Luc a mangé la moitié de gâteau*
    Luc a mangé la moitié de gâteau qu'Eve lui a jeté

— *moins, plus* (II, 3), ainsi que les *Dét près, de l'ordre, ..., dans le voisinage* (II, 4) qui, intuitivement au moins, apparaissent comme modifiant un *Dnum*, c'est-à-dire plutôt comme des *Préd*. La pronominalisation opère en effet par rapport à *Dét de Dnum* plutôt que par rapport à *Dét*, nous avons ainsi

> *Luc a vu (près de + dans les) quarante lits*
> = *Luc en a vu (près de + dans les) quarante (E + # de lits)*
> alors que * *Luc en a vu (près + dans les) (E + # de quarante lits)*

— les formes en *lequel* (II, 5) :

> *(E + n'importe + (Dieu + qui) sait + je ne sais) lequel*

qui ont une construction (familière) en *# de N* :

> *Luc a vu lequel # de lit ?*
> *Lequel Luc a-t-il vu # de lit ?*
> *Luc a vu Dieu sait lequel # de lit.*

Ces formes seront rapprochées des *Dadj* correspondants en *quel* ;

— *quelques uns* (II, 6) entre dans

> *Luc en a vu quelques uns # de lits*

dérivé de

> * *Luc a vu quelques uns de lits*

— la comparaison de l'une des interprétations de

> *Luc a lu des livres divers*
> et de   *Luc a lu divers livres*

suggère qu'une permutation pourrait relier ces deux formes synonymes ; cependant l'article indéfini pluriel devrait alors disparaître entièrement, et non pas partiellement comme dans le cas de (II, 15.1)

> *Luc a lu des livres énormes*
> = *Luc a lu d'énormes livres.*

Cette combinaison de permutation et de réduction risque de ne s'appliquer que dans le cas de *Dadj = divers*, il n'est en effet pas clair que les phrases

> *Luc a lu des livres différents*
> *Luc a lu différents livres*

soient exactement synonymes, et les autres *Dadj* n'ont pas d'emplois postposés.

(ii) — *chacun* qui sera rapproché de *chaque* (II, 7) ;

    — *ne ... rien*, qui en tant que négation présente des propriétés particulières (II, 9) ;

    — les superlatifs en *plus* et *moins*, *le (E + plus) gros*, *le plus clair* (II, 3), *l'un*, *la plupart*, formes dont on peut remarquer qu'elles comportent toutes l'article défini.

Le même problème se pose pour les *Dadj*. Un certain nombre d'entre eux entrent dans *Dét de GN*, mais alors qu'aucun n'entre dans *Dét de N*, il existe pour la majorité d'entre eux la forme *# de N* (détachée) qui justifie, comme on l'a vu, l'utilisation de la forme sous-jacente * *Dét de N*.

Les *Dét* pour lesquels il n'existe pas de telles justifications à l'utilisation de * *Dét de N*, sont :

    — *ne ... nul* et *tel*, dont les emplois ne sont plus courants en français moderne. Par suite de l'absence de données (synchroniques) sur leur construction, il est difficile de décrire ces *Dét*. Dans une certaine mesure *maints* et *force* sont dans la même situation. De même, nous avons placé *d'aucuns* en *Dadj* sans être bien sûr de la forme *d'aucuns N*, le seul jugement qui nous semble clair est celui qui porte sur l'acceptation des constructions *d'aucuns VΩ* (I, 4.2.1) ; *d'aucuns* serait donc uniquement un pronom sujet. Rappelons qu'en français classique (Haase), *aucun* employé sans le *ne* de la négation souvent signifiait *quelqu'un* ;

— les formes en *quel*, liées aux formes en *lequel* de *Dnom* (II, 5) ;

— *quelque* qui est tel que *quelque N* est synonyme de *un N quelconque* (II, 6) ;

— *chaque, quelques, un certain* dont les analyses sont liées à celles de *chacun (Dnom), quelques uns (Dnom), certains (Dnom)*, respectivement (II, 7 ; II, 6 ; II, 10) ;

— *tout* dans

Ceci convient à toute personne sensée (II, 13).

Nous allons examiner plus en détail les constructions de *Dét* que nous venons de signaler et nous tenterons de régulariser leur description.

2 Formes substantivales

Certains *Dnom* ont la forme

$$Dnom = (Ddéf + Dind) \ Nd \ Modif$$
$$= (ce + un) \ nombre \ impressionnant$$

il importe donc d'étudier leur constitution interne en plus de leurs relations avec le *N* déterminé. Nous avons représenté les exemples suivants de *Dét Nd* :

un groupe, la moitié, un morceau, une partie

le *Dét* du *Nd* a été choisi *(Ddéf* ou *Dind)* de manière à varier les formes possibles. En fait, nos principes de classification auraient dû nous faire également placer dans *Dnom* les entrées

le groupe, une moitié, le morceau, la partie

de façon à donner des paradigmes plus complets.

2.1 *Noms déterminatifs* (Nd)

Les noms déterminatifs *Nd* sont très variés, et ils se définissent par des emplois tels que

Luc a mangé une valise de gâteaux
Luc a construit toute une rue d'immeubles en bois
Luc a amusé un immeuble entier de locataires grincheux.

Les N_1 *gâteaux, immeubles* et *locataires* sont respectivement les objets directs sémantiques des verbes, alors que les *Nd valise, rue* et *immeuble* font partie des déterminants correspondants. Il semble qu'il suffise qu'il y ait entre N_1 et *Nd* une relation d'inclusion (référentielle) extra-linguistique pour que l'on accepte de tels exemples. Cette inclusion est fort peu spécifique, ainsi

Luc a mangé toute une rue de gâteaux

est acceptable, interprétable comme synonyme de

> *Luc a mangé les gâteaux des pâtisseries de toute une rue.*

La question en *combien* accepte *Nd* pour réponse :

> { Question : *Combien Luc a-t-il mangé de gâteaux ?*
> Réponse : *Une valise*

> { Question : *Combien Luc a-t-il construit d'immeubles en bois ?*
> Réponse : *Toute une rue*, etc.

Cette propriété syntaxique indiquera dans de nombreux cas la nature de l'emploi d'un *N* (*Nd* ou non) lorsqu'il est accompagné d'un complément de *N*. Il est donc clair que la distinction des *Nd* comme classe syntaxique n'offre aucun intérêt. Pratiquement, tous les *N* concrets entreraient dans cette classe alors qu'ils ne sont interprétés comme *Nd* que dans des conditions particulières. Notons cependant l'existence de certains caractères syntaxiques généraux associés aux *Nd*. Ainsi la majorité d'entre eux possèdent le paradigme

> { *Max boit de petites doses de vin*
> { *Max boit du vin en petites doses*
> { *Max boit du vin par petites doses*

que nous discuterons en IV, 3.3. Les exceptions sont relativement rares, mais nous observons cependant

> { *Max possède une abondance de forêts*
> { *Max possède des forêts en abondance*
> { * *Max possède des forêts par abondance*

> { *Max boit des petits verres de vin*
> { ? * *Max boit du vin en petits verres*
> { *Max boit du vin par petits verres.*

Pour les noms de contenant, le contenu peut être précisé au moyen de phrases comme

> *Dét₁ Nd est de Dnum Nmes*
> = *La dose est de dix (décilitres + grammes)*
> = *Le livre est de cent pages*

de *Dnum Nmes* peut être adjoint à un *GN*, ce qui conduit aux formes

> *Dét₁ Nd de N de Dnum Nmes*

de *Dnum Nmes* ne semble pas pouvoir comporter de *Modif* ; certains *Dnom* et *Préd* peuvent être adjoints à *Dnum* et certains *U* sont substituables à *Dnum* :

> *La dose est de (un maximum + plus de + à peu près) dix décilitres*
> *La dose est de je ne sais combien de décilitres*

nous avons aussi

> *une dose de vin de dix décilitres*
> *un livre de cent pages.*

L'adjonction se fait par relativation et réduction de *qui est* :

> *Max boit une dose de vin Qu Cette dose est de dix décis*
> [relativation] → *Max boit une dose de vin qui est de dix décis*
> [qui T être z.] → *Max boit une dose de vin de dix décis.*

Signalons que pour dériver

> *Max boit dix décis de vin*

à partir de la dernière phrase, il serait nécessaire de faire intervenir en plus de

[*Dnom* p.] une règle d'effacement du *Nd dose*. Des *Nd* autres que ceux de contenants entrent dans cette construction :

> *L'effectif est de dix soldats*
> *L'épaisseur est de dix mètres.*

Dans certains cas, *de Dnum Nmes* est, d'une part quasi obligatoire :

> { *? * Max remplit le camion par charges*
> { *Max remplit le camion par charges de dix kilos*

d'autre part en distribution complémentaire avec des adjectifs :

> { *? * Max a mangé une épaisseur de jambon*
> { *Max a mangé une belle épaisseur de jambon*
> { *Max a mangé une épaisseur de jambon de deux cm.*

Les formes indiquées ci-dessus comme inacceptables (?*) sont acceptées lorsque les *charges* et l'*épaisseur* sont déterminées par des considérations extra linguistiques (V, 3.1). Rappelons encore pour ce dernier type de *Nd* l'existence d'une polarité qui fait que les mesures ne peuvent se faire que par rapport aux dimensions grandes, ici l'*épaisseur* et non pas la *minceur* (Harris 1964 ; Ross 1964) :

> ** Max a mangé une minceur de jambon de deux mm.*

Ces propriétés ne peuvent pas être étudiées indépendamment de formes liées par dérivation à ces *N*. Par exemple, *de Dnum Nmes* se retrouve en compagnie d'adjectifs et de verbes apparentés (Meunier 1977 ; Boons, Guillet, Leclère, 1976 Dubois) :

> *Le jambon a une épaisseur de deux cm*
> *Le jambon est d'une épaisseur de deux cm*
> *Le jambon est épais de deux cm*
> *Cela a épaissi le jambon de deux cm.*

De façon analogue certains *Nd* seront issus de verbes d'une façon relativement régulière :

— à partir des verbes intransitifs comme

> *(sur)abonder, foisonner, fourmiller, grouiller, pulluler*

dont le comportement a été étudié par Boons, Guillet et Leclère 1976-I (verbes de leur classe 34), on dérive par la nominalisation

$$N_0 \ V = V\text{-}n \ de \ N_0$$

les *Nd (sur)abondance, foisonnement, fourmillement, grouillement, pullulement* ;

— à partir de verbes à objet direct N_1 obligatoirement pluriel ou partitif comme

> *accumuler, aligner, amalgamer, amasser, amonceler, assembler, empiler,*
> *entasser, énumérer, grouper, mélanger, rassembler, regrouper, réunir,*

nous observons la formation d'autres *Nd* par les nominalisations

> { $N_0 \ V \ N_1 = N_0 \ V_{op} \ Dét \ V\text{-}n \ de \ N_1$
> { *On accumule (des lits + du vin)*
> { = *On fait une accumulation de (lits + vin)*

> { $N_0 \ V \ N_1 = V\text{-}n \ de \ N_1 \ par \ N_0$
> { *Max accumule (des lits + du vin)*
> { = *l'accumulation de (lits + vin) par Max.*

Toutefois, ce dernier type de nominalisation correspond plutôt à l'interprétation du *V-n* (*accumulation*) comme action, alors qu'intuitivement le premier type correspond mieux au *Nd*. Ces dérivations peuvent porter également sur d'autres verbes qui n'ont pas obligatoirement un objet au pluriel :

> *attribuer* = *attribution*
> *charger* = *charge*
> *contribuer* = *contribution*, etc.

— par ailleurs, certains *Nd* sont associés à d'autres *Nd* :

> *assiette* = *assiettée*
> *charrette* = *charretée*
> *cuiller* = *cuillerée*
> *brouette* = *brouettée*
> *bouche* = *bouchée*
> *pelle* = *pelletée*

avec des différences comme

> { *Max pousse une brouettée de foin*
> { *Max pousse une brouette de foin*
>
> { *Max mange une bouchée de pâté*
> { * *Max mange une bouche de pâté.*

On ne distingue à première vue aucune régularité lorsque l'on étudie les classes lexicales entrant dans ces constructions, par exemple on ne peut pas expliquer l'interdiction du suffixe *-ée* avec *verre* : * *verrée*, du moins en français dit standard contemporain (Lightner 1975). De façon symétrique, on ne voit pas à quel *N* ou *Nd* pourrait être rattaché *assemblée* ;

— mentionnons encore les relations entre certains *Dadj* et *Dnom* :

> *Max ira dans (huit + vingt) jours*
> *Max ira dans une (huitaine + vingtaine) de jours.*

Pour certains exemples nous avons *-aine* = *à peu près*, dans certains autres cas (*neuvaine, douzaine*) le suffixe n'a pas obligatoirement ce sens, les irrégularités comme * *cinquaine* ou * *sixaine* semblent alors devoir s'expliquer par des raisons diachroniques : les significations spécialisées des formes actuellement inacceptables correspondaient à des notions techniques qui ont disparu aujourd'hui (v. Wartburg).

Remarques :

1) L'entrée *Dnum Nmes* correspond à des constructions comme

> *Luc a bu (un + deux + dix) litres de vin*
> *Luc a mangé trois (kilos + mètres) de boudin.*

Ces noms de mesure (*Nmes*) peuvent cependant être précédés de *Dét* autres que les *Dnum* :

> *Dadv* = *(assez + suffisamment + tant + pas mal + autant) de*
> *Dnom* = *U combien de*
> *Dadj* = *plusieurs + quelques*

et les *Ddéf* sont autorisés dans des conditions générales, analogues à celles des autres *Dnom* de la forme *Dét Nd ... Modif*. Notons qu'un *N* comme *francs* dans

> *Luc a mangé dix francs de boudin*

pourrait être considéré comme un *Nmes*, il se distingue des autres par l'existence de la construction synonyme

> *Luc a mangé pour dix francs de boudin.*

Ces deux formes pourraient être reliées par une règle *pour* → *E*. Les *Nmes* mentionnés ci-dessus n'ont pas cette construction (II, 4) :

* Luc a mangé pour dix (kilos + mètres) de boudin.

Il existe des paires voisines telles que

Luc est venu par trois fois
= Luc est venu trois fois

Notons encore une particularité du nombre du *N* déterminé, il peut être soit au singulier, soit au pluriel :

Luc a construit dix kilomètres de (canal + canaux)

avec peut-être une nuance de sens entre les deux formes.

2) Le partitif et l'indéfini pluriel posent des problèmes de source déjà discutés en I, 3.2 et II, 1.2. Comme nous désirons analyser ces *GN = de Ddéf N Modif* à partir d'une forme générale *Dét de GN*, nous pourrions envisager une solution où le *Dét* sera un *Dnom* effaçable :

Dnom de Ddéf N Modif
= de Ddéf N Modif.

Il nous faut donc reconstruire un *Dnom* en adaptant par exemple l'analyse diachronique de Foulet. L'examen des candidats possibles à l'effacement, c'est-à-dire l'examen de certaines formes *Dét Nd*, révèle des difficultés. Prenons par exemple *Nd = quantité*, nous aurons

(Luc boit) une certaine quantité de cette bière
= (Luc boit) de cette bière

quantité serait choisi pour des raisons sémantiques. Ce terme est en effet compatible avec les *Nmas* et les *Nnomb* ; cependant, nous avons vu en I, 3.1.1 qu'il ne convenait pas à certains *Nabs*, d'où une première difficulté ; la présence de *certain* est motivée par le fait que *quantité* nécessite un *Modif*, ce *Modif* particulier explicite bien l'indétermination de *quantité*. Alternativement, si nous soumettions *un peu* à l'effacement, nous aurions une meilleure compatibilité avec les classes de noms, mais le sens ne serait pas respecté. Le choix d'une source n'est donc pas résolu ainsi. Mais de plus, une difficulté générale se présente : dans les formes de départ comme

(Luc boit) (une certaine quantité + un peu) de la bière

le sens de l'article défini est référentiel : ce n'est pas *Artg* qui y apparaît. Par contre, les formes réduites comme

(Luc boit) de la bière

ne peuvent guère s'interpréter qu'avec *la = Artg*. Cette modification du sens de l'article constitue une difficulté supplémentaire de l'analyse. Si nous utilisions *bien (Préd)* :

(Luc a) bien (des lits + de la peine)
= (Luc a) (des lits + de la peine)

le sens du groupe ne serait pas conservé, mais à la différence des cas précédents, le sens de l'article (générique) ne changerait pas (I, 2, exemple 1).

Notons encore que des formes comme

Max a lu ce que je lui ai montré de mon livre

qui ont nettement le sens partitif, viennent à l'appui de l'analyse par *N* sous-jacent, puisque le relatif et le *ce* doivent provenir d'un tel *N*.

3) Le *Préd comme,* employé dans

Luc a mangé comme un gâteau

est synonyme du *Dnom une sorte.* Remarquons que

Luc a mangé une façon de gâteau

est encore accepté et pourrait éventuellement servir de source à la forme en *comme,* par le canal de la forme « performative » *comme qui dirait* (Stéfanini, communication personnelle).

2.2 *Déterminants et modifieurs du* Nd

Les noms déterminatifs *Nd* prennent des *Dét* dans des conditions générales qui seront étudiées au chapitre IV.

Seules dans la table *Dnom* les entrées *(E + bon) nombre* et *quantité* font figure d'exception puisqu'elles correspondent à *Dét = E,* et que parallèlement les *Nd nombre* et *quantité* avec des sens apparentés ont un comportement régulier du point de vue des *Dét* qui les accompagnent.

Des dépendances complexes apparaissent entre le *Dét* du *Nd* et des *Modif* qui s'y rattachent. Nous avons par exemple les paradigmes

Un groupe de garçons (est entré)
? * *Un groupe des garçons (est entré)*
Le groupe de garçons (est entré)
Le groupe des garçons (est entré)

Un morceau de gâteau (est tombé)
Un morceau du gâteau (est tombé)
Le morceau de gâteau (est tombé)
? * *Le morceau du gâteau (est tombé).*

Notons que les deux interdictions ne sont pas absolues, et que les séquences correspondantes peuvent être acceptées si les conditions extra linguistiques de leur énonciation déterminent les *Nd* et les N_0. D'autres interdictions se présentent :

? * *Luc a mangé un morceau de ces gâteaux*
? * *Luc a mangé le morceau de ces gâteaux*

elles sont peut-être explicables en termes de la relation d'inclusion entre *morceau* singulier et *gâteaux* pluriel qui se trouve être sémantiquement interdite ; cependant, la séquence

Luc a mangé la couche supérieure de ces gâteaux

est aisément interprétable avec *ces gâteaux = chacun de ces gâteaux,* ce qui n'apparaît guère possible dans les deux séquences précédentes.

Selon la nature du déterminant (*Ddéf* ou *Dind*) la présence d'une proposition relative (*Rel*)[7] est obligatoire ou non pour certains de ces *Nd.* La notation employée *Dét Nd ... Rel* est destinée à indiquer que la relative dépend du *Nd* déterminant et non pas du *N* déterminé dans la forme *Dét Nd de N Rel* (Nous choisirons nos exemples avec *Rel = qui VΩ*). Cette observation est confirmée par le fait que les *N* sans *Dét* n'acceptent pas de relatives :

* *Le groupe a élu ce garçon président qui dirigera tout*

---

7. La relative peut éventuellement être réduite à un adjectif ou à un complément de nom.

il en irait de même dans certaines constructions discutées en II, 15.2 et II, 15.3 (*changer de*, *se tromper de*, par exemple), ce qui permet de mettre en évidence cette dépendance au moyen de l'accord sujet-verbe. Le même type de dépendance est observable dans les constructions à pronom démonstratif (tableau II, 3). Les relatives dont nous observons la distribution ne sont pas incompatibles avec les relatives que le *N* pourrait lui aussi comporter.

Tableau II, 3

Dét N	de GN	Rel
celui	de mes amis	qui est arrivé
* celui	de mes amis	qui sont arrivés
la partie	de mes amis	qui est arrivée
* la partie	de mes amis	qui sont arrivés

L'exemple du déterminant dont le *Nd* est *nombre* révèle certaines particularités du modifieur. Nous avons ainsi

(1)
> * *Luc a mangé (un + le) nombre (de + des) gâteaux*
> *Luc a mangé un nombre de gâteaux qui me paraît ridicule*
> *Luc a mangé un nombre ridicule de gâteaux*

et, avec un modifieur superlatif indéfini :

> *Luc a mangé un nombre de gâteaux des plus ridicules (E + qui soit).*

Par contre avec *Dét = le nombre*, le paradigme est différent puisque nous avons

(2) * *Luc a mangé le nombre de gâteaux (ridicule + qui me paraît ridicule + des plus ridicules)*
(E + qui soit).

La présence d'un modifieur superlatif comportant l'article défini rend (2) acceptable :

> *Luc a mangé le nombre de gâteaux le plus ridicule qui soit,*

mais avec des restrictions sur le *Dét* de *gâteaux* :

> * *Luc a mangé le nombre (des + de ces) gâteaux le plus ridicule qui soit.*

Notons une complexité supplémentaire, alors que les exemples (1) et (2) semblent indiquer que la présence ou l'absence de *Rel* est liée à la nature définie ou indéfinie de *nombre*, l'exemple acceptable

> *Luc a mangé le nombre de gâteaux qui lui revenait*

montre que cette éventuelle contrainte dépend du contenu de *Rel*. Aucune des théories présentes n'offrent de moyens de rendre compte de ce type de contrainte.

Le type de paradigme observé avec *nombre* se retrouve avec d'autres *N* classifieurs comme *quantité, qualité, longueur, couleur*[8], etc. Dans le cas de *moitié* nous avons un paradigme différent :

---

8. Cf. Meunier 1975.

Luc a mangé une moitié de gâteau
Luc a mangé une moitié de ce gâteau
? * *Luc a mangé la moitié de gâteau*
Luc a mangé la moitié de ce gâteau

et la séquence qui n'est pas acceptable le devient lorsque *la moitié* est accompagné de *Rel* :

Luc a mangé la moitié de gâteau qui lui revenait.

Remarquons que la phrase

Luc a mangé la moitié de ces gâteaux

semble être ambiguë, avec *moitié* pouvant signifier soit *moitié du total* soit *moitié de chacun.*

Le paradigme de *partie* est d'un type différent :

Luc a mangé une partie de gâteau
Luc a mangé une partie de ce gâteau
* *Luc a mangé la partie de gâteau*
* *Luc a mangé la partie de ce gâteau.*

Les deux dernières séquences deviennent acceptables lorsqu'une relative est adjointe à *partie* :

Luc a mangé la partie de (E + ce) gâteau qui lui revenait.

Avec les adjectifs les faits sont différents, puisque nous observons

* *Luc a mangé la partie fraîche de gâteau*
Luc a mangé la partie fraîche de ce gâteau

et ces contraintes varient avec la nature de l'adjectif :

* *Luc a mangé le nombre élevé de gâteaux*
Luc a mangé le nombre commandé de gâteaux.

La présentation des propriétés distributionnelles de nos tables (I, 3.1.1) est basée sur l'observation que les déterminants ont une forme *Dét* fixe figurant sur une ligne, et la partie déterminée a des variations indiquées dans les colonnes. Mais pour tous les exemples de la forme *Dét = (Ddéf + Dind) Nd ... (E + Modif)* que nous venons d'examiner, il n'est plus possible de considérer la partie déterminante comme fixe. Dans quelques cas nous nous sommes ramené à cette situation en établissant une entrée pour chaque variante *Dét Nd*, mais avec un tel traitement il est clair qu'un grand nombre de constructions contenant un même *Nd*, donc visiblement apparentées, seront considérées comme distinctes contre toute évidence. La représentation des propriétés de chaque *Nd* devra donc se faire au moyen d'une matrice du type suivant : sur chaque ligne nous trouvons les déterminations possibles des *Nd*, dans les colonnes nous retrouvons les propriétés distributionnelles dont nous avons proposé l'étude en I, 3.1.1. Nous donnons les exemples des matrices associées à *moitié* (tableau II, 4) et à *qualité* (tableau II, 5). Ces deux *GN* n'ont été représentés que pour une position d'objet direct[9].

_____

9. Ici l'objet direct de *manger*. Cette matrice est susceptible de varier avec la position syntaxique du *N* déterminé. Selon le verbe et la position syntaxique (II, 1.1), ces *GN* peuvent être ambigus, le *Nd* déterminant devenant principal. Ces deux interprétations ne doivent pas être confondues, aussi nous avons représenté dans les deux matrices les interdictions

* *Luc a mangé la moitié de dix gâteaux*
* *Luc a mangé une qualité de ces gâteaux*

66

Tableau II, 4

Moitié	Dét de Nplur	Dét de Ddéf Nplur	Dét de Dind Nplur	Dét de Nnomb, sing	Dét de Nmas	Dét de Nabs	Dét de Artg N
un Nd	−	+	−	+	−	−	−
un Nd ... Rel	−	+	−	+	−	−	−
le Nd	−	+	−	+	−	−	−
le Nd ... Rel	−	+	−	+	−	−	−
le Nd le plus Adj...	−	+	−	+	−	−	−

Tableau II, 5

Qualité	Dét de Nplur	Dét de Ddéf Nplur	Dét de Dind Nplur	Dét de Nnomb, sing	Dét de Nmas	Dét de Nabs	Dét de Artg N
un Nd	−	−	−	−	−	−	−
un Nd ... Rel	+	−	−	+	+	+	−
le Nd	−	+	−	+	−	−	−
le Nd ... Rel	+	+	−	+	+	+	−
le Nd plus Adj...	+	+	−	+	+	+	−

3 Formes en *moins* et *plus*

Dans leurs emplois usuels, les éléments *moins* et *plus* sont syntaxiquement substituables l'un à l'autre. Nous étudions ces emplois.

---

qui sont des constructions bien distinctes de celles qui, bien que formellement identiques, comporteraient les interprétations de

Cinq gâteaux, c'est la moitié de dix gâteaux
Luc a apprécié une qualité de ces gâteaux.

3.1 *Formes de* Dadv *et* Dnom

Moins (Dadv) et *plus (Dadv)* sont des *Dét* comparatifs (I, 3.1.2) dans

> *Luc a usé (moins + plus) de lits que Léa*
> *Luc a (moins + plus) usé de lits que Léa.*

Moins (Dnom) et *plus (Dnom)* ont des propriétés différentes, ce sont plutôt des *Préd* modifiant des formes *Dnum N* (II, 4) :

(1)   *Luc a usé (moins + plus) de trois lits.*

Ils ne sont alors ni accompagnés de *que P* ni permutables :

> * *Luc a usé (moins + plus) de trois lits que Léa*
> * *Luc a (moins + plus) usé de trois lits.*

Lorsque *moins* ou *plus* modifient un adjectif, *que P* et de *Dnum N* peuvent apparaître simultanément :

(2)   *Luc est (moins + plus) grand que Léa de trois doigts*

que P ayant les propriétés du comparatif, nous avons indiqué ces emplois en *Dadv* et non pas en *Dnom* ; de plus (Ross 1964), *de Dnum N* est sémantiquement différent de la forme superficiellement analogue que nous décrivons en *Dnom* : dans (1) *plus de trois lits* constitue une mesure absolue, alors que dans (2) *plus de trois doigts* constitue une différence entre deux mesures. Nous retrouvons ce dernier sens dans des constructions comparatives où *moins* et *plus* apparaissent comme des compléments et non comme des *Dét* :

> *Luc a usé trois lits de (moins + plus) que Léa[10].*

Une possibilité de fondre le *Dadv* et le *Dnom* existe. Les formes

(3)   *Luc a usé (moins + plus) de lits que trois lits*

sont acceptables (en français populaire au moins). Alors qu'elles s'analysent comme contenant des *Dadv*, elles ont le sens de (1) donc celui des *Dnom*. Les formes (1) et (3) seraient apparentées, une opération qui les relierait nécessiterait l'effacement d'un *N* (première occurrence de *lits*) figurant déjà dans le contexte et l'effacement de *que*. Mais l'analyse des formes comparatives pose de toutes façons bien des problèmes complexes. Par exemple, il n'est pas impossible que la négation *ne ... plus (Dadv)*, différente des entrées *plus (Dadv)* et *plus (Dnom)*, soit néanmoins en relation avec *plus (Dadv)* comparatif. Les phrases

> *Léa lit plus de livres qu'Eva*
> *Léa lit plus de livres que de revues*
> *Léa lit plus de livres qu'Eva de revues*
> *Léa lit plus de livres qu'Eva lit de revues*
> *Léa lit plus de livres qu'Eva ne lit de revues*

---

10. Dans ces formes, *en* substituable à *de* (IV, 3.2.2 b ; IV, 3.2.2 g). *Trop* entre dans des constructions analogues :

> *Luc est trop grand de trois doigts*
> *Luc a usé trois lits de trop.*

Le complément de mesure *de trois doigts* est inacceptable avec *assez*, mais s'observe avec *pas assez* ;

> * *Luc est assez grand de trois doigts*
> *Luc n'est pas assez grand de trois doigts.*

sont apparentées par des réductions successives. Le dernier *que P* met en jeu l'élément *ne* de la négation et la forme *de N* associée aux *Dind*. Le fait que *que P* ne puisse contenir un élément comparatif ou négatif :

> * *Léa lit plus de livres qu'Eva ne lit (pas + plus + moins) de revues*

suggère que le *plus* de la principale a été extrait de *que P*, auquel cas, *plus* comparatif proviendrait d'une forme *ne ... plus*. Les données avec *moins* ne sont pas aussi nettes. Mais même si les faits étaient entièrement parallèles, *ne ... moins* n'est pas une négation, ce qui créerait dans l'analyse suggérée, une dissymétrie entre *plus* et *moins* qui n'est guère observée de par ailleurs. Cl. Muller propose une solution différente où l'on efface une négation, d'ailleurs attestée en français classique et dans certains dialectes québécois (A. Dugas, communication personnelle).

Les entrées *d'autant (plus + moins) (Dadv)* n'ont pas été analysées en *autant (Dadv)* et *plus* et *moins* du fait du problème posé par la forme *que P* les accompagnant. En effet, *autant, plus,* et *moins* peuvent être accompagnés d'un *que P* parallèle à la principale (I, 3.2) :

> *Luc a vu (autant + plus + moins) de lits que (Léa + de pots).*

Il n'en va pas de même avec *d'autant (plus + moins)* :

> *Luc a vu d'autant (plus + moins) de lits qu'il en cherchait un*
> * *Luc a vu d'autant (plus + moins) de lits que (Léa + de pots)*

où *que P* ne peut pas être parallèle à la phrase principale.

Les entrées *au (plus + moins) (Préd)* sont sémantiquement voisines de *plus (Dnom), moins (Dnom)*, en ce qu'elles s'appliquent plus aisément à *Dnum* (IV, 3.1.1), mais il est difficile de motiver une analyse qui relierait ces *Préd* aux *Dnom* correspondants.

Les entrées *plus ou moins (Dadv), de plus en plus (Dadv)* et *de moins en moins (Dadv)* sont difficilement analysables en leurs éléments, quoiqu'apparentées à des formes discutées en IV, 3.1.1 et IV, 3.1.2 d.

3.2 *Formes superlatives*

Les entrées *le plus Adj (Dadj)* et *le moins Adj (Dadj)* correspondent aux constructions superlatives (Barbaud). La représentation manque de précision car elle implique l'existence de la construction

> *Dét N = le (plus + moins) Adj N*, pour tout *Adj.*

Or cette construction n'est acceptable qu'avec *Adj* antéposé ; alors, elle comporte obligatoirement une relative (éventuellement au subjonctif)[11] :

> ? * *Le (plus + moins) gros livre plait à Luc*
> *Le (plus + moins) gros livre qui (plait + plaise) à Luc est ici*
> ? * *Le (plus + moins) cher livre qui (plait + plaise) à Luc est ici.*

Les constructions *Dét de GN*, où *de GN* est un complément de définition, sont acceptées indépendamment de la position de *Adj* :

---

11. Les formes marquées ? * appartiennent au français populaire.
Notons par ailleurs que certaines relatives sont réductibles :
> *Le (plus + moins) gros livre acheté hier par Luc est ici.*

Le (plus + moins) (gros + cher) des livres plait à Luc.

Il en va de même pour la construction où les formes *le (plus + moins) Adj* ne sont pas en position *Dét*, mais en position d'épithète postposé :

Le livre le (plus + moins) (gros + cher) qui plaise à Luc est ici

dans ces formes, le complément de définition *de GN* ne peut guère être substitué à *Rel* :

*? * Le livre le (plus + moins) (gros + cher) des livres est ici.*

La relative et le complément de définition s'excluent dans les formes où *Adj* est préposable :

* Le (plus + moins) gros des livres qui plait à Luc est ici.

Cette complémentarité rappelle la distinction opérée entre *plus (Dadv)* et *moins (Dadv)* d'une part, *plus (Dnom)* et *moins (Dnom)* d'autre part.

Notons encore que le superlatif peut apparaître dans les compléments de définition accompagnant des segments *Dind N* :

(1)   *Ceci est un livre (E + qui est) de (E + entre) les plus gros (E + qui soient).*

Nous avons aussi

Ce livre est des plus gros (E + qui soient).

Cette forme étant vraisemblablement dérivée par effacement de *livres* dans

(2)   *Ce livre est des plus gros livres qui soient.*

Notons que nous avons

* Ceci est des plus gros (E + livres) qui soient.

Nous avons indiqué en II, 2.2 des emplois de constructions superlatives en compagnie de *Dnom* en *Nd*. Mentionnons encore une construction de *plus* et *moins* apparentée au superlatif, mais difficilement analysable comme tel. Les deux phrases

Sa mémoire est la plus vénérée
Sa mémoire est le plus vénérée

ne diffèrent formellement que par *le-la*, ce qui pourrait suggérer un appariement par neutralisation du genre et du nombre. Cependant la différence

C'est sa mémoire qui est révérée le plus
* C'est sa mémoire qui est révérée la plus

suggère que les formes *le (moins + plus)* ont un statut adverbial, peut-être explicitable par la présence d'un adverbe comme *fort* qui serait effaçable dans sa construction superlative. Nous aurons une relation du type

C'est sa mémoire qui est révérée le plus (fort + fortement)
= C'est sa mémoire qui est révérée le plus.

Ce type de solution rendrait compte de l'emploi analogue de *le mieux* dans

C'est Guy qui rit le mieux.

Remarquons encore que dans la correspondance adjectif-adverbe le superlatif se conserve au complément de définition près :

(Luc opère) de la façon la plus bête (E + qui soit) (E + possible)
(Luc opère) le plus bêtement (E + qui soit) (E + possible)
(Luc opère) de la façon la plus bête de toutes
* (Luc opère) le plus bêtement de tout.

Il n'est pas impossible que les comparatifs et les superlatifs qui comportent divers éléments de sens et de forme en commun puissent faire l'objet d'une analyse unifiée. Nous ne disposons pas actuellement d'éléments contraignants qui distingueraient une solution plutôt que de nombreuses autres qui s'offrent immédiatement. Rappelons cependant le parallélisme des deux constructions. Celles-ci portent sur deux termes, en particulier elles peuvent porter sur deux *GN* concrets auxquels on associe des éléments ou des sous-ensembles d'un certain ensemble. L'adjectif sur lequel porte *moins* ou *plus* introduit une relation d'ordre entre les éléments ou les sous-ensembles.

Exemple 1

Considérons

Max mange des gâteaux plus petits que ceux-ci.

On peut supposer qu'il existe un ensemble (générique) de *gâteaux* sur lequel *petit* introduit la relation d'ordre, c'est-à-dire une organisation selon la taille des gâteaux ; les sous-ensembles { *des gâteaux* } et { *ceux-ci* } sont liés par la relation d'ordre : tout gâteau du premier sous-ensemble est plus petit que tout gâteau du second.

Exemple 2

Considérons

Max mange les plus petits des gâteaux

en plus de la relation d'inclusion entre { *les* } et l'ensemble de définition { *les gâteaux* }, nous utilisons la relation d'ordre pour interpréter cette phrase : le sous-ensemble { *les* } est tel qu'il contient les éléments minimaux du treillis.

Remarquons que l'ensemble de définition peut prendre un sens générique particulier comme dans

Max a eu le plus grand des courages.

Dans cette position, *courage* a un pluriel qu'il n'a pas dans d'autres contextes (I, 3.1.1).

Ces exemples nous permettent de formuler une différence entre comparatif et superlatif ; le comparatif met en relation deux sous-ensembles quelconques d'un treillis, alors que le superlatif isole un sous-ensemble d'éléments extrémaux du treillis. Il est peut-être possible de mettre en correspondance des notions sémantiques avec certaines formes syntaxiques et de rendre ainsi compte de divers phénomènes. Par exemple, le sous-ensemble des éléments extrémaux du treillis étant un sous-ensemble bien déterminé par rapport à un sous-ensemble quelconque, on pourrait mettre cette observation en relation avec le fait que le superlatif ne peut pas comporter de *Dind (* (un + des) plus gros de ces gâteaux))*, ce qui est possible avec le comparatif.

Nous mentionnons encore un point commun aux deux constructions : elles utilisent les mêmes règles de synthèse morphologique :

plus bien	= *mieux*
plus bon	= *meilleur*
et peut-être	*plus mauvais*	= *pire.*

Les adjectifs ordinaux comme *premier, deuxième, ... dernier*, lorsqu'ils sont précédés d'un article défini, ont des compléments de définition qui partagent une particularité avec ceux des constructions superlatives, nous avons

le (premier + plus grand) de (nous + vous)

mais

* *le (premier + plus grand) d'eux*

et avec *entre* : *le (premier + plus grand) d'entre (nous + vous + eux)* ; par contre (I, 4.1) nous avons

* *beaucoup de (nous + vous + eux).*

Notons que la notion d'ordinal introduit une relation d'ordre particulière sur l'ensemble de définition.

Les entrées *le plus gros (Dnom)* et *le plus clair (Dnom)* ont aussi des formes de superlatifs, elles sont cependant différentes puisqu'elles n'acceptent pas de relatives déterminatives :

Le plus gros des ennuis est passé
* *Le plus gros des ennuis qui a tracassé Luc est passé.*

(Cette dernière séquence est interprétable comme construction superlative de *gros ennuis*). Dans

Le plus gros du travail est fait
Luc passe le plus clair de son temps à dormir

plus est facultatif avec *gros*, mais pas avec *clair* :

Le gros du travail est fait
* *Luc passe le clair de son temps à dormir*

avec *gros, moins* est à la rigueur substituable à *plus* :

? *Le moins gros du travail est fait*

ce qui n'est pas le cas avec *clair* :

* *Luc passe le moins clair de son temps à dormir.*

Il est envisageable d'analyser ces deux entrées par effacement d'un *N* comme *aspect, côté, partie* sous-jacent à une construction superlative, plus régulière donc.

3.3 *Autres emplois*

Plus et *moins* ont d'autres emplois qu'il est difficile d'analyser et de ramener à des déterminants. On observe alors souvent des différences entre *plus* et *moins*. Nous avons par exemple

⎰ *Luc est pour le moins stupide*
⎱ * *Luc est pour le plus stupide*

⎰ *Luc viendra, à moins (d'un accident + qu'il ne le puisse)*
⎱ * *Luc viendra, à plus (d'un accident + qu'il ne le puisse)*

⎰ *Du moins, Luc travaille*
⎱ * *Du plus, Luc travaille*

⎰ *A tout le moins, Luc préfère ce lit*
⎱ * *A tout le plus, Luc préfère ce lit*

⎰ *Luc est gentil, sans plus*
⎱ * *Luc est gentil, sans moins*

⎰ *(En + de) plus, Luc est gentil*
⎱ * *(En + de) moins, Luc est gentil* (IV, 3.3.2).

Dans les quatre phrases suivantes *plus* et *moins* ont un emploi lié à celui de déterminant :

> *(Moins + plus) Léa mange de bonbons,*
> *(moins + plus) Eva boit de lait.*

En effet, nous observons les formes *de N* (sans *Dét*) dans des positions d'objet direct. Dans ces exemples, l'emploi (simultané) de *plus* et *moins* est plutôt conjonctionnel[12] (IV, 3.2.1). Notons encore la forme *plus ou moins*, proche d'un *Dadv* dans

> *Luc a eu plus ou moins de mal à dormir*

mais qui n'est pas analysable comme disjonction de *plus* et de *moins*, puisque nous ne retrouvons pas les *que P* associés :

> * *Luc a eu plus ou moins de mal qu'Eve à dormir.*

4 Formes *Dét de Dnum*

Ces *Dét* sont apparentés à *moins (Dnom)* et *plus (Dnom)*, ils n'entrent guère que dans les constructions

> *Dét de Dnum Nplur*

où ils modifient des *Dnum*. Ils sont donc proches de *Préd* comme *environ*. Nous en avons donné dans *Dnom* la liste suivante :

> *autour, (au + en) dessous, (au + en) dessus, (dans le + au) voisinage, (dans les + aux) alentours, (dans les + aux) environs, dans les limites, dans les parages, dans la zone, de l'ordre de, du côté de, dans les.*

Cette liste n'est pas exhaustive, et ses éléments se caractérisent par une certaine productivité due en partie à des extensions métaphoriques de certains *N* de lieu, nous observons d'ailleurs des alternances : *dans-à* et *en-au* existant avec les compléments de lieu. Certains de ces *N* sont combinables avec des adjectifs : *dans le proche voisinage, au voisinage immédiat.* Le nombre de ces *N* est fixe dans certains cas et variable dans d'autres :

> * *à l'(entour + environ)*
> * *dans les voisinages*
> *dans la limite, dans les limites*

ces variations ne sont pas indiquées dans les tables.

La forme *dans les* devrait normalement figurer en *Dadj* puisqu'elle se construit sans *de* :

> *Luc a vu dans les trente lits*
> * *Luc a vu dans les trente de lits.*

---

12. Remarquons que *autant* possède une utilisation voisine :
   Autant Léa mange des bonbons, autant Eva boit du lait
mais les formes en *de N* semblent plus difficilement acceptables :
   ? *Autant Léa mange de bonbons, autant Eva boit de lait.*

Cependant, morphologiquement et sémantiquement, *dans les* est voisin de *dans les environs*[13], et la présence d'un *de* sous-jacent est attestée par

Luc en a vu dans les trente # de lits.

L'article *les* est le seul *Ddéf* autorisé dans cette construction :

* *Luc a vu dans (ces + mes + tes + etc.) trente lits.*

Ces *Dét* sont perçus comme des modifieurs de *Dnum* qu'il est difficile d'employer en l'absence d'un cardinal. Une représentation en arbre de cette intuition pourrait avoir la forme de la figure II, 6 :

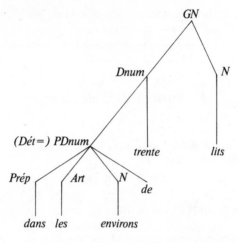

Figure II, 6

Cette représentation nécessite l'introduction d'une nouvelle entité notée *PDnum* (pour prédéterminant numéral), notation permettant de limiter la distribution particulière[14] de ces *Dét* et de rendre aisément compte du fait que la pronominalisation[15] opère immédiatement à droite de *Dnum* et non pas immédiatement à droite de *Dét = PDnum* (II, 1.4 (i)). Cependant, en dehors de l'intuition que *dans les environs* est un constituant qui modifie *Dnum*, nous n'avons pas de raisons spéciales de proposer cette structure plutôt qu'une

---

13. *Dans les* peut s'utiliser devant certains *Dnom* :

Guy a mangé dans les trois (kilos + mètres) de saucisse.

Cette construction est limitée aux sujet et objet direct. Signalons encore une construction voisine de certains compléments de temps :

Guy viendra (sur + vers) les dix heures.

14. Ce symbole *PDnum* n'est cependant pas utilisable dans la description des *Préd* qui ont tous des ensembles de propriétés différents les uns des autres. C'est ce type de difficulté qui rend la notation barre de Harris 1946 et Chomsky 1967 sans objet lors d'une description complète.

15. Cette pronominalisation ne met que le *Ppv en* en jeu :

Luc en a mangé aux environs de trois (E + kilos)

le *Ppv le (la, les)* ne peut pas apparaître puisque sa source doit comporter un *Ddéf*, or, dans cette position, seul *Dnum* est autorisé.

autre. En fait, tous les problèmes que nous avons mentionnés en II, 1.1 se posent à nouveau ici, et nous aurions pu tout aussi bien utiliser la structure (A1) de II, 1.1 adaptée de la façon suivante (figure II, 7) :

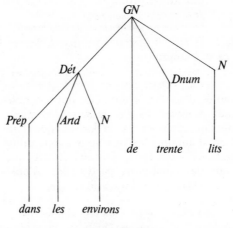

Figure II, 7

ou bien encore la structure voisine de (A3) (II, 1.1) de la figure II, 8 :

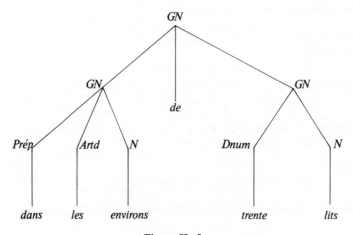

Figure II, 8

Ces constructions sont pratiquement inacceptables dans les positions prépositionnelles :

? * *Luc (pense à + rêve de) (dans les + aux environs de) trente personnes.*

De ce fait, les constructions passives correspondant à de tels N_0 ne sont guère acceptables :

(Dans les + aux environs de) trente personnes ont vu Max
*= ? * Max a été vu par (dans les + aux environs de) trente personnes.*

Notons dans ce contexte le problème posé par la relation entre

Max viendra à cinq heures

et *Max viendra aux environs de cinq heures*

aux environs de étant le *Dét*, il devrait être inséré devant le *Dnum cinq* de la première phrase, ce qui conduit à

*? * Max viendra aux environs d'à cinq heures*
ou *Max viendra à àux environs de cinq heures.*

Différentes possibilités d'analyse sont donc envisageables, par exemple une contraction des deux prépositions *d'à* ou *à à* en contact ; la première de ces formes nous paraissant appartenir à la langue populaire nous l'adopterons comme source, et ce, d'autant plus que nous avons utilisé la règle *de à → de* dans d'autres contextes (Gross 1967). Notons encore que la règle éventuelle *à à → à* nécessiterait des conditions particulières d'application puisque

Max viendra à à peu près cinq heures

est accepté et que

Max viendra à peu près cinq heures.

Nous avons également placé en *Dnom* la forme *pour* qui ne s'emploie guère que devant *Dnum N* en position d'objet direct, où *N* a une distribution limitée : on a par exemple *N = franc(s) + valeur*. Ainsi, dans

Luc a mangé pour dix francs de gâteaux

pour dix francs a été considéré comme un *Dét*. Il existe également une construction de même sens avec *Dét* postposé :

Luc a mangé des gâteaux pour dix francs

mais celle-ci doit obligatoirement comporter l'article complet *des* et non pas la seule préposition *de* :

Luc a mangé de gâteaux pour dix francs.

Ces constructions semblent susceptibles d'être étendues comme dans

? Luc a mangé pour $\left(\begin{array}{l} une\ valeur \\ +\ un\ prix \end{array}\right) \left(\begin{array}{l} énorme \\ +\ de\ dix\ francs \end{array}\right)$ de gâteaux.

Dans ces cas, la forme avec *Dét* postposé est plus naturelle :

Luc a mangé des gâteaux pour $\left(\begin{array}{l} une\ valeur \\ +\ un\ prix \end{array}\right) \left(\begin{array}{l} énorme \\ +\ de\ dix\ francs \end{array}\right)$

alors que

Luc a mangé de gâteaux pour $\left(\begin{array}{l} une\ valeur \\ +\ un\ prix \end{array}\right) \left(\begin{array}{l} énorme \\ +\ de\ dix\ francs \end{array}\right)$.

Les deux types pourront être reliés par restructuration (IV, 3.3).

5 Formes en *quel*

Nous avons les formes strictement parallèles

Dadj = (E + n'importe + (Dieu + qui) sait + je ne sais) quel
Dnom = (E + n'importe + (Dieu + qui) sait + je ne sais) lequel.

Nous noterons ces formes *U quel* et *U lequel* respectivement[16].
Nous avons étendu le paradigme de *U lequel* aux constructions * *U lequel de N*
(II, 1.3 ; II, 1.4). Par ailleurs (III, 3.3), nous analysons l'article *le (la, les)*
de ces formes à partir d'un *N* placé dans la forme de base (généralisable à
d'autres constructions) :

$$(B) : U \ quel \ N \ de \ (N + GN).$$

Les deux positions nominales de (B) (*N* et *de (N + GN)* sont contraintes
par des relations sémantiques d'inclusion qui déclenchent la pronominalisation du premier N^{17} ce qui conduit aux formes de *Dnom*

$$U \ lequel \ de \ (N + GN).$$

Nous avons considéré que le complément de définition apparaissait obligatoirement dans l'analyse des *GN* définis. Nous pourrions faire l'hypothèse qu'il
peut ne pas apparaître dans certains *GN* indéfinis. Cette omission dans la forme
de base (B) conduirait donc directement aux constructions de *Dadj* de la forme
U quel N. Nous verrons cependant qu'une autre analyse est préférable (III,
3.3).

La forme (B) et ses analogues pose un problème d'ordre séquentiel pour
les éléments qui la compose. En particulier, on pourrait aussi bien envisager
l'ordre de base

$$(B') \ * \ U \ N \ de \ (N + GN) \ quel$$

et (B) et (B') seraient reliés par une permutation. L'ordre des éléments de (B')
est motivé par une mise en parallèle de (B') avec les *GN* définis dont la structure de base est

$$ce \ N \ de \ (N + GN) \ Qu \ P$$

U et *ce* se correspondent, et *quel* est parallèle à *Qu P*. La justification réside
donc dans la complémentarité de *quel* et de *Adj* : *Adj* est souvent dérivé d'une
relative, elle-même dérivée de *Qu P*, et *quel* apparaît en effet comme *Adj*, par
exemple dans les questions :

> *Quel livre a-t-il lu ?*
> *De quelle façon dort-il ?*

construction où *façon* est obligatoirement accompagné d'un adjectif. Dans les
concessives également :

> *Quelle que soit la forme du lit, Max l'achètera*

quel occupe une position d'adjectif attribut.

La variété des segments *U* est telle qu'il se pose le problème de leur source.
En effet, les *U* sont productifs, comme le montrent les exemples

> *Il a lu je ne vous dirai jamais quel livre*
> *Il a lu je ne saurais vous dire quel livre*
> *Il a lu qui peut savoir quel livre*
> *Il a (un + ce) je ne sais quoi (d'intéressant + qui attire)*
> *Il viendra je ne sais quand*
> *Il va personne ne sait où.*

---

16. Malgré cette définition morphologique, nous considérons que les formes en *quelque* (II, 6)
ne sont pas des formes en *quel*.

17. La pronominalisation consiste en une substitution du type $N \rightarrow lui$ et dans une réduction :
$lui \rightarrow les$, nous reviendrons sur ces applications de règles en III, 3.2.

De plus, nous devons rendre compte des formes *U combien* de *Dnom* qui sont visiblement apparentées aux précédentes. L'existence de ces formes est une conséquence de la propriété qu'ont certains verbes d'autoriser les questions indirectes :

(Dieu + Luc) sait quelles personnes viendront
(Dieu + Luc) sait lesquelles (E + de ces personnes) viendront
(Dieu + Luc) sait combien (E + de personnes) viendront[18].

La notation *U (E + le) quel* masque le fait que nous avons deux catégories de *Dét* :

— pour *U = E*, *Dét = quel + lequel* sont des déterminants obligatoirement interrogatifs :

Luc a lu quel livre ?
Lequel de ces livres Luc a-t-il lu ?

— pour *U ≠ E*, les *Dét* ne sont pas en général acceptés dans les phrases à intonation interrogative :

* *Luc a lu je ne sais (quels + lequel de ces) livres ?*

Nous considérons que la différence entre ces deux cas est la même que celle que l'on observe entre question directe et question indirecte, différence généralisable à divers adverbes :

Luc va (où ? + je ne sais où)
Luc viendra (quand ? + je ne sais quand)
Luc opère (comment ? + Dieu sait comment).

L'analyse des formes *U* pourrait être liée à un problème général qui se pose pour l'ensemble des constructions complétives, des phrases comme

Luc sait que ces personnes viendront

sont analysées avec *savoir* comme verbe principal et la complétive est un complément (ici direct) du verbe principal (Gross 1968). Sémantiquement au moins, cette analyse n'est pas satisfaisante, car dans de telles phrases, le contenu de la complétive (c'est-à-dire le verbe principal de la complétive s'il n'est pas lui-même un verbe à complétive) est toujours l'élément sémantique essentiel de la phrase (au moins du point de vue de l'information transmise). Dans notre exemple,

Ces personnes viendront

constitue l'information essentielle et *Luc sait* n'est qu'une modalité adjointe. Les phrases à incises comme

Ces personnes, Luc le sait, viendront

qui sont synonymes des phrases à complétives, mettent bien en évidence cette dissymétrie entre proposition principale et proposition subordonnée. Harris

---

18. Il n'y a pas que *savoir* qui intervient ainsi dans *U*. Nous avons des exemples complexes comme

Guy a lu je ne saurais vous dire quel livre

ainsi que

Guy a lu je ne vous dirai pas (quels + combien de) livres

qui mettent en jeu *dire* ; l'exemple

Il a lu je vous raconterai quoi plus tard

comporte *raconter*. Dans certains de ces exemples, une négation paraît obligatoire.

1974 a donné un traitement des constructions complétives qui reflète mieux cette situation : les segments comme *Luc sait que* sont considérés comme des adjonctions à une phrase principale. Il est évident que l'existence des formes *U* où des verbes à complétive occupent une position inessentielle constitue une des données de ce problème général[19].

Notons déjà que la similarité des formes en *U* et des pronoms relatifs en *quel* suggère une liaison étroite entre ces deux familles d'éléments (III, 3.3).

Quel apparaît encore en position de *Dét* dans certaines formes exclamatives :

> *Quel bel if !*
> *Quel bel if que le dernier de la rangée !*

En compagnie de performatifs exclamatifs nous observons de façon plus nette *quel* dans une grande variété de positions syntaxiques :

> *Regarde quel bel if Luc a planté !*
> *Voyez à quelles choses Luc pense !*

Il semblerait que ces emplois de *quel* soient liés à la présence de certains adverbiaux, il y aurait une certaine incompatibilité entre *quel* et *très* par exemple dans

> ? *Quel très bel if !*
> ? *Voyez à quelles choses très bizarres Luc pense !*

L'analyse de ces formes met en jeu des formes et des problèmes rencontrés dans l'analyse des interrogatives indirectes, ainsi la synonymie entre des formes avec et sans négation :

> *Que faut-il faire d'efforts pour y arriver !*
> = *Que ne faut-il pas faire d'efforts pour y arriver !*

Alors que dans le cas des interrogatives la synonymie

> *Faut-il faire des efforts pour y arriver ?*
> = *Ne faut-il pas faire des efforts pour y arriver ?*

s'explique en dérivant chacune de ces deux phrases par réduction de leur conjonction en *ou*, une telle solution semble difficilement utilisable pour les exclamatives. Remarquons qu'avec les exclamatives *que* joue un rôle de *Dét (Dadv ou Dnom)*, et nous n'observons pas avec les interrogatives la forme analogue à

> *Que d'efforts faut-il faire pour y arriver !*

où *que* semble être substitué à *combien*, mais nous utiliserons des formes de base analogues pour les deux classes de constructions. Pour les exclamatives précédentes nous partirons de

> *Regardez ce qu'il faut faire d'efforts pour y arriver*

où nous effacerons le performatif et le *ce*, la permutation du sujet sera liée à ces effacements, comme dans le cas des interrogatives.

---

19. Les formes complétives et les formes interrogatives sont liées par des relations mutuelles complexes et encore mal comprises (Harris 1964 ; Katz et Postal ; Kuroda 1968) ; il apparaît ici que l'on retrouve ces relations dans l'analyse de ces *Dét*.

6   Formes en *quelque*

Nous avons distingué les entrées suivantes :

— *quelque (Préd)* est synonyme de *environ (Préd)* dans

> *Luc a acheté quelque dix kilos de viande.*

Le classement de cet élément comme *Préd* est anormal puisqu'il peut apparaître entre un *Ddéf* et un *N* :

> *Les quelque dix lits qu'il a achetés ont brûlé*

— *quelque (Dadj)* s'emploie comme synonyme de *un ... quelconque*

> *Luc aura (vu + parlé à) quelqu'ami*
> *= Luc aura (vu + parlé à) un ami quelconque*

— *quelques (Dadj)* a un sens voisin[20] de *un nombre quelconque de*, et ne s'emploie qu'au pluriel :

> *Luc a vu quelques lits*
> *= Luc a vu un nombre quelconque de lits.*

La distinction établie entre ces deux *Dadj* est d'une part morphologique (opposition singulier-pluriel), d'autre part sémantique, sans que la différence de sens puisse être attribuée à la différence singulier-pluriel. Cependant, des exemples comme

> *Luc restera pendant quelque temps*
> *Luc dispose de quelque argent*

ne sont pas interprétables comme

> ? *Luc restera pendant un temps quelconque*
> ? * Luc dispose d'un argent quelconque*

mais plutôt comme

> *Luc restera pendant un peu de temps*
> *Luc dispose d'(un peu + une petite somme) d'argent*

ce qui les rapproche des interprétations de *quelques (Dadj)*, avec la différence que le nom *(temps, argent)* n'est pas au pluriel.

Il ne semble guère possible d'établir une parenté transformationnelle entre *quelque (Dadj)*, et *quelque (Préd)*, sauf peut-être par le biais difficile à justifier dans les détails de paraphrases complexes du type

> *Luc a acheté quelque dix kilos de viande*
> *= Luc a acheté un nombre quelconque de kilos de viande, nombre voisin de dix*

— *quelques uns (Dnom)* ne peut guère être considéré comme le pluriel de *quelqu'un* puisque le sens de ce dernier terme n'est que humain.

---

20. *Quelques* comporte une notion de nombre petit que ne comporte pas *un nombre quelconque de*. Ainsi dans

> *Luc a mangé quelques pommes*

quelques peut signifier *trois* mais pas *vingt* ; cependant, dans

> *Luc a mangé quelques grains de riz*

quelques peut signifier *vingt* ou plus. La détermination de la cardinalité de *quelques* est donc extralinguistique. Rappelons à ce propos l'emploi de *quelque* avec *peu* comme modifieur d'adjectifs :

> *Luc est quelque peu stupide.*

Si d'un point de vue purement morphologique tous ces éléments (forme, nombre pluriel) apparaissent comme liés, du point de vue sémantique, seule la parenté entre *quelques (Dadj)* et *quelques uns (Dnom)* est nette. A la fois *quelques* et *quelques uns* comportent une idée de petit nombre par rapport aux *N* qu'ils déterminent. A l'appui du rapprochement entre ces deux formes, mentionnons la distribution de certaines adjonctions comme *de (trop + plus)* où nous avons simultanément

Luc a lu quelques livres de (trop + plus)

et　　　　　*Luc en a lu quelques-uns de (trop + plus) (E + ≠ de livres)*

alors que la distribution de ces compléments est limitée par ailleurs :

* *Luc a lu (certains + chaque) livre de (plus + trop).*

Nous pouvons donc envisager une analyse qui relierait ces deux formes et, dans ce but, utiliser la forme de base

* *quelques N de (N + GN)*

qui comporte le complément de définition utilisé dans d'autres analyses semblables. Remarquons que des formes comme

Quelques garçons d'entre eux (viendront)

qui sont proches de la forme de base ne sont pas inacceptables.

Nous admettrons l'existence d'une nouvelle opération de pronominalisation lexicale dont l'effet est de substituer *un* à *N* dans certains contextes[21] ; cette règle :

N → un

conserve les éventuelles marques de genre et de nombre attachées au *N*. Appliquée à l'exemple précédent, elle conduit à

Quelques-uns d'entre eux (viendront).

Nous avons analysé en II, 1.3 un certain nombre de *Dadj* de la façon suivante : alors que ces *Dét* ne présentaient que la construction attestée *Dét de GN*, nous avons généralisé celle-ci à * *Dét de N* de façon à décrire les formes détachées *Dét ≠ de N*. Les formes *Dét N* étaient alors obtenues par effacement du *de*. Nous ne pouvons pas adopter le même type d'analyse pour les formes *quelques N* puisque nous n'observons ni * *Dét de GN* ni les formes détachées *≠ de N* :

? * *Luc en a lu quelques ≠ de livres.*

De plus, cette analyse, même si elle était possible, ne suffirait pas à relier *quelques (Dadj)* à *quelques uns (Dnom)*. Nous ferons donc l'hypothèse qu'un processus d'effacement relie la forme de base à la forme en *Dadj* :

* *quelques-uns de N = quelques N.*

En plus de la règle [*de* z.], il nous faut donc disposer de la règle [*uns* z.] d'application apparemment limitée à cette seule construction. Il devrait être possible, en jouant sur la structure de la forme de base et/ou sur l'ordre des règles en jeu,

---

21. Ces contextes ont la même forme que ceux dans lesquels la substitution *N → lui* opère. Ce sont en particulier les constructions *N de GN* où *N* et *GN* sont liés par une relation d'inclusion ensembliste.

de rendre compte des restrictions à la pronominalisation présentées par la forme *quelques N.*

Remarques :

1) Une application de la règle *N → un* pourrait avoir lieu entre les deux formes

> *(Luc aura vu) quelque personne (de son âge)*
> = *(Luc aura vu) quelqu'un (de son âge)*

contrairement au cas de *quelques uns,* elle serait limitée à des substantifs humains et elle neutraliserait le genre.

2) L'adjectif *quelconque* qui nous a servi à paraphraser certains emplois de *quelque(s)* est ambigu : nous ne nous intéressons pas au sens perçu dans

> *Max est une personne vraiment quelconque*

paraphrasable par *banale, sans intérêt.* L'adjectif indéfini s'observe dans

> *L'un quelconque (E + de ces lits) fera l'affaire*

dans cette position, on ne peut pas lui substituer d'autres *Adj* :

> * *L'un (large + bleu + autre) de ces lits fera l'affaire*

de façon générale *quelconque* semble difficilement commutable avec *Adj* :

> ? * *Le lit quelconque (E + qui est ici) fera l'affaire*
> ? * *Les lits quelconques (E + qui sont ici) feront l'affaire*
> ? * *Max a lu (E + les) deux quelconques livres*

et ces combinaisons sont limitées à certains *Dét* (du type *Dnom* et *l'un*).

3) Notons que *quelques* et *quelques uns* par contre ne sont pas incompatibles avec les *Ddéf* :

> *(Les + ces) quelques lits qui sont ici feront l'affaire*
> *Les quelques uns de nos lits qui sont ici feront l'affaire.*

Ces constructions soulèvent des difficultés d'analyse pour les *Ddéf* (III, 3.1) car les formes *quelques (E + uns)* ne sont pas autorisées dans le complément de définition de *celui.*

7 Formes en *chaque*

Les formes *chaque (Dadj)* et *chacun (Dnom)* posent des problèmes voisins des précédents. Outre leur morphologie, des paires comme

> *Luc a payé ces lits dix francs chaque*
> = *Luc a payé ces lits dix francs chacun*

suggèrent l'existence d'une relation étroite entre *chaque* et *chacun* (I, 4.2.3) cependant limitée à certains verbes et certaines positions syntaxiques (Fauconnier 1974 ; Rohrer). Une analyse parallèle à celle qui lie *quelques (Dadj)* et *quelques uns (Dnom)* peut être utilisée ici également. Nous prendrons comme forme de base

> *chaque N de (N + GN).*

A partir de cette forme, l'application de la règle $N \rightarrow un$ mènera aux constructions de *Dnom*, soit *chacun de GN* et *chacun ≠ de N* :

> *Luc lira chacun de ces livres*
> *Luc lira chacun ≠ de livres*

et l'effacement de *un de*, quand le complément de définition est *de N*, conduira au *Dadj* :

> *Luc lira chaque livre.*

Cette analyse pose cependant les problèmes suivants :

— le complément de définition n'est pas source de *en* :

> | *Luc a lu chacun de ces livres*
> | * *Luc en a lu chacun*

ce qui est exceptionnel ; notons ainsi que *aucun* apparenté à *chacun* (ces deux *Dét* acceptent *de GN* = *d'eux*) a un *de GN* source de *en* :

> *Luc n'a lu aucun de ces livres*
> = *Luc n'en a lu aucun*

— en règle générale, lorsque le complément de définition *de GN* est observable, le complément *de N* l'est aussi ; ceci est vrai par exemple pour *aucun*, puisque nous observons les formes avec détachement

> *Luc n'en a lu aucun ≠ de livres.*

Par contre, *chacun* est le seul *Dét* (avec *l'un*) à accepter *de GN* sans accepter *de N*. De plus, *de GN* est la source du pronom préverbal *le (la, les)* :

> *Luc a lu chacun de ces livres*
> = *Luc les a lu chacun*

et *de N* peut alors apparaître sous forme détachée, ce que nous n'observons pas avec *aucun* :

> *? Luc les a lu chacun ≠ de livres*
> * *Luc les a lu aucun (E + ≠ de livres).*

Chaque et *chacun* tranchent donc nettement sur le reste des indéfinis, mais si nous mettons en parallèle *chacun* et *l'un*[22] avec les pronoms démonstratifs, certains des problèmes mentionnés deviennent moins surprenants. Considérons les analyses du tableau II, 9 :

Tableau II, 9

Ddéf	*Pronom*	*Complément de définition*
ce	*lui*	*de GN*
chaque	*un*	*de GN*
l'	*un*	*de GN*

---

22. Nous ne considérons pas *les uns* comme un simple pluriel de *l'un*, en effet *les uns* n'acceptent pas de complément de définition alors que *l'un* en accepte :

> * *les uns d'entre eux, l'un d'entre eux.*

Nous observons la même différence entre *(un + l')* autre d'une part, et *(des + les)* autres d'autre part.

dans ces trois formes, { *lui* } et { *un* } sont en relation d'inclusion ensembliste avec { *GN* }. Dans aucun de ces cas, *de GN* n'est source de *en*, ce que nous pourrions attribuer à la nature définie *(Ddéf)* de l'élément initial du groupe nominal. Notons que l'hypothèse où *chacun* ne différerait de *aucun* que par une négation est infirmée par le fait que *aucun* n'est pas défini.

Divers procédés formels peuvent être utilisés pour décrire *chaque* comme défini. Nous pouvons par exemple utiliser le symbole *Ddéf* pour la classe { *ce, chaque* }, ou bien encore considérer *ce* comme la marque unique du défini, et *ce* figurerait alors dans une forme de base destinée à représenter les emplois de *chaque* et *chacun*, soit *ce chaque N de GN* ou *chaque ce N de GN*.

8 Formes en *seul*

Nous avons placé dans nos tables l'entrée *seul (Préd)* et deux entrées en *seul* dans *(Dadj)* *(un seul* et *le seul … Rel)* (Clédat 1898).

L'entrée *seul (Préd)* apparaît dans la forme ambiguë suivante :

(1)   *Seule Eve a fait cette observation.*

Dans l'interprétation où *seule* est voisin en sens de *seulement*, *seule* est considéré comme prédéterminant. Dans l'autre interprétation, *seule* est paraphrasable par *quand elle est seule*, et déplaçable à la manière d'un adverbe sans changement sensible de sens, (1) est alors synonyme de

(2)   *Eve a fait seule cette observation*
(3)   *Eve a fait cette observation, seule.*

Nous n'étudierons pas cette interprétation de *seule* qui se comporte ici comme de nombreux autres adjectifs explicatifs. D'ailleurs, les propriétés de *seule (Préd)* sont particulières et distinctes de celles de l'adjectif.

Les deux interprétations de (1) correspondent à des intonations différentes : le *Préd* est ressenti comme soudé à *Eve* alors qu'il y a une pause entre l'adjectif et *Eve*. L'adjectif est modifiable par *tout(e)*[23], ce qui est vérifiable sur (2), (3) et l'interprétation correspondante de (1), *seule (Préd)* n'accepte pas cette modification.

Le *Préd* n'apparaît qu'en position de sujet superficiel :

　　　　　　　　　　　* *Eve a examiné seul Luc*
　　　　　　　　　　　* *Eve a pensé à seul Luc*
　　　　　　　　　　　* *Eve a rêvé de seul Luc.*

Seul (Préd) est permutable par rapport à N_0, et la forme[24] résultante

(4)   *Eve seule a fait cette observation*

est prononcée sans rupture d'intonation entre *Eve* et *seule*. Cette position postnominale permet encore l'emploi de *seul (Préd)* en compagnie des pronoms dits toniques aussi bien en position sujet :

---

23. Cet adjectif est celui qui se trouve par exemple dans
　　　　　　　　　　Eve est toute seule.
24. La forme
　　　　　　　Eve, seule, a faite cette observation
est également acceptable, mais avec l'adjectif *seule*.

$$(Moi + toi + lui) \; seul \; chante \; bien$$

qu'en position complément direct ou indirect :

$$Luc \; ne \; (voit \; que + pense \; qu'à) \; lui \; seul$$

ce qui, nous l'avons vu, est interdit pour les N sources. Dans ces constructions *seul* est obligatoirement à droite du pronom :

(5)   * *Seul (moi + toi + lui) chante bien.*

Les phrases avec sujet de la forme *seul* N_0, ou N_0 *seul* (avec *seul (Préd)*) ne peuvent pas se mettre au passif :

(1) [passif] = * *Cette observation a été faite par seule Eve*
(4) [passif] = * *Cette observation a été faite par Eve seule*[25]

ce qui semble lié au fait que *seul (Préd)* n'apparaît pas en position complément. Cependant, *seul (Préd)* peut figurer dans le sujet de phrases passives :

(6)   *(Luc seul + lui seul) a été examiné par Eve*

mais non pas dans l'objet direct des phrases actives correspondantes :

(7)   * *Eve a examiné (Luc seul + lui seul)*

les paires comme (6)-(7) posent donc un problème. Avant d'y revenir, nous étudierons la distribution de deux éléments sémantiquement voisins dans certains contextes : l'adverbe *seulement* (Piot 1975) et la restriction *ne ... que*.
La phrase

Eve seulement a fait cette observation

est synonyme de (4) lorsqu'il n'y a pas rupture d'intonation entre *Eve* et *seulement*. La forme

Seulement Eve a fait cette observation

est acceptable et synonyme de (1) dans les mêmes conditions d'intonation. Mais *seulement* a une distribution plus large que *seul*, puisque dans

Eve a (examiné + pensé à + rêvé de) Luc seulement
Cette observation a été faite par Eve seulement[26]

il porte sur des compléments (directs ou prépositionnels). Le dernier exemple, considéré comme complémentaire de (4) [passif], permet d'envisager une description où *seulement* serait un *Préd* à comportement relativement régulier qui subirait la modification de forme *seulement* → *seul* dans certains contextes ; le fait que ces deux éléments soient incompatibles quand ils portent sur un même N_0 vient à l'appui de cette analyse.
D'une façon plus formelle nous pouvons utiliser les règles suivantes :

(i)   [placement de *seulement*]

Cette règle n'opère qu'une fois par phrase simple, elle a pour résultat, de placer *seulement* à droite d'un N_i quelconque ; si *seulement* était placé à gauche de N_i, alors la permutation (ii) devrait être modifiée ;

---

25. De plus, nous avons
     * *Cette observation a été faite seule par Eve*
autrement dit, il n'existe pas non plus de forme passive du type de celle en *même No* (I, 6.2).
26. Cependant, *seulement* apparaît peut-être plus difficilement à gauche des N que *seul*. Si
     Eve a examiné seulement Luc
est acceptable, les séquences suivantes le sont moins :
     ? *Eve a (pensé à + rêvé de) seulement Luc*
     ? *Cette observation a été faite par seulement Eve.*

(ii) la règle [*seulement p.*] a pour effet de permuter *seulement* :

$$\textit{Prép } N_i \textit{ seulement } \rightarrow \textit{seulement Prép } N_i.$$

Cette règle opère pour tout *i* (c'est-à-dire pour toute position syntaxique), et donc pour *Prép* = *E* aussi bien que pour *Prép* ≠ *E*. Cette règle de permutation diffère d'une règle à effet semblable discutée en I, 6.2[27] ;

(iii) nous avons vu que la distribution de *seul* était contrainte (cf. par exemple (5)). Nous placerons donc des conditions contextuelles sur la réduction de *seulement*, nous aurons la règle :

$$\textit{seulement} \rightarrow \textit{seul} ; \begin{cases} N_0 \text{———— } (N_0 \text{ quelconque}) \\ \text{———— } N_0 ; N_0 \neq \textit{Pron} \\ \textit{Pron} \text{———— (quelle que soit la position } i \text{ de } \textit{Pron}). \end{cases}$$

Il devient possible de rendre compte des difficultés observées au sujet des phrases passives (6) si nous adoptons l'ordre

[placement de *seulement*]
[passif]
[*seulement* p.]
seulement → *seul.*

La réduction de *seulement* opérera aussi bien sur les sujets des phrases actives que sur ceux des phrases passives, et elle n'opérera pas dans d'autres positions, ce qui rend bien compte des formes (6) et (7).

La distribution de la restriction *ne ... que*, sémantiquement voisine de *seul* et *seulement* comporte une irrégularité puisqu'elle peut s'appliquer aux compléments, mais pas aux sujets à gauche du verbe :

* *Qu'Eve n'a fait cette observation*[28]

seul et *ne ... que* apparaissent donc en distribution complémentaire en N_0. Il semble exister d'autres relations entre *ne ... que* et *seulement*. Ainsi, dans la mesure où l'on obtient un effet de pléonasme, ces deux éléments sont peu compatibles dans des phrases simples comme

Eve n'a examiné que (seulement Luc + Luc seulement)
Eve n'a (pensé qu'à + rêvé que de) Luc seulement

encore que *seulement* puisse être perçu comme une apposition à *ne ... que*. Ces éléments sont également synonymes quand ils portent sur un *V-pp* :

Luc a seulement effleuré Eve
Luc n'a qu'effleuré Eve.

Une solution qui rapprocherait ces divers éléments et unifierait leur description consisterait à utiliser un élément abstrait dont la réalisation morphémique particulière dépendrait de la position syntaxique, mais elle se heurte à de nombreuses difficultés empiriques et théoriques. Puisqu'en II, 9 nous relierons *ne ... que* et *autre que*, nous nous contenterons ici de noter que *seul(ement)*

---

27. La règle de I, 6.2 est *Préd GN → GN Préd*, à ceci près qu'elle opère à droite de la préposition qui précède éventuellement *GN* ; elle est valable pour les *Préd* pouvant apparaître entre *Prép* et *GN*, ce qui n'est pas le cas pour les *Préd* que nous discutons ici. Ces deux règles ne sont pas directement distinguables en l'absence de *Prép*.

28. Cependant *ne ... que* peut porter sur des sujets permutés (Gross 1975) :
N'ont fait cette observation que les meilleurs de nos étudiants
A ceci ne correspond que cela.

Notons incidemment une bizarrerie de l'accord sujet-verbe :
Ne partiront que Max et toi, * *Ne partirez que Max et toi.*

GN et *autre que GN* sont des antonymes, et que cette relation d'antonymie ne peut pas être traitée de façon satisfaisante en l'état actuel des connaissances.

L'analyse de *seul* est encore compliquée par l'existence de constructions où *seul* paraît, à première vue, fonctionner comme un adjectif. Mais le sens de *seul* est alors voisin de celui des constructions mettant en jeu *seul (Préd)*. C'est ainsi que les phrases

> *Seul ce garçon est autorisé à venir*
> *Ce seul garçon est autorisé à venir*

ont des interprétations synonymes. Il n'en va pas toujours de même : si nous comparons

(a)   *Seul mon frère est autorisé à venir*
(b)   *Mon seul frère est autorisé à venir*

dans (a) *seul* est une restriction portant sur un ensemble de personnes susceptibles de *venir*, dans (b) *seul* est une restriction portant sur la possibilité d'avoir plusieurs frères. Mais il n'est pas impossible que (b) soit ambigu avec une interprétation synonyme de (a) quoique plus difficilement perceptible. Les mêmes relations s'observent encore entre

> *Eve n'a vu qu'un lit*   et   *Eve a vu un seul lit*

la phrase

> *Eve n'a vu qu'un seul lit*

n'est pas ressentie comme pléonastique[29], ce qui va donc à l'encontre d'une complémentarité entre cet emploi de *seul* et *ne ... que*.

Les entrées *un seul (Dadj)* et *le seul ... Rel (Dadj)* n'ont guère été notées que pour rappeler les problèmes d'analyse que pose *seul* dans les formes *Dét seul N*[30]. Nous observons par exemple les restrictions

> * *(Deux + trois + etc.) seuls lits (sont ici)*

alors que nous avons

> *(Ces + les + mes) (deux + trois + etc.) seuls lits (sont ici)*.

De même, le paradigme de groupe nominal qui suit :

> ? * *Le seul lit (est arrivé)*
> *Ce seul lit (est arrivé)*
> *Le seul lit qui était là (est arrivé)*
> *Le seul lit qui lui convienne (est arrivé)*
> *Le seul lit à lui convenir (est arrivé)*

est indépendant de sa position syntaxique. Nous pouvons y adjoindre un emploi de *de GN* avec *seul* qui n'est pas celui que l'on observe avec les adjectifs courants (III, 5) :

> *Un seul de mes amis (est ici)*
> *Le seul de mes amis (à en être + qui en (est + soit)) capable (est ici)*.

---

29. Il en est de même (Grevisse § 875) dans les phrases du type
> *Max ne pense qu'à lui seul.*
30. Remarquons que *seul* n'est pas compatible avec *l'un* dans
> * *L'un seul d'entre eux viendra*
alors que *quelconque* l'est dans la même position :
> *L'un quelconque d'entre eux (viendra).*
Nous avons cependant
> *Un seul d'entre eux (viendra).*

Le comportement de *seul* est un peu différent de celui de l'adjectif *unique*, pourtant voisin en sens, par exemple *deux uniques lits* est acceptable.

Il semble clair que *seul (Préd)* et les formes en *seul* de *Dadj* sont sémantiquement liées par une notion intuitive de restriction à un sous-ensemble (pas toujours explicité). Une analyse qui relierait les deux emplois devrait rendre compte des différences de sens observées en associant celles-ci à des différences de comportement syntaxique importantes. La notion de complément de définition, c'est-à-dire d'ensemble de référence pour des *N* déterminés, est fondamentale dans cette analyse.

Remarque :

La présence d'un complément *de Adj* du pronom relatif est liée à *seul* :

* Luc a lu le livre qui reste d'intéressant
Luc a lu le seul livre qui reste d'intéressant.

9 Négations

9.1 *Formes de négation*

Ce sont des formes comportant la particule *ne*[31].

Nous avons déjà mentionné les cas de *ne ... aucun* (II, 7) et de *ne ... que*, mais nos tables comportent d'autres formes traditionnellement appelées négatives :

— *ne ... aucunement* (II, 14), *ne ... jamais*, *ne ... guère*, *ne ... ni*, *ne ... pas*, *ne ... point*, et *ne ... plus* en *Dadv* ;
— *ne ... rien (Dnom)* ; il en existe des variantes vieillies ou populaires : *ne ... mie*, *ne ... goutte*, etc. ;
— *ne ... nul* et *ne ... nul autre que N* en *Dadj*.

Seule la forme *ne ... personne* ne correspond guère à notre définition de déterminant. La forme *ne ... rien* qui semble ne contraster avec cette dernière que par la propriété sémantique d'être non humain se comporte différemment de notre point de vue. Nous avons

Luc n'a rien vu de la scène

où *rien* (sémantiquement partitif) s'analyse comme *Dét* déplacé à partir d'un complément direct *Dét de N₁* par une permutation qui s'applique[32] à tous les *Dadv* ; mais la situation est différente avec *personne*, puisque

* Luc n'a personne vu du groupe.

Bien que *ne ... rien* constitue une forme irrégulière (II, 1.4), il semble souhaitable d'analyser ces deux négations de façons voisines. Pour certains verbes il existe une forme partitive *rien à* :

---

31. Nous ne considérons pas comme des négations les formes en *quel*
      (n'importe + je ne sais) (E + le) (quel + combien)
et nous n'abordons pas l'analyse des occurrences de *ne* qualifiées d'explétives.
32. Rappelons que la permutation [*Dét* p.] (I, 6.1) s'applique obligatoirement aux *Dét* négatifs, facultativement aux autres *Dét* concernés.

Luc n'a rien compris à cette affaire.

Alors qu'en général *comprendre* n'a pas de complément indirect en *à* (sauf pour N_1 = *quelque chose + cette chose + ceci + etc.*), *à cette affaire* a des propriétés d'objet indirect puisque nous avons

> *Luc n'y a rien compris*
> *C'est à cette affaire que Luc a compris quelque chose.*

Il n'existe pas de formes *personne à* qui seraient analogues. Les autres négations posent aussi des problèmes spéciaux, toutes nécessiteraient des études détaillées et mettant en jeu des éléments n'apparaissant pas avec la plupart des autres *Dét*. Par exemple, *ne ... ni* a été placé en *Dadv* bien qu'il soit marqué + *Dét N* ; *ne ... ni* a des propriétés générales de conjonctions qui seront étudiées en IV, 3.2.

Les phrases à négation de *Dadv* sont souvent analysées à partir des phrases correspondantes sans négation, par insertion et/ou transformation. Les analyses détaillées qui ont été données pour l'anglais (Klima ; Katz et Postal) ne semblent pas transposables directement au français, les travaux de Gaatone sont suggestifs à cet égard. Si une paire comme

(1) | *Luc pense à Eve*
     | *Luc ne pense pas à Eve*

ne semble pas poser de problèmes spéciaux, il n'en va pas de même pour la paire

(2) | *Luc achète des lits*
     | *Luc n'achète pas de lits*

qui ne peut pas être décrite par la simple insertion de *ne ... pas* dans (1). Cette opération fournirait en effet

(3)   *Luc n'achète pas des lits*

qui n'est interprétable qu'avec accent contrastif sur *des lits*, c'est-à-dire avec un supplément de sens explicitable[33] par adjonction à (3) d'un membre de phrase comme *il achète autre chose*. La forme (3) pourrait cependant être considérée comme une forme intermédiaire (non attestée) à laquelle s'appliquerait une règle d'effacement d'article :

[*Artg z.*] : *Artg → E* ; *Dét —*, et *Dét = jamais + guère + pas + plus + point*

ce qui conduirait à (2). De même, dans le cas de paires comme

 | *Il y a là un problème général*
 | *Il n'y a pas là de problème général*

ce serait la règle [*un z.*] qui s'appliquerait.

Une telle analyse rendrait compte de la forme *de N* des objets directs observables en compagnie des négations, sans faire intervenir

$$GN = Dét \ de \ N \ ; \ Dét = jamais + guère + pas + plus$$

ces formes négatives n'auraient donc pas lieu d'être considérées comme des *Dét*.

Considérons les deux phrases en *ne ... que*

(a)   *Max n'aime que (Luc + l'eau)*

---

33. L'effet contrastif peut également porter sur le verbe, il serait alors explicité par une séquence comme *il en vend*, adjointe à (3). Remarquons avec Martinon que cet effet contrastif peut disparaître dans certains contextes. Il semble que ce soit le cas dans

> *Luc n'achète pas (toujours + du tout) des lits*
> *Luc n'achète pas des lits sans les avoir vérifiés.*

elles sont synonymes de

(b)   { *Max n'aime personne d'autre que Luc*
      { *Max n'aime rien d'autre que l'eau*

(c)   { *Max n'aime personne que Luc*
      { *Max n'aime rien que l'eau.*

Cette comparaison suggère une analyse de ces phrases par effacement, nous aurions

— d'une part *d'autre* → *E*, ce qui permet (b) → (c)
— d'autre part *(personne + rien)* → *E*, d'où (c) → (a)

Cette analyse rapproche *ne ... que* de *autre que*, deux formes qui ont la propriété d'être suivies de *Adj* ou de *GN* apparemment non réduits de *P* (II, 12). Si nous adoptons le point de vue traditionnel, où *ne ... que* est une entité négative, alors nous devons considérer que les formes (c) comportent deux négations combinées : *ne ... (personne + rien)* et *ne ... que*. Or les combinaisons de négations posent des problèmes complexes (IV, 2.1), l'analyse proposée les résoud dans ce cas.

Cette analyse s'applique au cas des compléments prépositionnels, grâce à une extension naturelle. L'existence de

(b1) { *Max ne compte sur personne d'autre que Luc*
      { *Max ne pense à rien d'autre que son argent*

pourrait être une source de difficultés, puisque si on applique les effacements ci-dessus, on obtient

* *Max ne compte sur que Luc*
* *Max ne pense à que son argent.*

L'application de *Prép Préd GN* → *Préd Prép GN* (avec *Préd* = *que*) pourrait alors rétablir les formes désirées, mais nous observons également les phrases à **deux** prépositions

(b2) { *Max ne compte sur personne d'autre que sur Luc*
      { *Max ne pense à rien d'autre qu'à son argent*

l'application à ces phrases de nos règles d'effacements, ainsi que l'effacement de la **première** occurrence de *Prép*, nous fournit le résultat recherché. Notons que pour dériver (b1) de (b2), il nous faut effacer la **deuxième** occurrence de *Prép*, il y a donc là deux règles distinctes s'expliquant vraisemblablement par la nature conjonctionnelle du *que*, qui, nous le verrons en II, 12, soulève des problèmes non résolus.

Une autre extension de nos effacements permet la dérivation de phrases difficiles à apparenter autrement :

Max fait autre chose que boire
= *Max ne fait rien d'autre que boire*
= *Max ne fait rien que boire*
= *Max ne fait que boire*

cette dernière phrase est ambiguë (Gross 1975, p. 162), seule l'une des deux interprétations est concernée. La source de ces phrases avec *faire* explétif n'est pas claire, mais nous y rattacherons les phrases où *ne ... que* porte sur *V-pp* (R. Kayne nous a fait remarquer les difficultés que posaient le passage de *V-inf* à *V-pp* et le placement des *Ppv*) :

Max n'a fait que boire
= *Max n'a que bu*

à l'appui de cette dernière relation notons une coïncidence entre les interdictions du *ne ... que* portant sur *V-pp*, et sur le *V-inf* des constructions en *faire* :

> *Il a fallu des efforts*
> * *Il n'a fait que falloir des efforts*
> * *Il n'a que fallu des efforts*

il en irait de même avec *paraître*, *sembler*, etc. Une difficulté cependant, les formes passives peuvent comporter *ne ... que* :

> *Max n'a été que griffé par Luc*

alors qu'elles n'ont pas la forme en *faire*. Mais ce *faire* est parfois considéré comme la marque d'un actif (Ross 1971), il serait alors normal qu'il soit complémentaire du passif.

Des extensions analogues permettent de traiter les cas où *ne ... que* porte sur un adjectif ou un adverbe.

9.2 *Négations et sujets*

Les négations de *Dadv* ont été marquées comme interdites en position sujet puisque

> * *(Pas + plus + jamais + guère) de (E + mes) ami(s) ne mentir (a + ont).*

Notons toutefois que des seconds membres de conjonctions comme

> *Max viendra, mais pas Luc*
> = *Max viendra, mais Luc ne viendra pas*

pourraient indiquer une régularité sous-jacente.

Par ailleurs, *ne ... pas* et *ne ... plus* apparaissent en N_0 sous certaines conditions :

> *(Pas + plus) un ami ne mentira*
> * *Guère un ami ne mentira*
> *Jamais un ami ne mentira.*

Dans cette dernière phrase *jamais* est un adverbe aspectuel qui ne porte pas spécialement sur N_0 = *un ami* : *jamais* est en effet aisément déplaçable sans qu'il y ait changement sensible de sens. N_0 ne peut comporter ni de *Ddéf*, ni de *Dnum* pluriel :

> * *(Pas + plus) (cet + mon + etc.) ami ne mentira*
> * *(Pas + plus) (deux + trois + etc.) ami ne mentiront.*

Les autres *Dind* semblent souvent interdits :

> ? * *Pas (beaucoup + trop) d'amis (ne) mentiraient*
> * *Pas (certains + divers) amis ne mentiraient*

ce qui n'est pas forcément dû à la négation (IV, 2.4). Notons que nous avons

> *(Pas + plus) un ne mentira*[34]

mais
> * *(Pas + plus) ne mentira.*

Ces formes pronominales peuvent être analysées par application de [*de LUI* z.] (I, 4.2) à

---

34. Cette contrainte sur les sujets permet d'analyser
> *Elle est rosse comme pas une*

par réduction de
> *Elle est rosse comme pas une ne l'est.*

$$* (Pas + plus) \text{ un de } N \text{ ne } V\Omega$$
$$= * (Pas + plus) \text{ un d'ami ne mentira}$$

avec des conditions spéciales puisque

$$* Un\ V\Omega$$
$$= * Un\ mentira\ \text{(non contrastif).}$$

Notons encore quelques autres possibilités d'occurrence pour des négations dans des positions sujets :

> *(Même pas + pas même) ce lit ne convient à Luc*
> *(Pas + plus) grand (chose + monde) ne convient à Luc*
> *Pas la (moindre + plus petite) idée n'est apparue*
> *(Guère + pas) (moins + plus) de treize pots sont tombés.*

L'intervention de la négation est particulièrement complexe dans les dernières phrases puisque le *ne* y est inacceptable :

> ** (Guère + pas) (moins + plus) de treize pots ne sont tombés.*

En position N_1 direct, les faits sont différents, la présence du *ne* est obligatoire dans le niveau de langue dit correct :

> *Luc ne voit (guère + pas) (moins + plus) de treize lits*
> ** Luc voit (guère + pas) (moins + plus) de treize lits.*

Les phrases passives qui correspondent à ces dernières formes ne peuvent pas comporter le *ne* :

> *(Guère + pas) (moins + plus) de treize lits ont été vus par Luc*
> ** (Guère + pas) (moins + plus) de treize lits n'ont été vus par Luc.*

Dans les combinaisons précédentes les éléments *guère* et *pas* sont dissociables de *Dnom* et permutables par rapport au participe passé à la manière des négations (IV, 2.1) :

> *Luc n'a (guère + pas) vu (moins + plus) de treize lits*
> *? * Luc n'a (guère + pas) (moins + plus) vu de treize lits.*

Certaines négations de N_0 ont une influence sur la forme de divers compléments directs N_1 :

> *Personne ne mange de pain*
> *Plus (une femme + personne) ne mange de pain*[35]
> *Ni Max ne boit de bière ni Luc de vin.*

On n'observe pas non plus de *ne* avec *pas tout à fait (Préd)* (IV, 3.1.2).

Si nous analysons ces négations de N_0 à partir de phrases sans négation, les conditions d'insertion de la négation sont plus complexes que dans le cas des N_1 directs. D'autres éléments du problème sont révélés par l'examen de la transformation passive qui, lorsqu'elle échange N_0 et N_1, échange aussi certaines des propriétés de la négation.

---

35. Ces constructions dépendent du verbe puisque
> ** Plus personne n'amuse d'enfants.*

La seule présence de *ne* ne permet pas de rendre compte de la forme de ces N_1 puisque nous avons
> *Luc craint qu'Eve ne mange du pain*

mais
> ** Luc craint qu'Eve ne mange de pain*

de même nous avons
> ** A moins qu'Eve ne mange de pain, ...*

Nous noterons [négation] la ou les opérations d'insertion de la négation. Etant donné

(1)   *Luc boit ce vin*

[négation] et [passif] peuvent s'y appliquer, fournissant

(2)   *Luc ne boit pas ce vin*
(3)   *Ce vin est bu par Luc*
(4)   *Ce vin n'est pas bu par Luc.*

Des possibilités de description de ces phrases sont indiquées *a priori* par le diagramme de la figure II, 10.

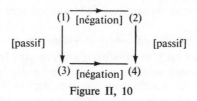

Figure II, 10

Dans le cadre de la grammaire générative transformationnelle, les transformations totalement ordonnés ne sont pas compatibles avec le diagramme à deux dérivations pour la forme non ambiguë (4). Les formes négatives examinées permettent d'effectuer un choix parmi ces deux possibilités. Considérons

(1a)   *Luc a bu du vin*

nous pouvons construire à partir de (1*a*)

(1a) [négation]   = *Luc n'a pas bu de vin*[36]
(1a) [passif]   = ? *Du vin a été bu par Luc*
(1a) [passif] [négation] = ? *Du vin n'a pas été bu par Luc*
(1a) [négation] [passif] = * *De vin n'a pas été bu par Luc*[37].

Cette dernière séquence n'est obtenue que dans l'hypothèse où *de vin* dans (1*a*) [négation] est un groupe nominal. Le diagramme n'est donc pas commutatif ; en d'autres termes, si nous convenons que [négation] s'applique après [passif], nous décrivons de façon satisfaisante les phrases qu'il est possible de construire sur (1*a*) et (1) en termes d'*ordre* de ces transformations.

Considérons

(1b)   *Un homme boira ce vin*

nous pouvons construire sur (1*b*)

(1b) [négation]   = *Pas un homme ne boira ce vin*
(1b) [passif]   = *Ce vin sera bu par un homme*
(1b) [passif] [négation] = ? *Ce vin ne sera pas bu par un homme*

---

36. Lors des applications de transformation, nous ne tenons pas compte de l'intervention obligatoire de la règle

$V\text{-}pp\ D\acute{e}t \rightarrow D\acute{e}t\ V\text{-}pp$ avec $D\acute{e}t = pas + plus + etc.$ (I, 6.1)

qui, de toutes façons, serait appliquée après [passif].

37. Les phrases (1a) [passif] et (1a) [passif] [négation] ayant des sujets indéfinis, elles sont difficilement acceptables, mais elles sont à la rigueur interprétables. Il n'en va pas de même pour (1a) [négation] [passif] qui est totalement inacceptable.

mais

(1b) [négation] [passif] = * *Ce vin ne sera bu par pas un homme*[38].

Cette dernière séquence est obtenue à partir de la première analyse avec *pas un homme* = GN, elle nous conduit également à adopter l'ordre : [négation] après [passif]. Des exemples discutés en IV, 2.4 font pencher également en faveur de cette solution et la précisent.

Cet ordre, bien que motivé par l'étude de deux structures indépendantes, n'est peut-être pas contraignant. Il existe en effet des possibilités d'analyses différentes pour les restrictions observées. Ainsi, nous n'avons pas discuté de l'application de la règle [*Artg* z.] à (1*a*) [négation] et à (1*a*) [négation] [passif] ; si cette règle était appliquée après [passif] et uniquement aux N_1 directs, alors nous aurions

(1a) [passif] [négation] = (1a) [négation] [passif]

autrement dit, il ne nous est plus possible d'affirmer que [négation] opère après [passif]. En effet, une autre solution que celle de l'ordre [négation] après [passif] peut rendre compte de la restriction observée sur (1*b*) [négation] [passif]. Le problème qui se pose est voisin d'un problème rencontré avec *même* en I, 6.2. La phrase

(a)   *Même ma fille a lu ce livre*

analysée avec N_0 = *même Luc* est telle que

(a) [passif] = ? *Ce livre a été lu par même ma fille*

mais il existe une autre phrase passive correspondante à (*a*) :

(b)   *Ce livre a été lu même par ma fille.*

Nous devons alors considérer que (*a*) [passif] est une forme à laquelle s'applique la permutation

Prép Préd GN → Préd Prép GN ; Préd = même.

Dès lors, si nous étendons l'application de cette règle à *Préd = pas + plus*, nous pouvons obtenir

(1b) [passif] [négation] = *Ce vin ne sera pas bu par un homme*

par application de la permutation à (1*b*) [négation] [passif]. Ainsi, les deux possibilités [passif] *avant* et *après* [négation] ne seraient pas distinguées par ces exemples.

Notons qu'il n'est pas arbitraire de traiter de façon voisine *même* et la négation. Ces deux éléments (d'ailleurs combinables) semblent en effet incorporables de façon analogue (à partir de phrases de niveau supérieur) à des unités variables de la phrase (essentiellement des *GN*), nous n'en trouvons en général qu'un par phrase simple[39]. L'incorporation de ces éléments s'accompagne de modification de sens, principalement d'apparitions d'effets contrastifs.

---

38. Rappelons que nous nous sommes attaché à rapprocher entre elles des formes sans trop nous préoccuper de leur sens exact. En particulier, l'intervention du sens contrastif, dans (1b) [passif] [négation] par exemple, n'est pas abordée ici. La description de cet effet pourrait entraîner des révisions importantes de ces analyses.

39. Nous traiterons du cas où plusieurs négations apparaissent dans une phrase simple en IV, 2.1.

10 Formes en *certain*

En *Dadj*, nous trouvons les entrées *certains* et *un certain* apparentées en forme et en sens. Nous justifions l'entrée *Dét* = *un certain* par rapport à d'autres entrées possibles de forme *un Adj* par le fait que les *GN* superficiellement voisins

(1)   *un certain lit*
(2)   *un grand lit*

sont notablement différents à d'autres niveaux d'analyse. Ainsi, (2) est paraphrasable par *un lit qui est grand*, mais (1) ne l'est pas par *un lit qui est certain*. Dans (2) le *Dét* peut varier, mais pas dans (1) :

(le + ce + mon) grand lit
* *(le + ce + mon) certain lit.*

Nous avons encore

Max en voit un grand
* *Max en voit un certain.*

Par ailleurs, *certains* n'est pas combinable avec d'autres *Dét* :

* *(des + de) certains chevaux*
* *(deux + trois + etc.) certains lits*
* *(les + ces + mes) certains lits.*

Dans l'hypothèse où nous relierions les deux entrées en *certain*, il serait naturel de les rapprocher de formes superficiellement voisines. En particulier, si nous considérons que *des* est le pluriel de *un*, alors nous avons les formes parallèles[40]

* *(des + de) certains lits*   *(des + de) grands lits*
un certain lit   *un grand lit.*

Cependant, nous ne disposons d'aucun autre argument qui nous permettrait de justifier une règle d'effacement du type

(des + de) certains → certains.

Mais il existe des différences syntaxiques notables entre ces deux *Dét* :

* *Un certain d'entre eux (arrive)*
Certains d'entre eux (arrivent)
* *Luc en a vu un certain (E + ≠ de lits)*
Luc en a vu certains (E + ≠ de lits)[41].

Dans l'hypothèse où nous rapprocherions les deux entrées, il resterait à rendre compte de ces différences[42].

---

40. Il existe des constructions où *certain* est employé au singulier sans *un* :
certain (jour + matin), ... (Sandfeld, p. 349).
Ces formes (littéraires) ne paraissent pas différer en sens des formes correspondantes au pluriel.
41. Sandfeld cite l'exemple suivant
... j'y mets une certaine robe, non, deux certaines robes !
qui, si nous l'acceptions changerait notre point de vue. Cependant, les locuteurs du français le rejettent. Nous sommes donc ici dans une situation où le fait de se limiter à des données d'un corpus conduirait à des erreurs d'observation.
42. Nous avons mentionné (II, 6) à propos des formes en *quelque* une différence sensible entre singulier et pluriel. Nous retrouvons ici l'analogue.

11 Formes en *peu*

Les trois entrées (visiblement apparentées) *peu (Dadv)*, *un peu (Dadv)*
et *le peu ... Rel (Dnom)* ont été séparées pour les raisons suivantes :
Peu et *un peu*[43] d'une part, s'opposent à *le peu ... Rel* par leur comportement adverbial (I, 6.1). Le contenu de *Rel* n'est pas celui d'une relative ordinaire, et la réduction de *Rel* par [*qui T être* z.] ne se fait pas pour tous les *Adj* :
on observe surtout des formes *le peu de N (V-pp + V-ant + V-able)*, ce qui
apparente ces *Modif* à ceux qui accompagnent les pronoms démonstratifs
(III, 2.3). Il existe d'autres différences. *Peu* ne peut pas être modifié par
(E + tout) petit :

> * *Luc a dormi (E + tout) petit peu*

cependant que ces mêmes séquences (et, plus marginalement, *tant soit*) sont
insérables entre l'article et *peu* dans *un peu* et *le peu ... Rel* :

> *un (E + tout) petit peu*
> *le (E + tout) petit peu ... Rel.*

La forme *quelque peu* peut difficilement être un *Dét*, mais elle peut porter
sur un *Adj* :

> ? * *Luc a bu quelque peu de vin*
> *Luc est quelque peu bête.*

Nous avons les contrastes

> *un peu (moins + plus + trop)*
> * *le peu (moins + plus + trop) ... Rel.*

De plus, les combinaisons avec *très* et *trop* à gauche de *peu* opposent *peu* et
le peu ... Rel à *un peu* :

> ? * *un (très + trop) peu de lait*
> *(très + trop) peu de lait*
> *le (très + trop) peu de lait qu'il a bu.*

D'autres différences combinatoires existent, sur lesquelles nous reviendrons au
chapitre IV.
Notons encore quelques différences distributionnelles. La forme

> *Luc a lu un peu de livres*

est difficilement acceptable, c'est la raison pour laquelle nous avons marqué
un peu comme — *Dét de Nplur* ; par contre

> *Luc a lu un peu de ces livres*
> *Luc a lu le peu de livres que tu lui a donné*

constituent des phrases nettement plus naturelles. La négation non contrastive *ne ... pas* n'est pas compatible avec *peu* et *un peu*, alors qu'elle l'est avec
le peu ... Rel :

> ? * *Luc n'a pas vu (E + un) peu de monde*[44]
> *Luc n'a pas vu le peu de monde qu'il y avait.*

---

43. Pour une comparaison du sens de ces deux éléments, cf. Ducrot, Martin 1969.
44. Cependant, les phrases contrastives suivantes sont acceptables
    Luc n'a pas vu ≠ (E + un) peu de monde, il en a vu beaucoup.

Il semble difficile de proposer une analyse qui décrirait ces trois entrées[45] à partir d'une forme de base unique et qui rendrait compte des différences. Néanmoins, nous avons rencontré en II, 2 des phénomènes vraisemblablement comparables. Des éléments substantivaux *Nd* étaient associés à des propriétés syntaxiques variables selon qu'ils étaient combinés avec *un, le,* ou *le ... Rel*[46]. Si nous considérions *peu* comme un *Nd*, alors les propriétés observées deviendraient moins surprenantes. Aussi est-il plausible qu'une analyse détaillée de ces éléments substantivaux conduise à définir un cadre descriptif dans lequel l'élément de base *peu* aurait une place naturelle.

Remarque :

   Les emplois de certains *Dadv* dans des sortes de conjonctions de subordination semblent difficiles à rapprocher des emplois comme *Dét.* C'est le cas de *autant* et *peu* dans

> *Pour autant qu'il (peut + puisse) le faire, il devrait le faire*

(la forme *(Pour autant + E) que je sache, ...* est vraisemblablement figée). Nous avons encore

> *Si peu que Max vienne, Eve partira*
> *Pour (E + si) peu que Max vienne, Eve partira*
> *Pour un peu, Eva partirait.*

Ces formes apparaissent donc comme indépendantes des constructions régulières en *pour* comme *Eva est partie pour peu (E + de chose).*
   La construction exclamative

> *Autant que Max vienne !*

est peut-être analysable par effacement du performatif *J'aimerais*, qui rendrait compte du sens et de la présence de *autant.* Les deux formes suivantes en *autant* et *tant* sont synonymes :

> *Ce lac convient, (autant + tant) de mon point de vue que du tien*

Signalons la construction sans *que P* :

> *Les voyages sont autant de corvées pour Max*

12   Formes en *autre, même*

   Bien que *autre* occupe la position d'un adjectif préposé à *N* (Roy Harris), diverses raisons nous ont conduit à étudier les comportements de *l'autre* et *un autre* comme *Dét.*
   L'autre accompagne obligatoirement *l'un* dans les constructions réciproques :

> *Eve et Luc se regardent l'un l'autre*
> *Ces garçons et ces filles pensent les uns aux autres*

l'autre et *les autres* ne peuvent alors pas être suivis de *N*, de *de (GN + N)*, ou de *que GN.*

---

45. Il est encore possible que *trop peu* doive constituer une quatrième entrée en *peu* (IV, 2.1).
46. Ou le déterminant zéro pour *nombre* et *quantité.*

L'utilisation de *(l' + un) autre* comme *Dét* est sémantiquement voisine de la précédente dans la mesure où *(l' + un) autre N* introduit un élément contrastif. Ce contraste est explicite lorsque *que GN* accompagne *un autre* :

> *Luc a acheté un lit autre que celui-ci*
> *Luc a acheté un autre lit que celui-ci*

que GN est moins naturel avec *l'autre* :

> *? Luc a acheté (l'autre lit + le lit autre) que celui-ci.*

Cette différence entre défini et indéfini se retrouve au pluriel : *que GN* est naturel avec *des autres* mais pas avec *les autres* ou avec *Dnum autres* :

> *Luc a acheté (les + deux + trois) autres lits*
> *? Luc a acheté (les + deux + trois) lits autres que celui-ci.*

Avec *chose* et *part* le *Dét* peut être omis :

> *Autre chose (E + que cela) est tombé*
> *Max ira autre part (E + qu'ici)*

cette position épithète de *autre* est peut-être analysable à partir de la position attribut :

(1)	*Ce lit est autre que moelleux*
(2)	*Ce lit est autre que je (ne) le croyais*
(3)	*Ce lit est autre que celui-ci.*

Cependant, la nature du complément en *que* est ici différente de ce que l'on observe avec les formes *(un + l') autre* :

> *⋆ Luc a acheté (un + l') autre lit que je (ne) le croyais.*

Dans (1) nous observons *que Adj* ; dans (2) nous avons *que [P − Adj]*, c'est-à-dire une forme *que je (ne) le croyais Adj* d'où a été extrait l'*Adj* attaché au *V* principal, de plus une contrainte de parallélisme réfère *le* à *ce lit* ; dans (3) *que GN* s'analysera par effacement de *être* dans la forme de type (2)

> *Ce lit est autre que celui-ci (n')est* (cf. note 34).

Dans (3), la négation est réductible à *ne* :

> *Le lit n'était (pas + rien d')autre que celui-ci*
> *= Le lit n'était autre que celui-ci*

ce fait est à traiter dans le cadre de l'analyse de *ne ... que* (II, 9.1), par contre dans l'autre interprétation de

> *Le lit n'était pas autre que celui-ci*

la négation *ne ... pas* proviendra directement d'une phrase d'un niveau supérieur (IV, 2.1).

Syntaxiquement et sémantiquement, il semble bien que toutes ces formes s'apparentent aux comparatifs, y compris par la propriété d'accepter un *ne* explétif. Ces remarques soulèvent donc le problème de la nature du *que*. En règle générale *que* est suivi d'une phrase directement observée (complétive, comparative, etc.) ou d'une proposition dérivée de *P* (relative, interrogative, exclamative, concessive, etc.), le terme de conjonction de subordination s'applique alors naturellement. Mais avec *autre* et *même*[47], la nature du *que* est dif-

---

47. *Ailleurs* est également accompagné de *que GN*, cette forme diffère de *à un autre endroit* par le comportement vis-à-vis des *Prép* :
> *Max ira (ailleurs qu'à + à un autre endroit que (E + à)) Paris*
> *⋆ Max ira ailleurs que Paris.*

férente puisque les formes *que GN* semblent difficilement analysables en termes de *que P*. La réduction de ce *que* à la conjonction de subordination reste donc une question ouverte ; à ce sujet notons qu'en anglais les divers *que* mentionnés reçoivent des traductions différentes *(that, than)*.

La forme *ne ... nul autre ... que GN* a été décrite comme *Dadj*, mais il semble possible de la décomposer en *ne ... nul (Dadj)* et *autre ... que GN*.

Nous rencontrons également *autre* dans

Bien d'autres amis viendront
Un autre de mes amis restera

et les positions occupées par *autre* ne peuvent pas être occupées de façon naturelle par les adjectifs qualificatifs :

? * *Bien d'énormes (lits + espoirs) restent*
* *Un gros de mes amis viendra.*

Nous constatons donc que le comportement de *autre* est celui d'un adjectif très particulier. Nous rappellerons encore l'existence de formes elliptiques où *autre* s'emploie sans *Dét* :

A autre problème, autre solution.

Nous avons tenté de relier entre elles les formes *chaque, chacun* et *aucun*, (II, 7 ; II, 9.1), il est intéressant de comparer leur comportement en combinaison avec *autre* ; *chaque* et *chacun* ne se combinent pas avec *autre* :

* *Luc a vu chacun autre lit*
? *Luc a vu chaque autre lit*

cette dernière forme est paraphrasable par

Luc a vu un lit sur deux

interprétation difficile à relier aux interprétations de *chaque* et de *autre*. De plus, alors que les formes négatives en *autre* s'emploient avec *que GN*, il n'en va pas de même pour *chaque autre* :

Luc n'a vu (aucun + nul) autre lit que celui-ci
* *Luc a vu chaque autre lit que celui-ci.*

Comme *pas un* (ou bien *pas de*, selon le *N*) et *aucun* sont synonymes et que *pas un* (à l'exclusion de * *pas l'un*) est combinable avec *autre*, nous préférerons *pas un* à *pas chacun* comme éventuelle source de *aucun*. Notons toutefois la différence : *pas un seul*, mais * *aucun seul*.

Tout et *autre* se combinent, comme dans

Tout autre homme que celui-ci ferait l'affaire
= *Tout autre que celui-ci ferait l'affaire*

et cette pronominalisation (analogue à celle de *un autre*) a lieu également avec les compléments. La forme *tout autre* accepte *Dnum = un + deux + etc.*, alors, *bien* est insérable :

une bien toute autre affaire.

La forme *même* est opposée en sens à la forme *autre* (Martin 1975) et en distribution complémentaire avec celle-ci. Nous n'avons pas décrit ses propriétés dans les tables ; en effet, les constructions analogues à celles en *autre* seraient *le même* et *un même*, or elles ont des propriétés différentes de celles des *Dét*. Nous avons bien des phrases comme

Luc a lu le même ≠ de livre

dont le N_1 s'analyserait à partir de * *celui même de N,* mais ces constructions semblent générales : nous les avons avec les adjectifs qualificatifs préposés :

Luc a lu le gros # de livre.

Par contre, *un même* se distingue de *un Adj* (en particulier de *un autre*) :

Luc en a lu un (gros + autre) (E + # de livre)
* *Luc en a lu un même (E + # de livre).*

Nous avons encore

Luc a lu le même livre que celui-ci

mais pour *un même* nous avons

* *Luc a lu un même livre que celui-ci.*

Les restrictions suivantes justifieraient également que l'on décrive *même* au moyen des deux entrées de *Dadj le même* et *un même* :

* *Max a lu (ce + son) même livre que Luc.*

La présence dans une phrase de *un même* impose le pluriel dans des conjonctions de sujets ou de compléments :

     * *Luc a lu un même livre*
     Luc et Léa ont lu un même livre[48]

     * *Une même personne parlera à Luc*
     Une même personne parlera à Luc et Léa.

Les pluriels *de(s) mêmes* semblent fonctionner de façon analogue.

La forme *même* est susceptible de porter sur une grande variété d'éléments dans la phrase (Kuroda 1965) :

— *même* peut porter sur des adjectifs épithètes :

Les enfants même gentils font cela

ces adjectifs ne peuvent plus être considérés comme réduits de relatives puisque les sources éventuelles devraient être

soit   ? * *Les enfants même qui sont gentils font cela*
soit   ? * *Les enfants qui sont même gentils font cela.*

Il est vraisemblablement nécessaire de faire appel à des réductions de conjonction plus générales (I, 4.2.1 ; *tout Adj,* ci-dessous en II, 13 ; II, note 50) appliquées par exemple à

Les enfants font cela, même (s'ils + ceux qui) sont gentils

— nous avons aussi les formes suivantes où *même* porte sur des subordonnées :

Luc dort, même (quand + où) il y a du bruit

même porte de la même façon sur des adverbes.

Même peut encore se combiner facultativement avec diverses conjonctions sans qu'il y ait portée comme ci-dessus, nous avons par exemple

alors (E + même) que ... ; quand bien (E + même).

---

48. Notons que la phrase quasi identique par la forme
Luc et Léa ont acheté la même maison
a une interprétation où *la même = la même sorte,* interprétation que ne semble pas avoir *une même* :
? *Luc et Léa ont acheté une même maison.*
Une solution par effacement de *sorte* serait différente de celle de III, 4.3, puisque le genre du *N* est conservé.

Il existe encore des usages apparentés de *même* et de *autre*, en combinaison avec des pronoms (Coppin). Parallèlement aux formes

(moi + toi + lui + elle(s) + soi + nous + vous + eux) même(s)

qui, par analogie avec le *self* anglais, sont parfois considérées comme des pronoms réfléchis, nous avons les restrictions de combinaison

* *(moi + toi + lui + elle + soi) autre*
? *(elles + eux) autres* (populaire)
(nous + vous) autres.

Ces deux formes sont telles que *que GN* ne peut pas accompagner *même* ou *autre*, et l'apport en sens de *même* ou *autre* y est peu clair, elles sont donc à rapprocher d'utilisations comme

Luc est la fantaisie même
Luc est (dans la chambre même du crime + ici-même)
Luc boit à même la bouteille

où *même* est facultatif. Par contre, *même* est obligatoire dans

Luc couche à même le sol
Luc et Léa viendront en même temps.

De telles formes ne semblent pas analysables comme combinaisons de leurs éléments morphologiques. Cette observation vaut encore pour les conjonctions *même que* et *de même que* (forme réduite de *de la même façon que* ?) et pour bien d'autres formes comme les adverbes *quand même, tout de même* ou la périphrase verbale *être à même de* (Clédat 1899).

13   Formes en *tout*

Nous avons distingué trois entrées qui correspondent à diverses utilisations des formes *tout, toute, tous, toutes* (Clédat 1899).

Nous avons *tout* en *Dadj* ; cette entrée est variable en genre et limitée au singulier, elle correspond à des emplois du type

Tout lit doit disparaître d'ici
Luc lira toute monographie qui paraîtra sur le sujet

la relative (ou un autre *Modif*) semble être obligatoire avec les compléments mais pas avec les sujets :

? * *Luc lira toute monographie*
? * *Luc obéit à toute personne*[49]
Luc obéit à toute personne un peu autoritaire.

Le sens de cet emploi de *tout* est voisin de celui de *chaque* ou *quelconque*. Nous trouvons d'autre part deux entrées *tout* et *tous* en *Préd*, chacune variable en genre. Elles correspondent à des emplois syntaxiquement et sémantiquement voisins :

Luc mange toute la tarte
Luc mange toutes les tartes.

---

49. L'acceptabilité de cette construction dépend du *N* puisque nous avons
Luc accepte toute suggestion
Luc renonce à toute aventure.

La forme au singulier peut apparaître devant *Dind = un* :

Luc a mangé tout (un gâteau + une tarte)

synonymes de

Luc a mangé (un gâteau + une tarte) tout(e) entièr(e)

N_1 n'est alors pronominalisable qu'avec difficulté :

? Luc en a mangé tout un

les formes au pluriel sont interdites devant *Dind = des* et *Dnum* :

* Luc a mangé (tous + toutes) (des + deux) (gâteaux + tartes).

Tout possède des restrictions particulières à l'intérieur de certains *GN*, considérons

Luc a amusé toute une salle

dans cette position *tout* conduit à des pléonasmes lorsque le *N* auquel il s'applique possède certains modifieurs. Cet effet est sensible entre

Luc a amusé une salle (entière + bondée + de cent personnes)

et   *? * Luc a amusé toute une salle (entière + bondée + cent personnes).*

Ces effets sont généraux avec les *Nd* (II, 1.1 ; II, 2), nous avons encore

Luc a lu tout un livre
? * Luc a lu tout un livre de cent pages
Dans   *Luc a lu tout (Marx + Mme de Sévigné)*

l'accord en genre suggère l'effacement d'un *Nd* au masculin comme *œuvre*.

Par ailleurs *tout* possède des constructions pronominales que n'a pas *tous* :

Luc a mangé tout
Luc a tout mangé
mais   ** Luc a mangé (tous + toutes + toute)*
        * Luc a (tous + toutes + toute) mangé

on peut rendre compte de ces observations en prenant comme phrase de départ

Luc a mangé tout cela

et en y effaçant *cela* qui possède le sens et les restrictions nécessaires. Une restriction voisine s'observe dans des positions syntaxiques autres que N_1 direct. En N_0, nous avons

Tout plaira à Luc
* Toute plaira à Luc
(Tous + toutes) plairont à Luc.

En N_1 indirect, nous avons

Luc pense à tout
* Luc pense à toute
Luc pense à (tous + toutes).

Une possibilité de rendre compte de ces restrictions, et donc de ramener les deux entrées de *Préd* à une seule, consisterait à utiliser des opérations d'effacement du type

tout N_i → tout

et à placer des conditions sur N_i variables avec *i*. Ces effacements opèrent en présence d'adjectifs :

Luc a mangé tous les (autres + gros)
Luc a mangé tous les trois

cependant, la source présumée de ce dernier exemple n'est guère naturelle :

? Luc a mangé tous les trois gâteaux.

Nous avons une autre forme de pronominalisation (I, 4.2.2), particulièrement étudiée par Fauconnier 1974 et Kayne 1975 :

N_0 V *(tout + toute + tous + toutes)* N_1
= N_0 *(le + la + les)* V *(tout + toute + tous + toutes).*

Cette pronominalisation pourrait être liée à la précédente par la règle *le (la, les) → E.* Elle fait également intervenir les adjectifs, nous avons des formes avec détachement :

Luc les a mangé # tous les gros (E + gâteaux)
mais   * *Luc les a mangés tous les gros*

alors qu'avec les *Dnum* nous avons

Luc les a mangés tous les trois.

Nous observons ici également la permutation

= *Luc les a tous les trois mangés.*

Signalons que dans l'avant-dernière phrase, l'article *les* peut être supprimé sans changement de sens[50].

Mentionnons une incompatibilité entre *ne ... que* et *tout* (sauf intention ironique du locuteur), conséquence de notre analyse de *ne ... que* (II, 2.1) :

? * *Luc n'a mangé rien d'autre que tous les gâteaux*
= ? * *Luc n'a mangé que tous les gâteaux.*

Le mot *tout* intervient dans un grand nombre d'autres constructions (Clédat 1899 ; Martinon ; Sandfeld) et en particulier comme (pré)déterminant dans des *GN* de contenu et de sens particuliers. Dans des compléments de temps et de lieu nous avons

tous les ans
tous les deux ans
toutes les deux maisons

ces constructions, où *tous* et *toutes* sont uniquement au pluriel, sont paraphrasables par

? *chaque an*
? *chaque deux ans*
? *chaque deux maisons.*

Cette construction de *tou(te)s* devrait donc constituer une nouvelle entrée de *Préd.*

Nous trouvons encore *tou(te)s* dans des paires comme

(Ils arrivent) de tous (E + les) côtés
(Ils achètent) des vases de (toutes (E + les) tailles + tous (E + les) styles).

Ces paires pourraient être analysées à partir d'une construction de *Préd* où l'article *les* serait effacé[51]. Les paires suivantes diffèrent également par un arti-

---

50. Les formes

tous (deux + trois)
alors que

? * *tous (quatre + cinq + etc.)*

apparaissent comme des appositions, mais sont mobiles et peuvent être accompagnées d'un modifieur explicatif :

tous deux, (rouges + fatigués).

51. La forme voisine des précédentes *tous ensemble*, et les constructions comme *un vase de toute beauté* ne semblent pas analysables par effacement d'article.

cle défini, mais nous avons de plus une alternance entre les prépositions *en* et *dans* :

> *(Luc est fautif) (dans tou(te)s les + en tou(te)s) (circonstances + cas)*
> *(Luc lit) des journaux (dans toutes les + en toutes) langues.*

Dans des paires voisines des précédentes, certains *N* contraignent leur *Dét* de façon plus complexe :

> *(Luc a agi) dans toute (sa rigueur + son innocence)*
> *(Luc a agi) en toute (rigueur + innocence)*
> *(Luc a crié) de toutes ses forces*

dans ces exemples le possessif est obligatoirement coréférent au sujet et l'article défini n'est pas autorisé seul :

> * *(Luc a agi) dans toute (la rigueur + l'innocence)*
> * *(Luc a crié) de toutes les forces*

alors que nous avons

> *(Luc a agi) dans toute (la rigueur + l'innocence) de son jeune âge*
> *(Luc a crié) de toutes les forces dont il disposait.*

Certaines formes en *en* ont des propriétés voisines sans qu'il y ait de formes en *dans* correspondantes :

> *Luc l'a fait en toute (amitié + connaissance de cause)*
> * *Luc l'a fait dans toute (la + mon + ma) (amitié + connaissance de cause)*
> ? * *Luc l'a fait en amitié*
> *Luc l'a fait en connaissance de cause.*

Dans les compléments en *à* des phrases suivantes (V, 3.1) le *Modif* est obligatoire et *tout* est substituable à l'ensemble article-modifieur :

> *Luc roule à (une + la) (vitesse + allure) (voulue + qui lui convient)*
> * *Luc roule à (une + la) (vitesse + allure)*
> *Luc roule à toute (vitesse + allure).*

Tout peut être adjoint à divers compléments circonstanciels qui comportent des prépositions ou des expressions prépositionnelles :

> *tout près d'ici* (mais * *tout loin d'ici*), *tout autour de cet endroit, tout à côté d'ici, tout contre ceci, tout aussitôt, tout de suite, tout (au + du) moins*, (mais * *tout du plus*), *tout au plus, à tout le moins* (mais * *à tout le plus*) où *tout* constitue une insertion dans *au moins.*

Nous avons aussi

> *tout en travaillant*
> *tout près de trois kilos* avec *près (Dnom).*

L'analyse syntaxique de ces constructions n'est pas simple, et la contribution sémantique de *tout* n'est pas toujours apparente.

Les combinaisons de *tous* avec les pronoms sont

> *(nous + vous + eux + elles) tou(te)s*

elles sont à rapprocher des combinaisons mentionnées en II, 12. La forme *du tout* peut s'adjoindre à certaines négations :

> *ne ... (pas + plus + point + personne + rien) du tout.*

Dans

> *Luc a ceci pour tout (vêtement + bagage)*

tout est synonyme de *seul,* et les constructions

> *Luc (n'a que + a seulement) ceci pour tout (vêtement + bagage)*

sont ressenties comme pléonastique. On retrouve le même sens de *tout* dans

> *Tous ses regrets, c'est d'être parti*
> *Est-ce tout ce qu'il mange ?*

La forme *le tout* dans

> *Luc achète le tout*

est à rapprocher de *Luc achète la totalité de cela* (IV, 3.3), et nous avons aussi *un tout* dans

> *Cela forme un tout.*

Tout peut modifier des adjectifs, propriété qui n'est indiquée que pour *tout (Préd)* (et non pas pour *tout (Dadj)* et *tous (Préd)*), *tout* est alors voisin en sens de *entièrement, totalement.* Nous avons des variations de distribution comme

> $\Big\{$ *Ce garçon est tout petit*
>   *Le tout petit garçon (arrive)*
> $\Big\{$? *Ce garçon est tout gros*
>   ? *Le tout gros garçon (arrive)*
> $\Big\{$? * *Ce travail est tout important*
>   ? * *Le tout important travail (se présente).*

Notons alors quelques difficultés d'analyse de *tout* modifiant divers attributs :
— lorsqu'un adjectif attribut *Adj* difficilement modifiable par *tout* est déjà modifié par *aussi,* l'ensemble *aussi Adj* devient modifiable par *tout* :

> *Ce garçon est tout aussi gros que celui-ci*
> *Ce travail est tout aussi important que celui-ci.*

Nous admettons alors que *tout* modifie *aussi,* ce qui se retrouve dans des situations (IV, 2) où *aussi* modifie un adverbe comme *bien* :

> *Ce garçon travaille bien*
> * *Ce garçon travaille tout bien*
> *Ce garçon travaille (tout + E) aussi bien que celui-ci*

— alors que dans les exemples ci-dessus *tout Adj* avait un sens voisin de *(entièrement + très) Adj,* il n'en va pas de même dans

> *Max est passé dans des rues toutes identiques*

qui doit être paraphrasé par, et peut-être analysé à partir de

> *Max est passé dans des rues, toutes ces rues sont identiques.*

De ce fait

> *Max est passé dans des rues toutes pavées*

est ambigu avec les deux interprétations mentionnées ;
— les exemples

> *Max est tout (désigné + indiqué) pour ce travail*

doivent en principe être analysés comme des formes passives des verbes *désigner* et *indiquer,* mais *tout* n'est pas compatible avec les formes actives, d'où le problème de la source de *tout* ici ;
— *tout* peut encore modifier des *N* attributs (sans *Dét*), comme dans

> *C'est tout (bénéfice + profit)*
> *C'est tout comme si Luc était ici.*

Enfin, il existe un grand nombre de constructions plus ou moins figées qui comportent *tout* :

> *sa toute jeunesse, à toutes jambes, à tout hasard, tout à l'heure, de (toutes parts + tout cœur + tout repos), le tout (Paris + Londres + venant), surtout, par dessus tout, partout, de toute (façon + manière), en tout état de cause, toutes voiles dehors, tous feux éteints, toutes choses égales par ailleurs, tout de go, toutes affaires cessantes, tout un chacun, tout (d'une pièce + d'un coup)[52], tout à l'heure, toutes sortes de N[53], tout de même, somme toute.*

14 Formes en -*ment*

La table *Dadv* contient des formes en -*ment* entrant dans des phrases comme

Luc n'a aucunement bu de vin
Luc a bu (énormément + infiniment + suffisamment + tellement ... que P + drôlement + vachement) de vin.

Celles-ci ont les paraphrases respectives suivantes :

> { *Luc n'a bu de vin (d' + en) aucune façon*
> { *Luc n'a bu aucune quantité de vin*
> *Luc a bu une quantité (énorme + infinie + suffisante + telle ... que P) de vin.*

Dans

> *Luc a bu une (drôle + vache) de quantité de vin*[54]

un *de* entre l'adjectif et le *Dnom* est obligatoire (au moins pour *drôle*). Nous pourrions envisager d'établir une relation entre les *Dadv* et les adjectifs, qui serait d'un type voisin de celle que l'on considère souvent pour les adverbes de manière en -*ment*. Nous aurions une règle

> *une quantité Adj → Adj-ment*

analogue à la règle formant les adverbes de manière en -*ment* :

> *une (façon + manière) Adj → Adj-ment*
> *Luc dort d'une façon curieuse*
> *= Luc dort curieusement.*

Notons que la séquence *drôle de* occupe également la position d'un adjectif en compagnie de *façon, manière*, puisque

> *Luc dort d'une drôle de façon*
> *= Luc dort drôlement*[55].

Nous aurions donc avec *drôle* un processus voisin de celui que nous venons

---

52. Synonyme de *d'une seule pièce, d'un seul coup*. Cette dernière forme pourrait être en relation avec *tout à coup*, où *tout* est obligatoire.
53. Synonyme de *des sortes différentes de N*.
54. Ces constructions, à caractère populaire, sont productives ; la phrase suivante est acceptable de la même façon, avec la même paraphrase :
> *Luc a bu putainement de vin*
> *= Luc a bu une putain de quantité de vin.*
55. Cette phrase est ambiguë, une interprétation qui ne nous concerne pas est paraphrasée par
> *Luc dort d'une façon (drôle + amusante).*

d'observer. Nous observons encore des faits analogues avec certains *Préd*, puisque

Luc a vu (approximativement + exactement + strictement) cinq ifs
= Luc a vu (le + un) nombre (approximatif + exact + strict) de cinq ifs.

Une règle

Dét N Adj → Adj-ment

permettrait de relier ces formes entre elles dans des conditions analogues à celles qui existent pour les *Dadv* en *-ment*.

Il existe avec d'autres *Préd* une situation voisine où, cependant, les adjectifs associés ont des paraphrases d'une forme différente. Nous avons ainsi avec certains *Dnom*

Luc a bu particulièrement cette sorte de vin
= Luc a bu cette sorte particulière de vin[56]
= Luc a bu cette sorte de vin en particulier.

Nous avons de même

Luc a bu premièrement cette sorte de vin
= Luc a bu cette première sorte de vin
= Luc a bu cette sorte de vin en premier.

Ces ensembles de phrases comportent des paraphrases liées aux restructurations discutées en IV, 3.3. Cependant, des modifications du déterminant de *vin* font apparaître des différences, c'est ainsi que les sens de

Luc a bu particulièrement du vin
et *Luc a bu du vin particulier*

sont différents, et il en est de même pour

Luc a bu premièrement du vin
et *Luc a bu du premier vin.*

Notons encore que les différences entre

Luc a bu une (seule + simple + unique) bière
et *Luc a bu (seulement + simplement + uniquement) une bière*

(observées en II, 8) semblent plus atténuées qu'avec les *Préd* précédents. Cette différence pourrait provenir d'une compatibilité différente entre ces *Préd* et le *Dét* : nous avons bien comme précédemment

Luc a bu (seulement + simplement + uniquement) du vin

mais les formes adjectivales sont plus difficilement acceptables :

? Luc a bu (du seul + du simple + de l'unique) vin.

L'analyse des relations entre ces formes dépend vraisemblablement de l'analyse de la position des adjectifs (III, 5) dans le groupe de base *(E + ce) N de (GN + N)*. Remarquons à ce propos que les adjectifs correspondants aux *Préd* en *-ment* ne semblent pas avoir de construction détachée ≠ *de Adj* :

* *Luc en a vu une ≠ de seule*

et le fait que ces adjectifs portent sur le *N* des *Dnom* vient à l'appui de notre position qui consiste à traiter les *Préd* correspondants dans le cadre du sys-

---

56. Nos exemples sont vraisemblablement à rapprocher encore de paires comme
{ *Luc a une (entière + totale) confiance en Eve*
{ *Luc a (entièrement + totalement) confiance en Eve*
que nous avons discutées ailleurs (Gross 1971).

tème de la détermination du nom. Diverses formes en -*ment* illustrent une limite de la notion de *Préd*, qui apparaît dans de nombreux cas liée à des notions de temps-aspect (IV, 3.4). Les raisons de classer ces formes en tant que *Préd* sont surtout sémantiques. Nous avons bien une relation syntaxique entre la forme adverbiale et la forme adjectivale en position N_1 direct, mais les apparences sont avant tout adverbiales. C'est ainsi qu'il existe des restrictions comme

* *Luc a (complètement + entièrement + totalement) (dormi + mangé)*

avec des formes intransitives, mais lorsque *manger* a un N_1, nous avons les phrases suivantes qui montrent le lien entre formes en -*ment* et N_1 :

Luc a (complètement + entièrement + totalement) mangé les trois pains.

15 Déterminant zéro

Nous avons mentionné (I, 1.1) qu'en première approximation, les *N* devaient obligatoirement être accompagnés d'un *Dét*. Il existe cependant un certain nombre de situations où nous observons des *N* sans *Dét*. Ces situations ne sont pas toutes apparentées. Nous nous contenterons de rappeler les principales, la plupart de ces constructions ont d'ailleurs été répertoriées dans les grammaires et dictionnaires usuels.

15.1 *Contractions d'articles*

Il existe des constructions traditionnellement analysées comme des formes régulières ayant subi des contractions. Nous en avons déjà mentionné certaines (II, 1.1 ; II, 1.4 ; II, 9 ; II, 13), la suivante est la plus connue. Considérons les paradigmes en *à* et *de*

> *Max parle (à + de) la fille*
> *Max parle (au + du) garçon*
> * *Max parle (au + du) fille*
> * *Max parle (à + de) garçon*

ils pourraient suggérer une analyse où d'une part *parler* s'emploierait avec les prépositions *à* et *de*, le complément *fille* prenant alors obligatoirement l'article. D'autre part, *parler* prendrait les prépositions *au* et *du* avec le substantif *garçon* qui ne prendrait pas d'article. Une telle solution est difficile à justifier et l'analyse traditionnelle qui consiste à employer les règles

> à le → au   à les → aux
> de le → du   de les → des

est de loin la plus satisfaisante. Elle rétablit la présence de l'article défini dans des situations où il n'est pas directement observé.

Une argumentation de même type peut être donnée à propos de la distribution des articles partitifs *du*, *de la* et de l'indéfini pluriel *des* ; nous les noterons tous les trois *de Artg* (*de* suivi de l'article générique). Les *GN* de la forme *de Artg N* s'observent dans une grande variété de positions syntaxiques, dans les mêmes positions, *N* sans *Dét* est interdit :

— sujet :

> *Des amis arrivent*
> * *Amis arrivent*

— objet direct :

> *Max boit du vin*
> * *Max boit vin*

— objet indirect en *à* :

> *Max tient à de la farine*
> * *Max tient à farine*

— circonstanciel en *pour*, etc. :

> *Max travaille (pour + contre + etc.) des chefs*
> * *Max travaille (pour + contre + etc.) chefs.*

Cette distribution souffre cependant une classe d'exceptions, celle des positions indirectes en *de* où nous observons une inversion des acceptabilités :

(1)
> * *Max discute de de la bière*
> *Max discute de bière*

(2)
> * *A propos de de la bière, Max est brasseur*
> *A propos de bière, Max est brasseur.*

Une façon de rendre compte de ces exceptions consiste à faire l'hypothèse que la distribution de *de Artg N* ne dépend pas des positions syntaxiques énumérées, et donc que les formes (1) et (2) sont des formes de base auxquelles s'applique une règle de contraction appelée règle de cacophonie (Gross 1967, Guillaume), cette règle a la forme

> *de de Artg* → *de.*

Par cette contraction, nous rendons compte de certaines absences d'articles après *de*. Nous verrons en IV, 3.1.1 des restrictions à l'application de cette règle.

Rappelons encore la réduction de l'article *Artg* dans le cas de l'indéfini pluriel *de Artg*, lorsque le *N* est accompagné d'un adjectif préposé :

> *Max a mangé des gâteaux délicieux*
> * *Max a mangé de gâteaux délicieux*
> *Max a mangé de délicieux gâteaux.*

Un phénomène de contraction de *Dind*, particulier à *jamais* donne lieu à des phrases à caractère un peu littéraire comme

> *Jamais homme n'a mis le pied à cet endroit*
> *Jamais dirigeant n'a été aussi peu regretté par ses collègues*

qui, en N_0 (et uniquement là), n'ont pas de *Dét*. La présence en N_0 de *jamais* est bien indispensable dans ces phrases, c'est ce que montrent les formes

> * *Homme (n')a mis le pied à cet endroit (E + jamais)*
> * *Dirigeant (n')a été aussi peu regretté par ses collègues.*

Cette dernière forme étant un passif, il convient d'examiner l'existence de ce phénomène dans la position d'objet direct correspondante ; nous observons alors l'interdiction

> * *Ses collègues ne regrettent aussi peu jamais dirigeant.*

Mais nous avons par ailleurs

> *A-t-on jamais vu dirigeant aussi peu regretté ?*
> *Si vous voyez jamais dirigeant aussi peu regretté, alors dites-le-moi.*

Le phénomène (effacement de *Dét (un + des)*), n'apparaît pas en position indirecte. Il dépend d'éléments comme *jamais*, non forcément négatifs (Wagner et Pinchon). D'autres exemples apparemment analogues comme

Souvent femme varie

sont des expressions figées, des proverbes, qui ne sont pas susceptibles de variations lexicales.

Il existe encore des formes sans *Dét* dans des groupes prépositionnels divers, mais ils apparaissent comme étant d'une autre nature, vraisemblablement liée à celle des paradigmes de V, 3.1, ce sont

Cette machine est à rendement élevé
Cette machine est à haut rendement
Cette machine est à effet surprenant

l'article y est interdit et l'adjectif obligatoire :

* *Cette machine est (à un + au) rendement élevé*
* *Cette machine est à rendement.*

Il n'est donc pas aussi clair que dans le cas précédent que ces formes s'analysent par effacement de l'article. Par contre, dans certains des paradigmes de V, 3.1 et selon la préposition, il peut y avoir effacement de *un* dans des conditions liées à la présence d'un adjectif. Ainsi,

Max opère sous pression

ne peut pas s'obtenir par effacement de *une*, puisque

* *Max opère sous une pression*

par contre un tel effacement pourrait avoir lieu entre

Max opère sous une pression élevée
et   *Max opère sous pression élevée.*

Ces distributions s'observent en compagnie de la plupart des prépositions.

Un certain nombre de prépositions accompagnent des *N* sans *Dét*. Ce sont des compléments circonstanciels en *de* comme dans

Luc hurle de joie
De rage, Luc déchire le tissu
Luc (meurt + pleure) de (faim + soif)

des compléments en *avec* et *sans* comme dans

Max travaille (avec + sans) ardeur

mais il en va autrement dans les compléments dits d'accompagnement :

Max travaille (avec + sans) son frère
* *Max travaille (avec + sans) frère.*

La négation sous-jacente à *sans* interfère de plus avec le *Dét (sans boire d'eau)*. Nous avons encore les cas de *sous, sur* dans *sous forme de, sous (abri + verre), sur ordre de, sur (canapé + papier couché)*, etc.

Le cas de *en* est particulier, si en effet les restrictions sur les *Dind* qui le suivent ressemblent aux précédentes, les restrictions sur les *Ddéf* sont différentes :

La chaise est en (une seule pièce + pièces détachées)
* *La chaise est en (la + les) (pièce(s) (E + Modif).*

Nous avons encore des cas sans *Dét* dans des appositions :

(Comme + en tant que) femme de ménage, elle gagne peu
Ceci est un résultat, résultat indiscutable.

15.2 Compléments d'objet direct

La présence obligatoire d'un *Dét* accompagnant le nom commun dans les positions N_0 et complément direct constitue une régularité du français[57]. Il existe cependant des formes comme

Eve (a + perd) confiance en Luc

qui semblent exceptionnelles. Les grammaires et dictionnaires usuels abondent en exemples de ce type, mais il n'existe que peu d'études systématiques qui permettraient d'évaluer l'extension du phénomène (Giry 1974 ; Gross 1976b).

Quelques points relativement clairs émergent néanmoins :

— les objets directs sans *Dét* sont limités à certains *V* ;

— les *V* ayant cette construction ne l'ont pas avec tous les *N* objet direct qu'ils acceptent. Ainsi, lorsque l'objet direct de *perdre* est *estime* au lieu de *confiance*, nous avons

* *Eve a perdu estime pour Luc*

alors que   *Eve a perdu toute estime pour Luc*

il ne s'agit donc pas d'une restriction sur la sélection de *estime*, mais d'une contrainte spéciale du *V* sur les *Dét* de certains N_1 ;

— les *N* sans *Dét* ont des comportements variés lorsqu'on leur étend les transformations qui s'appliquent aux *GN* complets.

Une caractéristique importante de ces constructions est qu'elles sont limitées à des choix lexicaux de *V* et de *N* (= N_1) particuliers.

Ainsi, lorsqu'une construction N_0 *V N* existe, nous n'observons pas toujours une construction N_0 *V Dét N* correspondante. Ce fait dépend :

(i) du *N* :

{ *Luc a perdu connaissance*
{ * *Luc a perdu (la + sa + cette + toute + une grande) connaissance*[58]
{ *Luc fait attention à Eve*
{ * *Luc fait (l' + son + de l' + toute + etc.) attention à Eve*

alors que nous avons

{ *Luc a (confiance + faim)*
{ *Luc a une grande (confiance + faim)*

(ii) du *V* : prenons *N* = *conscience*, toujours pour *V* = *perdre*, nous avons

{ *Luc a perdu conscience*
{ *Luc a perdu toute conscience*

---

57. Ce n'est pas le cas de l'anglais, où par exemple des *Dét* partitifs (*du, de la*), indéfinis pluriels (*des*) et génériques (*la*, dans *Eva aime la liberté*) ont zéro pour correspondants (*Eva eats (cake + cakes), Eva likes freedom*). En anglais, il en va de même en position sujet.

58. Ces phrases ne sont interdites que pour les sens de *connaissance* qui correspond à la paraphrase

Luc a perdu connaissance = Luc s'est évanoui.

Elles sont acceptables avec des sens différents, comme ceux de

Luc a perdu toute sa connaissance de l'anglais
Luc a perdu ses connaissances les plus dévouées.

mais pour $V = prendre$, nous observons

> *Luc a pris conscience de ce problème*
> * *Luc a pris (la + toute + ? une grande) conscience de ce problème.*

Lorsqu'un N entre dans la construction N_0 V N avec un V donné, il arrive fréquemment que d'autres V ont la construction pour ce même N ; autrement dit, des amorces de paradigmes en N apparaissent :

> $\Big\{$ *Luc a confiance en Eve*
> *Cela donne confiance en Eve à Luc*
> *Luc perd confiance en Eve*
> *Luc fait confiance à Eve*
>
> $\Big\{$ *Luc a peur d'Eve*
> *Luc fait peur à Eve*
> *Luc prend peur.*

Un premier recensement de combinaisons V N nous a conduit à un peu plus d'une centaine de N et à une quarantaine de V. Fait remarquable, la majorité des N (une centaine) ne se combine qu'avec un sous-ensemble des onze V suivants :

> *avoir, chercher, demander, donner, faire, perdre, porter, prendre, rendre, tirer, trouver.*

les autres N n'ont qu'une combinaison avec l'un de la trentaine de V restants et sont donc susceptibles d'être des formes figées, c'est-à-dire des formes inanalysables en leurs éléments. De plus, un tiers environ de cette centaine de N se combine avec plusieurs de ces onze verbes.

Un couple particulièrement fréquent de combinaisons est celui de *avoir* N-*donner* N, il est vraisemblablement analysable au moyen d'un opérateur causatif abstrait f[59] :

> *Cela f $\neq$ Luc a (faim + froid + chaud + confiance en Max)*
> = *Cela donne (faim + froid + chaud + confiance en Max) à Luc.*

Il existe cependant des *avoir* N sans *donner* N associé, la présence d'un *Dét* pouvant être nécessaire à l'observation de la forme causative :

> *Luc a avantage à y aller*
> ? * *Cela donne à Luc avantage à y aller*
> *Cela donne à Luc un avantage à y aller.*

15.3 Compléments prépositionnels

Il existe également des compléments *Prép* N, sans *Dét*, différents de ceux de I, 15.1 ; ils ont une distribution générale dans la mesure où ils peuvent apparaître avec un grand nombre de verbes. Nous avons également des compléments de verbes particuliers :

> *Luc a (eu + pris) cette dame (comme + pour) fiancée*
> *Luc a posé comme condition que Léa parte.*

---

59. Une possibilité de parallélisme entre formes qui ne fait pas appel à l'opérateur causatif est celle de paires comme

> $\big\{$ *Luc satisfait Marie*
> *Luc donne satisfaction à Marie.*
> $\big\{$ *Luc apeure Marie*
> *Luc fait peur à Marie.*

Des paires comme

{ *Luc a mission de faire cela*
{ *Luc a (comme + pour) mission de faire cela*

pourraient suggérer une analyse par ellipse de *comme* ou *pour* ; cet effacement serait limité à des *N* comme *idée, autorité,* etc. sans être applicable à des *N* du type *principe, habitude,* etc., du fait de la difficulté

Luc a ceci pour mission
→ * *Luc a ceci mission.*

La position de *président, acquéreur* est analogue aux précédentes dans

Ils ont (qualifié + traité) cet homme de président
Ils sont (élu + nommé) cet homme président
Cela a porté Max (acquéreur + volontaire).

Dans tous ces exemples il existe une relation d'attribut entre le *N* sans *Dét* et l'objet direct, qui se superpose à la contrainte du verbe. Dans les exemples suivants le complément indirect *chemise* n'est contraint que par le verbe, c'est-à-dire de la façon habituellement décrite :

Luc change de chemise
Luc se trompe de chemise
Luc manque de (chevaux + chemises)

et les interdictions

* *Luc (change + se trompe) de (cette + la) chemise*
? * *Luc manque (de ces + des) (chevaux + chemises)*

montrent que la règle de cacophonie ne s'est pas appliquée, la contrainte sur *Dét* est donc d'une nature nouvelle. Dans le cas suivant il est difficile de faire intervenir une règle *un → E* puisque l'on a

Max relève de maladie
Max relève d'une grave maladie
? * *Max relève de grave maladie.*

Nous avons par ailleurs des constructions indirectes analogues aux constructions directes de II, 15.2. Nous donnons des exemples

— de compléments de verbes :

Ceci ne (porte + prête) pas à conséquence
Ceci prête à (confusion + erreur + malentendu + quiproquo + rire)
Luc ne pense pas à (mal + malice)
Max prend Luc à (partie + témoin)
Max joue à (cache-cache + colin maillard) [60]
Max a transmis ceci pour (avis + information + mémoire)

— de compléments circonstanciels :

Max a fait cela (par paresse
+ avec rage
+ devant témoins
+ (avant + après) vérifications)

— de compléments de nom :

Ceci fournit matière à (discussion + réflexion)
Max a commis des actes contre nature

---

60. Ces noms de jeu pourraient éventuellement être considérés comme des noms propres, ce qui rendrait compte de *Dét = E* d'une façon différente.

Max a charge de (famille + âme)
Max a envoyé un pli (contre remboursement + par avion)
Max a acheté une maison sur plans
— de compléments d'adjectifs
Max est béat d'admiration
Max (est rouge + rougit) de honte
où le *N* ne peut prendre aucun *Dét* (Picabia 1977) ;
— d'expressions analysables selon la forme *Prép N Prép* :
afin de, à propos de, à force de, de peur de, par suite de
elles présentent des degrés de lexicalisation variables, cette notion pouvant être précisée et définie en termes des possibilités qu'a le *N* d'accepter des *Dét*. Nous en discuterons en V, 3.2.

Notre présentation suggère donc l'existence d'une différence sensible entre l'objet direct et les autres positions syntaxiques, mais cette différence pourrait n'être qu'apparente. La tradition grammaticale a toujours mis l'accent sur l'étude des objets (directs ou indirects) en négligeant l'étude des circonstanciels. Ces derniers présentent une variété insoupçonnée, qui n'est cachée que par l'absence d'études sur ces questions. De nouvelles études mettraient aisément en évidence d'autres cas de déterminants zéro, ils pourraient alors être comparables aux exemples d'objets directs que nous avons décrits.

III

GROUPES NOMINAUX DÉFINIS

Les déterminants définis *(Ddéf)* se composent essentiellement

— des articles définis : *le + la + l' + les (= Artd*, abréviation)
— des adjectifs démonstratifs : *ce + cet + cette + ces (= Adjd*, abréviation)
— des adjectifs possessifs :

> *mon + ton + son + ma + ta + sa*
> *+ mes + tes + ses + notre + votre*
> *+ leur + nos + vos + leurs (= Poss*, abréviation)...

Cette liste constitue une définition des *Ddéf.* Par ailleurs, l'appellation de défini semble correspondre à l'observation sémantique que les groupes nominaux en *Ddéf* possèdent un référent linguistique ; autrement dit de façon approximative, ils sont récurrents dans le discours, ou bien ils ont une contrepartie à l'extérieur du discours. En d'autres termes, ces *GN* sont bien déterminés, bien spécifiés, pour le destinataire du message. Ainsi, dans

> *Max a bu du vin, ce vin était bon*

il y a récurrence de *vin* et le référent de *ce vin* s'identifie à celui de *du vin.* Nous n'aurions pas cette situation dans

> *Max a acheté du vin. Luc a bu du vin.*

Nous reviendrons sur ces distinctions pour les préciser.

Nous avons donc affaire à une association forme-sens qui est loin de constituer une caractérisation du sens par la forme. En effet, les *Ddéf* ont des utilisations génériques qui correspondent mieux au sens indéfini qu'au sens défini. Ainsi, dans

> *Max a toujours aimé la soupe*
> *Cette soupe ne se mange qu'en Chine*

il est difficile de concevoir un référent pour les *GN la soupe* ou *cette soupe,* pourtant leur *Dét* est dit défini. Notons encore les exemples

> *Max a un cheval noir, moi, je les préfère blancs*
> *Max a un cheval comme je les aime*

où *les* est un substitut de *chevaux* et non pas de *cheval.* L'antécédent peut être au pluriel :

> *Max a des chevaux comme je les aime*

et ces derniers exemples ont la paraphrase

> *Max a (un cheval + des chevaux) de la sorte des chevaux que j'aime.*

Il faut noter que le pronom doit être au pluriel :

Max est un cheval comme je l'aime

ce qui complique sérieusement toute règle éventuelle de pronominalisation, au point que la paraphrase pourrait constituer une source transformationnelle plausible. Ajoutons que ce type de pronominalisation ne semble possible qu'avec les *Ppv* objet direct :

Max est un chef comme je les accepte
* Max est un chef comme (je leur obéis + ils sont exigents).

Inversement, il existe des *GN* à *Dind* dont le sens est clairement défini (on dit aussi déterminé ou spécifique), comme par exemple *un gâteau* dans

Max a mangé un gâteau que lui a donné Eva.

De plus, les divers sens définis et indéfinis peuvent se combiner à l'intérieur d'un même *GN*, comme dans

Max a mangé (certains + un) de ces gâteaux

où l'objet direct se réfère à un sous-ensemble dit indéfini d'un ensemble de gâteaux dit défini.

Il semble que de nombreux auteurs aient traditionnellement associé de façon plus ou moins explicite la notion de défini à la notion de coréférence. Nous examinerons donc plus particulièrement cette dernière notion.

1   Types de référence

1.1   *Coréférence*

La notion de coréférence est une relation sémantique portant sur deux groupes nominaux d'un discours[1]. Elle exprime l'identité des personnes, choses, ou situations qui sont décrites par ces groupes. Les termes de cette définition intuitive (il n'y en a pas d'autre) ont leur signification ordinaire. Les manières de marquer cette relation dans le discours sont variées. Ainsi dans

Un homme est arrivé, il s'est assis

la coréférence est indiquée par le pronom *il* en relation avec *un homme*. Dans

Une femme obèse et un homme fluet sont arrivés, le mâle s'est assis

les deux groupes *un homme* et *le mâle* seront interprétés comme coréférents, et le processus d'identification est cette fois beaucoup plus sémantique que morphologique. Mais même dans ce cas extrême, l'article défini est nécessaire à l'établissement de la relation. En effet, le discours

Une femme obèse et un homme fluet sont arrivés, un mâle s'est assis

où *un* a remplacé *le*, ne peut pas avoir la même interprétation que le discours précédent. Les notions de référence (au monde extérieur) ou même de coréférence ne sont pas toujours aussi simples que dans ces exemples. Considérons

---

1. Notons qu'un pronom au pluriel peut avoir plusieurs antécédents. Dans ce cas la relation n'apparaît plus comme binaire. Ces cas peuvent en général être ramenés à des relations binaires si on analyse les *GN* au pluriel comme des conjonctions de *GN* au singulier.

Ce livre dont les pages ne sont pas coupées, je l'ai lu il y a dix ans

il est clair que le pronom *l'* renvoie à *ce livre*, mais il n'est peut-être pas légitime de parler de coréférence ici : on ne peut plus utiliser une identification complète puisqu'il ne peut pas s'agir du même livre pris comme objet concret. On peut parler d'une référence commune à *ce livre* et à *l'*, mais elle ne pourra être constituée que du texte indépendant de sa forme matérielle, notion qui pourra poser des problèmes de référence. Il en va de même dans

A la page 192 de cet album, il y a un tableau, je l'ai déjà vu au musée des Arts Anciens

où *l'* et *tableau* sont en un sens coréférents, mais d'une façon qui fait abstraction du support matériel de l'image : dans le premier membre *tableau* ne peut se référer qu'à une reproduction de tableau. Des remarques de Postal 1967 faites à propos de la relativation sont des exemples de ces relations, elles tendent à démontrer l'intervention de la pronominalisation dans la relativation.

Dans un cas particulier de la relation de coréférence, l'un des deux *GN* est réduit à (ou a pour substitut) un pronom, c'est-à-dire un élément appartenant à une liste de mots[2] courte.

Nous étudierons le cas général de la relation de coréférence, car comme nous le verrons, la nature de certains *Dét* intervient de façon cruciale dans l'établissement de la relation. Le cas particulier des pronoms sera obtenu à partir du cas général comme une variante essentiellement morphologique. Dans une large mesure, nous laisserons à l'écart de la discussion les problèmes soulevés par la détermination des positions syntaxiques occupées par deux formes en relation de coréférence[3], et nous nous concentrerons sur l'étude des formes de *GN* ayant un référent.

Considérons les discours suivants ; dans chacun d'eux les deux termes en majuscules sont en relation de coréférence :

(1)   *UN ÉTUDIANT est entré dans le bureau, IL a demandé l'heure*
(2)   *UN ÉTUDIANT est entré dans le bureau, SON allure était curieuse*
(3)   *UN ÉTUDIANT est entré dans le bureau, Max L'a interpellé*
(4)   *UN ÉTUDIANT est entré dans le bureau, CET ÉTUDIANT a demandé l'heure*
(5)   *UN ÉTUDIANT est entré dans le bureau, L'ÉTUDIANT a demandé l'heure*
(6)   *UN ÉTUDIANT est entré dans le bureau, CE GARÇON a demandé l'heure.*

A ce jour, la quasi-totalité des études portant sur la coréférence ne concerne que les types de phrases (1), (2) et (3), ce qui revient à dire qu'elles ne portent que sur la relation particulière de pronominalisation. Cette attitude semble provenir de l'isomorphie traditionnellement établie entre pronominalisation formelle et coréférence : d'une part les pronoms sont en distribution complémentaire avec les *GN*, ils s'en distinguent par leur morphologie, d'autre part l'interprétation des pronoms comporte toujours une certaine notion de référence. L'attitude qui consiste à associer une notion de forme à une notion de

---

2. Remarquons que dans

        Max a lu (un + deux) livre(s)
     → *Max en a lu (un + deux)*

ce qu'il faut appeler pronom n'est pas clair : ce pourrait être le mot *en* tout seul, ou bien un élément discontinu complexe comme *en ... un, en ... deux*.
3. Ces problèmes ont été discutés par de nombreux auteurs, et dans des contextes souvent différents, nous renvoyons à ce propos au livre de P. Postal 1974, et à sa bibliographie.

sens de façon biunivoque est la règle en linguistique traditionnelle. Plus récemment, certaines tentatives génératives transformationnelles semblent faire revivre cette attitude, qui pourtant a été critiquée de façon extrêmement convaincante par plusieurs générations de linguistiques structuralistes puis transformationalistes. Nous considérons que cette critique est toujours fondée. Ainsi, rien ne permet de penser qu'il existe une différence quelconque dans la nature sémantique des divers exemples (1)-(6) : tous comportent une seule et même notion de coréférence. Le seul point qui distingue les exemples (1), (2) et (3) des exemples (4), (5) et (6) est de nature morphologique : dans le premier cas ce sont des éléments pronominaux qui sont en relation avec des *GN*, dans le second cas ce sont d'autres *GN*, d'ailleurs définis. Une étude purement morphologique pourrait éventuellement nous conduire à séparer *a priori* les exemples en deux classes, mais nous verrons qu'au contraire il est nécessaire de les traiter simultanément. Et puis il n'existe aucune raison sémantique d'effectuer une telle séparation ; les études existantes présentent donc à nos yeux une coupure entièrement arbitraire.

Comme nous l'avons mentionné, la définition des pronoms paraît essentiellement morphologique, mais une notion sémantique de référence s'y superpose toujours. Nous examinerons dans un premier temps divers concepts recouverts par le terme ambigu de référence.

Nous ne discuterons pas de la notion logique de référence, pour une évaluation récente de cette notion, nous renvoyons le lecteur aux travaux de Kuroda 1977 qui font le point de la question.

Nous reprenons l'étude des exemples (1) à (6) ci-dessus dans l'intention de localiser la source de l'élément de sens coréférence.

Attachons un adjectif épithète déterminatif (restrictif dans la terminologie anglo saxonne) au deuxième terme de la relation dans l'exemple (5), nous obtenons

> *Un étudiant est entré dans le bureau, le gros étudiant a demandé l'heure.*

Dans ce discours les deux *GN* en *étudiant* ne sont plus coréférents. Il en va de même quand nous insérons à la place de l'adjectif une relative déterminative (restrictive) :

> *Un étudiant est entré dans le bureau, l'étudiant auquel nous avons été présentés a demandé l'heure.*

Il en irait encore de même si nous insérions à la place de l'adjectif un complément de nom. Nous ne ferons pas de différence entre ces divers exemples dans la mesure où nous analyserons ces modifieurs comme dérivant de relatives.

Les faits sont différents avec les relatives et les adjectifs explicatifs, encore appelés appositifs ou non restrictifs : la coréférence est conservée dans

> *UN ÉTUDIANT est entré dans le bureau, L'ÉTUDIANT, (E + QUI ÉTAIT) AFFOLÉ, a demandé l'heure.*

La situation est encore différente dans les exemples (4) et (6) où l'insertion de l'adjectif *gros* n'interdit pas la coréférence :

> *UN ÉTUDIANT est entré dans le bureau, CE GROS ÉTUDIANT a demandé l'heure*
> *UN ÉTUDIANT est entré dans le bureau, CE GROS GARÇON a demandé l'heure.*

Dans ce cas, la nature de l'adjectif (déterminative ou explicative ?) est peut-être moins claire. D'une part on observe des relatives associées à des adjectifs démonstratifs et qui sont interprétées comme explicatives. Sémantiquement, la forme *ce N* apparaît déjà comme entièrement déterminée ou définie, et l'adjonction d'un modifieur ne semble rien changer de ce point de vue. Formellement ces relatives ont tendance à être séparées de leur *ce N* par une pause, plus marquée peut-être qu'avec les explicatives accompagnant *le N*. D'autre part dans

Max a ce courage qui fait vaincre tous les obstacles

on ne sent pas de coupure entre *ce N* et la relative. Simultanément, nous n'observons pas de coréférence. Dans cet exemple, l'emploi de *ce* semble lié au générique, il est paraphrasable par *cette sorte de* ou *la sorte de*, formes acceptant une relative dans les mêmes conditions : sans coréférence. Ces constructions sont générales et il apparaît bien que *ce N* accepte des relatives restrictives. Nous retiendrons donc que dans cette construction en *ce N* la relative et la coréférence sont incompatibles, ce qu'indiquent encore les exemples comme

Max a acheté un lit, ce lit que Luc a vendu était cassé

qui, prononcés sans pause entre *ce lit* et *que*, sont tels que les deux lits sont différents.

Les *GN ce gros (étudiant + garçon)* posent donc un problème de source pour l'adjectif *gros*. Il semble que la tradition soit de le considérer comme restrictif et donc de le dériver d'une relative restrictive. Comme une telle relative (mais non l'adjectif) interdit la coréférence, nous sommes amené à considérer ici *gros* comme un adjectif explicatif (non restrictif) dérivé en conséquence d'une relative explicative (non restrictive).

Nous résumerons ces observations par l'assertion : un *Modif* déterminatif (restrictif) accompagnant *(Artd + Adjd) N* interdit la coréférence, assertion qui peut être reformulée de la façon suivante :

« Coréférence et modifieurs restrictifs sont en distribution complémentaire. »

Cette formulation tend à suggérer que la coréférence est une forme zéro de *Modif* restrictif. En fait une nouvelle famille d'exemples confirme ce point de vue. Considérons le discours

UN ÉTUDIANT est entré dans le bureau, L'ÉTUDIANT QUE JE VIENS DE MENTIONNER a demandé l'heure

les deux *GN* en *étudiant* sont coréférents bien que le second comporte une relative restrictive associée à *Artd N*. L'assertion que nous discutons est donc apparemment contredite. Mais le contenu de cette relative est très particulier : il explicite de façon interne à la langue le mécanisme de la coréférence qui avait été considéré *a priori* comme métalinguistique (Harris 1970). Cette relative ne peut pas être prononcée avec l'intonation des explicatives. Le contenu sémantique de cette relative est contraint par son rôle coréférentiel :

— le verbe principal est sémantiquement particulier, il doit pouvoir rappeler, citer un *GN* ; la position syntaxique du *GN* rappelé peut varier, ce qui peut donc changer la forme de la relative comme dans

UN ÉTUDIANT est entré dans le bureau, L'ÉTUDIANT DONT JE VIENS DE TE PARLER a demandé l'heure

— le temps doit être au passé (ici passé immédiat), uue modification du temps entraîne la suppression de la coréférence :

> *Un étudiant est entré dans le bureau, l'étudiant que je vais mentionner a demandé l'heure*

— le sujet du verbe (dans les exemples donnés) doit être *je*, une modification élimine la coréférence :

> *Un étudiant est entré dans le bureau, l'étudiant que tu viens de mentionner a demandé l'heure.*

Cette contrainte suggère l'intervention du performatif dans l'établissement de la coréférence, ce que nous vérifions au moyen d'exemples comme

> *Max dit qu'UN ÉTUDIANT est entré dans le bureau et que L'ÉTUDIANT a demandé l'heure*
> *Max dit qu'UN ÉTUDIANT est entré dans le bureau et que L'ÉTUDIANT QU'IL VIENT DE MENTIONNER a demandé l'heure*

où il y a coréférence entre les *GN* en *étudiant*. Notons qu'alors dans le second exemple, *IL* et *Max* sont coréférents. S'il n'en était pas ainsi, la coréférence des deux *GN* en *étudiant* serait interdite :

> *Max dit qu'un étudiant est entré dans le bureau et que l'étudiant que je viens de mentionner a demandé l'heure.*

La coréférence est toujours interdite dans

> *Max dit qu'un étudiant est entré dans le bureau et que le gros étudiant a demandé l'heure*

elle reste possible dans les exemples analogues à (4) et (6) :

> *Max dit qu'UN ÉTUDIANT est entré dans le bureau, et que (CET ÉTUDIANT + CE GARÇON) a demandé l'heure.*

Ces observations nous conduisent à préciser le temps de la relative. Nous avons indiqué que pour qu'il y ait coréférence ce temps devait être le passé. Il s'agit en fait d'un passé par rapport au temps du performatif. Autrement dit, le rappel doit porter sur quelque chose d'antérieur au moment de l'élocution. En conséquence, si le temps du performatif change, le temps de la relative peut changer à condition de respecter cette contrainte d'antériorité. C'est ce que nous observons par exemple dans

> *Max dira qu'UN ÉTUDIANT est entré dans le bureau, et que L'ÉTUDIANT QU'IL VIENDRA DE MENTIONNER a demandé l'heure.*

Il existe d'autres moyens sémantiques d'expliciter la coréférence :

— par un opérateur méta-linguistique lié de façon moins évidente à un performatif :

> *UN ÉTUDIANT est entré dans le bureau, L'ÉTUDIANT QUI PRÉCÈDE a demandé l'heure*

qui précède peut avoir *précédent* comme variante ;

— en répétant des informations attachées au premier *GN* :

> *UN ÉTUDIANT est entré dans le bureau, L'ÉTUDIANT QUI (EST ENTRÉ + VIENT D'ENTRER) DANS LE BUREAU a demandé l'heure.*

Nous remarquons sur cet exemple que les répétitions n'ont pas à être faites mot pour mot, et qu'une certaine synonymie est tolérable.

Dans tous ces exemples, la source sémantique de la coréférence est localisée dans une relative. Il en est encore de même dans des exemples plus complexes comme

Max a l'idée suivante : il partira tout de suite.

Intuitivement, il existe une relation de coréférence entre *idée* et la phrase qui suit. Notons que c'est l'adjectif *suivant* (ou la relative *qui suit*) qui permet cet effet. Si on change d'adjectif, la coréférence disparaît :

* *Max a l'idée excellente : il partira tout de suite.*

Il existe entre ces adjectifs une complémentarité dont l'effet s'inverse lorsque l'article défini est remplacé par l'indéfini *un* :

Max a une idée excellente : il partira tout de suite
* *Max a une idée suivante : il partira tout de suite.*

Nous ne pouvons pas donner actuellement d'analyse motivée de ce phénomène, mais nous retiendrons qu'ici encore l'interprétation de la coréférence est explicitée par une relative.

Donc, tous les exemples que nous avons examinés concourent à placer la source de la coréférence dans une relative, et les discours (1) à (6) où la coréférence n'est pas explicite seront analysés par effacement d'un modifieur à contenu référentiel :

Modif → E.

Nous pouvons dès maintenant faire quelques remarques sur le fonctionnement de cette règle :

1) Elle n'est déclenchée que dans des conditions particulières. Nous avons déjà mentionné que divers auteurs s'étaient efforcés d'étudier les positions respectives des *GN* en relation de coréférence. Nous venons de voir que le contenu du *Modif* référentiel est étroitement lié à la nature et à la position des performatifs. Il est donc ainsi démontré que les positions des *GN* porteurs de coréférence dépendent des performatifs, paramètre qui n'a pas été considéré dans les études antérieures. Cette remarque devrait renouveler les études de position d'antécédents et de pronoms. Considérons l'exemple d'un paradigme bien connu :

UN ENFANT ne mange pas, quand IL est malade
Quand IL est malade, UN ENFANT ne mange pas
Quand UN ENFANT est malade, IL ne mange pas
mais *Il ne mange pas, quand un enfant est malade*

seul le dernier exemple ne présente pas de coréférence. Si dans ces exemples on remplace les pronoms par des sources explicites, la relation de coréférence est modifiée :

(Un + cet) enfant ne mange pas, quand l'enfant que je viens de mentionner est malade[4].

L'une des sources de modification tient à la nature de l'explicitation : les termes *précédent* et *mentionné* renvoient à un antécédent placé à la gauche du pronom, or la permutation de la proposition en *quand* fait que l'antécédent passe à droite

---

4. S.-Y. Kuroda a attiré notre attention sur ce fait.

du pronom. Il y a donc conflit entre les positions et l'interprétation du *Modif* coréférentiel.

2) La règle d'effacement *Modif → E* devra s'appliquer aux *GN* démonstratifs des exemples (4) et (6) puisqu'ils sont porteurs de coréférence. Il est donc significatif de noter que des *Modif* référentiels comme *précédent* sont incompatibles avec *ce N* alors que les autres *Modif* le sont[5] : nous n'avons pas de coréférence dans

> *Un étudiant est entré dans le bureau, cet étudiant (mentionné + précédent) a demandé l'heure*

alors que cette forme est acceptée avec coréférence lorsque l'on a un *Artd* :

> *UN ÉTUDIANT est entré dans le bureau, L'ÉTUDIANT (MENTIONNÉ + PRÉCÉCENT) a demandé l'heure.*

Ces exemples indiquent donc qu'en compagnie des démonstratifs l'effacement est obligatoire. Il n'est en effet pas possible d'interdire les *Modif* référentiels par des restrictions sur leur sélection par rapport aux *N*.

3) La règle *Modif → E* permet d'affirmer que tous les *GN = Artd N* (sans *Modif*) sont des formes dérivées. Autrement dit, tous les *GN* à article défini (non générique) comportent obligatoirement un modifieur ; lorsque celui-ci n'apparaît pas, c'est qu'un modifieur référentiel a été omis, et le *GN* est alors coréférent à un autre. La forme générale de ces groupes est donc

> *GN = Artd N Modif.*

4) Les adjectifs numéraux autres que *un* ont un comportement particulier du point de vue de la coréférence. Considérons

> *DES ÉTUDIANTS sont entrés dans le bureau, LES TROIS ÉTUDIANTS ont demandé l'heure*

la coréférence n'est pas interdite par la présence de *trois* alors qu'elle le serait avec d'autres adjectifs. De plus, la relation de coréférence spécifie que les étudiants sont au nombre de trois, ce que le premier membre n'indiquait pas. Nous rendrons compte de cette observation en attachant les *Dnum* au complément de définition, éventuellement au moyen d'une relative ; mais cette relative est indépendante du *Modif* qui est à la source des adjectifs qualificatifs (III, 5).

1.2 *Référence lexicale*

Nous venons d'étudier des exemples de coréférence. Il existe des pronoms, c'est-à-dire des éléments morphologiquement distingués et apparemment en distribution complémentaire avec des *GN*, qui n'entrent pas dans les relations de coréférence. Ainsi, dans

> *Max achète (du vin + des lits), Luc en vend*

le pronom *en* ne correspond pas au *vin* ou aux *lits achetés par Max*. Néan-

---

5. Notons que d'autres *Adj* référentiels sont autorisés avec *ce N*, par exemple *dernier* dans *ce dernier (E + N)*.

moins *en* réfère à des *lits* ou à du *vin*. Il semble dans ce cas que ce soit une substitution du type

$$GN = des\ lits + du\ vin \rightarrow en$$

qui opère. L'étude d'exemples où *Dét* ≠ *de Artg* indique une autre possibilité :

Max achète un lit, Luc vend trois lits à baldaquin
= Max achète un lit, Luc en vend trois à baldaquin

en est alors complémentaire du *N lits* et non pas du *GN* complet. Dans ces conditions, l'appellation de référence lexicale, c'est-à-dire de référence à un mot sans qu'il y ait référence au monde extérieur, nous apparaît comme justifiée pour ces cas. Notons que le phénomène est le même quand *Dét* = *de Artg*, nous avons en effet

Max achète des lits, Luc en vend des grands à baldaquin

où *en* remplace uniquement *lits*. La première règle que nous avons indiquée :

$$GN = de\ Artg\ N \rightarrow en$$

ne s'applique donc pas à la lettre ; nous devons la scinder, en deux cas que nous noterons, pour simplifier, de la façon suivante :

(i) si $\qquad GN = de\ Artg\ N,\quad de\ Artg\ N \rightarrow en$
(ii) sinon $\qquad\qquad\qquad\qquad\qquad N \rightarrow en.$

Les deux situations étant voisines des points de vue morphologique, syntaxique et sémantique, nous considérerons que nous avons affaire à un processus unique. Nous avons discuté par ailleurs (Gross 1968 p. 55) de la forme précise que pourrait prendre la règle de réduction, et nous y reviendrons ci-dessous.

Considérons encore les exemples suivants qui comportent des pronoms démonstratifs :

Max achète (ce + un) lit, Luc achète (celui + ceux) (ci + la)

leur interprétation est différente des précédentes, les formes pronominales ne sont pas coréférentes au *lit* du premier membre[6], mais néanmoins elles renvoient au mot *lit*. Nous n'avons cependant pas affaire à la même référence lexicale que celle que nous avons observée avec *en* : nous pourrions être tenté, pour les distinguer, d'employer une opposition défini-indéfini. Mais si nous comparons la coréférence de pronoms comme *il* et la référence lexicale définie des pronoms démonstratifs, nous percevons nettement que les deux types de pronoms déterminent un référent d'une même manière définie. La différence apparaît plutôt comme une différence de localisation du référent :

— dans le cas de la coréférence, le pronom se réfère à une occurrence de *GN* dans le discours, autrement dit il évite une répétition de *GN*. Nous pourrions employer le terme de référence de discours au lieu de coréférence,

— dans le cas des pronoms démonstratifs ci-dessus[7], le référent ne peut pas être une occurrence de *GN*, il est toujours extérieur au discours. Nous dénommerons cette situation référence externe, nous la retrouverons en III, 4.1.

---

6. Cette absence de coréférence est indépendante de la position de l'antécédent du pronom, c'est-à-dire de la forme du premier membre.
7. Rappelons que *celui-ci* mais pas *ce lui-la* peut dans certains contextes être coréférent à un *GN*.

Notons encore que cette interprétation de référence externe est largement indépendante de la forme dite à pronom démonstratif. Considérons les exemples

Max achète (ce + un) lit, Luc achète (ce + ces) lit(s) (ci + la)

ils sont synonymes des précédents, et les remarques que nous venons de faire s'y appliquent également. Dans ces conditions, il paraît naturel et justifié de les relier aux formes pronominales par la règle de substitution pronominale notée

N → LUI

où *LUI* est un pronom de base non marqué en genre et en nombre, susceptible donc de variantes morphologiques. Dans un premier temps nous conviendrons que la règle s'applique à des formes comme

ces lits (ci + la)

où *N = lit*, et le résultat sera

ces LUI (ci + la)

qui, par ajustement morphologique, fournira

ceux (ci + la).

Nous préciserons les règles en jeu, ci-dessous en III, 2.1 et III, 2.2.

Il est donc clair que cette règle de substitution d'un pronom à un nom est purement lexicale, cette formulation correspond étroitement à nos observations et justifie donc notre appellation de référence lexicale.

Nous venons d'examiner deux cas principaux de référence lexicale, l'une introduit le pronom *en*, l'autre le pronom *LUI*. Les phénomènes étant voisins, il se pose le problème de les unifier. Nous considérerons que le pronom *en* est une variante contextuelle de *LUI* qui s'obtient par la règle

de LUI → en.

Rappelons (II, 1.3) que la préposition *de* est sous-jacente à tous les cas de pronoms *en*. La substitution *N → LUI* est donc fondamentale, les autres formes (préverbales par exemple) seront dérivées.

Remarque :

La référence lexicale n'est pas purement formelle dans le sens qu'elle ne peut opérer entre deux *N* de formes identiques mais de sens différents. Ainsi, comme l'a remarqué Martinon (p. 112), l'exemple suivant est inacceptable avec *celle* remplaçant *grammaire* :

Il étudie la grammaire française dans celle de tel auteur

les deux emplois de *grammaire* n'étant pas les mêmes.

D'autres types de références peuvent être observés, considérons

Max a acheté du vin, Luc a acheté (ceci + cela)

les pronoms *ce(ci + la)* sont ressentis comme parfaitement définis, mais uniquement par les conditions extra-linguistiques où sont placés le locuteur et le destinataire du discours. Il n'y a donc aucune référence lexicale en jeu dans cette interprétation, ni de coréférence. Rappelons à ce propos que dans l'exemple (6) ci-dessus en III, 1.1 nous avions coréférence sans avoir de référence lexicale, puisque les deux *N* en relation étaient différents.

L'examen des exemples précédents indique donc que les notions de référence et de pronominalisation ont une diversité analysable en termes de concepts plus élémentaires. Nous poursuivrons l'analyse de ces notions dans cette direction, et continuerons à comparer forme et sens.

2 Groupes à pronom démonstratif

Cette appellation correspond à des formes comme
Celui de nos amis que tu as vu hier (est mort)
qui sont analysées en trois segments dont nous étudierons la forme et l'interprétation : *ceLUI, de GN* et *Modif.*

Le terme de démonstratif appliqué à ces pronoms est particulièrement malheureux dans la mesure où le grammairien l'a utilisé pour relier ces formes à l'adjectif démonstratif. Si, formellement, le rapprochement nous paraît justifié (présence d'un même *ce* dans les deux cas), sémantiquement il n'en va pas de même, car les interprétations définies et/ou référentielles que ce terme est supposé décrire présentent des différences importantes selon les contextes du *ce*. Cette observation a été faite en particulier par H. Yvon 1950 et G. Gougenheim.

2.1 *Le complément de définition*

Nous avons déjà abondamment discuté de son rôle (I, 3.1.1 ; I, 4.1 ; II, 1.1 ; II, 1.3 ; II, 1.4 ; II, 3.2 ; etc.) dans la structure générale
Dét de GN.
Nous avons en particulier discuté de deux cas de complément en *de* (Gross 1972) :

— la forme *de N*, avec *N* sans déterminant, au singulier ou au pluriel selon la nature de *Dét* et/ou de *N*, et

— la forme *de GN déf,plur.* Dans ce cas nous avons vu que l'on pouvait interpréter *GN déf,plur* comme un ensemble et *Dét* comme un de ses sous-ensembles. La relation d'inclusion ensembliste notée
{ *Dét* } ⊂ { *GN déf,plur* }
est une inclusion *propre* : on n'observe jamais (I, note 11)
{ *Dét* } = { *GN déf,plur* }
autrement dit, l'interprétation de ces formes induit toujours une partition de l'ensemble { *GN déf,plur* } en deux sous-ensembles non vides. Ces notions reviennent à de nombreuses reprises dans l'interprétation de diverses relations de coréférence et de relations d'inclusion.

Par exemple, la relation d'inclusion que l'on a dans
Beaucoup de ces lits (sont arrivés)
est une relation entre ensembles discrets, elle est généralisable de façon naturelle à des ensembles non discrets comme dans
Beaucoup de ce gâteau (est resté).

Cette relation formelle est cependant plus difficile à utiliser dans le cas de noms abstraits où elle perd de son sens, encore qu'une intuition d'inclusion subsiste :

Beaucoup de son courage (a disparu).

Notons une limitation apparemment structurelle et non pas distributionnelle à placer sur cette contrainte :

Si nous considérons les formes

(certains + beaucoup) de la bande
le chef de la bande
les petites filles du groupe

elles s'interprètent toutes avec la relation d'inclusion ensembliste :

$$\{ \text{certains} \} \underset{\neq}{\subseteq} \{ \text{bande} \}, \{ \text{chef} \} \underset{\neq}{\subseteq} \{ \text{bande} \}, \{ \text{petites filles} \} \underset{\neq}{\subseteq} \{ \text{groupe} \}$$

Dans la position *de GN* nous avons un nom collectif *Ncoll*. Cependant, ces constructions diffèrent de celles à complément de définition par les caractères suivants :

— le nom collectif peut être indéfini

certains d'une bande
le chef d'une certaine bande

alors que les noms au pluriel dans la même position ne pouvaient l'être,

— l'intuition que les formes

Dét de GN = beaucoup du groupe + certains de la bande

sont elliptiques, mais pas les autres, est confirmée par l'existence des formes

beaucoup d'enfants du groupe
certaines petites filles de la bande

où *de Ncoll* n'est pas en distribution complémentaire avec *de GN*, mais peut s'y adjoindre, donc avec une structure comme

beaucoup de (N enfants du groupe)

— les relations, entre *GN* et *Dét* d'une part, entre *Ncoll* et *Dét* d'autre part ont des paraphrases différentes :

La bande comporte un chef
Le groupe comporte des petites filles
* *La bande comporte (certains + beaucoup).*

Toutefois dans

Celui de la boite qui tombera (se cassera)
Celui du groupe qui viendra (sera content)

il semble bien que le *Nd* ou le *Ncoll* soit analogue à *(de) GN déf,plur*. En particulier la relative est obligatoire. Notons cependant que l'interprétation du pronom démonstratif est spéciale, elle est voisine de celle d'indéfinis humains comme *les choses, les personnes*. Cette interprétation apparaîtra mieux par contraste avec les formes à *Modif* omis qui sont nettement différentes :

Celui du groupe (sera content).

Notons encore les formes difficiles à analyser

Certain pâtissier de mes amis (est venu)
Certaines personnes de mes amies (sont venues)
Quelques personnes de mes amies (sont venues).

126

La relation d'inclusion y est nettement perçue, mais une absence de *Modif* les rend différentes des formes générales. De plus, le choix des mots *(ami(e)s)* paraît restreint de façon singulière, et le possessif est obligatoire (Stéfanini, communication personnelle).

Rappelons que nous avons autorisé (I, 4.1) les pronoms *eux, elles* dans la position *GN déf,plur*. Leur interprétation est alors coréférentielle, ce qui nous permet d'analyser la référence d'inclusion selon la dérivation suivante : La source

DES ENFANTS sont venus, beaucoup de LES ENFANTS QUI PRÉCÈDENT étaient contents

fournit par la règle *Modif* → *E* et par effacement de *LES*

* *DES ENFANTS sont venus, beaucoup de ENFANTS étaient contents*

par la substitution lexicale *N* → *LUI*, on obtient alors

* *DES ENFANTS sont venus, beaucoup d'EUX étaient contents*

et par effacement de *d'EUX*

Des enfants sont venus, beaucoup étaient contents

dont l'interprétation est telle que { *beaucoup* } est un sous-ensemble de { *Des enfants* }. Notre analyse rend compte de cet effet référentiel particulier en termes de coréférence et de la relation d'inclusion figurant dans

Dét de GN déf,plur = beaucoup des enfants.

La même forme d'analyse nous permet d'expliquer une interprétation de référence lexicale superposée à la précédente et qui se présente avec de nombreux *Dét* et avec les pronoms démonstratifs. Considérons les discours

Max a acheté des lits, Luc en a vendu beaucoup
Max a acheté des lits, Luc a vendu ceux que tu vois.

Ils sont ambigus de la façon suivante :

— une première interprétation est celle de la référence d'inclusion. Ces discours sont alors respectivement synonymes de

Max a acheté DES LITS, Luc a vendu beaucoup d'entre EUX
Max a acheté DES LITS, Luc a vendu ceux d'entre EUX que tu vois

et la dérivation précédente s'applique ;

— une seconde interprétation est celle de la référence lexicale : *beaucoup, ceux que tu vois* sont interprétés comme des ensembles de lits sans relation avec l'ensemble *Des lits* du premier membre. Les dérivations de ces interprétations seront les suivantes : Une forme de base sera

Max a acheté des lits, Luc a vendu beaucoup de lits

par la substition pronominale nous obtenons

* *Max a acheté des lits, Luc a vendu beaucoup d'eux.*

Nous avons justifié cette forme intermédiaire, à laquelle s'applique la règle de formation du *en* qui fournit l'interprétation cherchée de

Max a acheté des lits, Luc en a vendu beaucoup.

Nous appliquons la même dérivation aux *GN* à pronoms démonstratifs. Nous utilisons une forme de départ analogue à la précédente, mais qui n'est pas directement attestée :

Max a acheté des lits, Luc a vendu ceux de lits que tu vois.

Cette forme n'est pas acceptée en français standard, elle est courante, mais populaire. Plus courante encore est la forme avec détachement du *de N* :

Max a acheté des lits, Luc a vendu ceux que tu vois ≠ de lits

Notons que cette forme ne semble avoir que l'interprétation où les lits achetés et les lits vendus n'ont pas de relation, autrement dit *de N* et *de GN déf,plur* sont bien complémentaires. Nous poursuivons la dérivation de la même façon que dans le cas précédent en appliquant la substitution pronominale :

* Max a acheté des lits, Luc a vendu ceux d'eux que tu vois

et la règle d'effacement du *de LUI* fournit

Max a acheté des lits, Luc a vendu ceux que tu vois.

Nous avons donc été amené à autoriser *de N* dans la même position de complément que *de GN déf,plur*. Deux raisons essentielles nous y ont conduit, d'une part l'existence des formes populaires où *de N* est attesté, d'autre part le désir d'analyser la référence lexicale de la même façon qu'avec les *Dind*. Nous unifions ainsi les formes de compléments de définition déjà rencontrées. Rappelons à ce propos qu'avec certains *Dét* le complément de définition a la forme *de GN déf,sing* (I, 4.1).

2.2 Le pronom démonstratif

Il est composé de *ce* et du pronom *lui* ou de l'une de ses variantes en genre et nombre : *elle, eux, elles.*

Nous ferons l'hypothèse que le *ce* est celui de la série des adjectifs démonstratifs. Nous devons par conséquent considérer qu'il ne s'accorde pas en genre et en nombre avec le pronom qui le suit (alors qu'il s'accorde avec le nom qui le suit). Il ne s'effectue pas non plus de liaison en *t* avec la forme qui suit *ce*. Nous devrons rendre compte de ces particularités.

Le pronom sera celui que l'on observe dans d'autres contextes et avec des interprétations différentes, comme par exemple dans

Luc pense à (lui + elle + eux + elles).

La communauté de forme s'expliquera par le fait que la règle *N → LUI* s'applique dans tous les cas, et les différences de sens proviendront des différences de source et de traitement des autres parties du *GN* de base. Ainsi, dans le dernier exemple, un *Modif* coréférentiel aura été effacé, ce qui n'est pas le cas avec les pronoms démonstratifs.

Le *ce* est encore observé dans

Max a acheté DES LITS. CE sont les moins chers qu'il ait vus.

La coréférence sera décrite dans notre cadre général, c'est-à-dire au moyen d'une dérivation qui comportera l'étape :

Max a acheté DES LITS. Ce LUI plur sont les moins chers qu'il ait vus

à la suite de laquelle le pronom *LUI* sera effacé. Notons qu'à partir de la même forme il est parfois possible d'effacer *ce*, et alors de convertir *LUI* en *il*, ce qui donne un discours synonyme du précédent :

Max a acheté DES LITS. ILS sont les moins chers qu'il ait vus.

La même analyse apparentera les formes

comme il sera précisé et *comme ce sera précisé.*

Il est également possible d'analyser le *ce* des constructions à extraction de façon analogue.

La présence du pronom *lui (elle, eux, elles)* après *ce* pose cependant une question. Nous analysons *lui* comme provenant d'un *N*, mais dans des formes comme

celui des lits qui est arrivé (est long)

il n'est pas possible de rétablir le *N* qui pourtant est sémantiquement clair : *N = lit* ; on obtiendrait en effet

* *ce lit des lits qui est arrivé (est long).*

Par contre, dans la forme voisine (sans complément en *de*)

celui qui est arrivé (est long)

le *N* source pourrait être attesté comme dans

ce lit qui est arrivé (est long)

où la relative serait restrictive. Nous aurions donc *a priori* deux formes de dérivations pour des pronoms apparemment identiques.

Cependant la relation d'inclusion entre { *celui* } et { *GN déf,plur* } suggère une autre dérivation de *lui*. Cette relation sémantique est telle que lorsque le *GN déf,plur* est déterminé (ou sélectionné, ou introduit dans la phrase), la position occupée par *lui* est formellement définie : comme elle correspond à un sous-ensemble de *GN déf,plur*, elle doit être représentée par un *N* identique au *N* principal du *GN déf,plur*. Le premier de ces *N* sera au singulier ou au pluriel, selon que le sous-ensemble correspondant est de cardinalité supérieure ou égale à 1 :

ce cheval de ces chevaux...
ce chevaux de ces chevaux...

La substitution pronominale *N → LUI* s'appliquera à ces formes conduisant à

celui de ces chevaux...
ceux de ces chevaux...

La relation sémantique et cette dérivation ont pour conséquence mécanique l'accord en genre observé entre le pronom et le *GN déf,plur* :

* *celle(s) de ces chevaux*
* *(celui + ceux) de ces juments.*

D'une façon plus formelle, nous aurons la dérivation suivante : la forme de départ est

ce Ng,n de Ddéf Ng,plur..., { Ng,n } ⊂ { Ng,plur }

où *g* et *n* sont des marques de genre et nombre respectivement. Cette représentation est conforme à notre description non marquée du *ce*. L'application de la substitution pronominale fournit alors

ce LUIg,n de Ddéf Ng,plur...

La substitution a exactement la forme *N → LUI* dans la mesure où elle opère en laissant invariants le genre et le nombre. Des opérations d'ajustement morphologique fournissent ensuite les formes *eux* et *elle(s)*.

129

Ces règles opèrent de la même façon, lorsqu'au lieu d'un *GN déf,plur* c'est un *N* sans *Dét* qui figure dans le complément en *de*. Dans ce cas, ce n'est plus la relation d'inclusion ensembliste qui lie les deux *N*, mais une identité portant aussi sur le nombre. Cette relation est attestée par les exemples suivants du français familier :

> *Celui-là ≠ de cheval est tombé*
> * *Celui-là ≠ de chevaux est tombé*
> *Ceux-là ≠ de chevaux sont tombés*
> * *Ceux-là ≠ de cheval sont tombés.*

Nous pouvons maintenant revenir sur la description de la référence lexicale des pronoms démonstratifs qui a été mentionnée en III, 2.1. Elle pourrait paraître moins simple en apparence que celle qui a été esquissée en III, 1.2. Celle-ci ne faisait que faciliter la présentation, elle consistait à appliquer la substitution pronominale à des formes comme

> *ce N Modif = ce lit que tu vois*

ce qui fournissait

> *ce LUI Modif = celui que tu vois.*

Mais cette dernière opération aurait alors lieu en l'absence de tout complément de définition. Il faudrait en effet la distinguer de l'opération qui a lieu pour d'autres raisons (inclusion ou identité) en présence de *de (GN déf,plur + N)* et qui fournit

> *Celui de ces lits que tu vois (est long).*

Une telle solution nécessiterait donc de nouvelles conditions contextuelles au déclenchement de la référence lexicale. Il existerait dans cette hypothèse deux types de formes de base :

> *ce N Modif et ce N de (GN + N) Modif*

et le pronom démonstratif serait obtenu différemment dans ces deux cas. Il nous semble nettement préférable d'adopter une solution avec forme de base unique *ce N de (GN + N) Modif* dont sera dérivée l'autre forme par effacement de *de LUI*. D'une part l'hypothèse de cette forme *de LUI* régularise la base, et son effacement est nécessaire dans les deux solutions pour rendre compte de la référence d'inclusion. D'autre part, le pronom démonstratif reçoit alors une description unique qui ne nécessite plus de conditions contextuelles variables selon la présence ou non du complément de définition, présence dont il faudrait d'ailleurs déterminer les conditions si elle n'était pas obligatoire.

2.3 *Le modifieur* (Modif)

Il se présente en général comme une proposition relative dont le pronom est quelconque :

> *ce lui Modif*
> *= ce lui (où + à qui + auquel + dont + duquel) je parle.*

D'autres formes de *Modif* sont également observables quoique parfois considérées comme stylistiquement lourdes :

— des compléments de nom à préposition variable :

Celle à manches (convient)
Celui de (Max + Paris) (convient)
Ceux (sur + dans) la boîte (conviennent), etc.

— des participes passés

Ceux arrivés la veille (conviennent)
Celui bu par Max (convient)

— des participes présents

Ceux présentant ce défaut (ne conviennent pas)

— des adjectifs en *-able (-ible)*

Ceux (acceptables + risibles) (arrivent)

mais des adjectifs dits simples paraissent exclus :

* Ceux (rouges + intelligents) (arrivent).

Il semble en être de même pour certains participes dits adjectivaux :

? * Ceux (détestés + amusants) (arrivent).

Un certain nombre de ces formes seront analysées comme des réductions de relatives par la règle *qui est* → *E* appliquée respectivement à

celle qui est à manches
celle qui est de Paris
ceux qui sont (sur + dans) la boîte
ceux qui sont (acceptables + risibles)
ceux qui sont arrivés la veille
celui qui (est + a été) bu par Max

(notons que les auxiliaires *être* des derniers exemples ne sont pas de même nature, en principe)

— des complétives ou des infinitives réduites correspondantes (Gross 1968). Nous observons par exemple :

Max a une impression banale : celle qu'on l'observe
Max a donné à Luc l'habitude d'écrire le soir, et à Eva celle de lire le matin.

Le cas des compléments de nom *de GN* les plus généraux (III, 3.4) présente un problème de source non résolu, encore que la plupart des auteurs considèrent qu'ils ont également leur source dans une relative, par exemple *que Max possède* ou *que Max fait* (Giry 1977 ; Gross 1975 ; Labelle ; Meunier 1977).

Le participe présent devrait dériver directement d'une relative pour certains verbes :

qui présente
= présentant

puisque la forme * *qui est présentant* est difficile à justifier. Notons par contre que pour les verbes comme *amuser* nous avons bien la relation (Gross 1975)

Il amuse Max
= Il est amusant pour Max

qui permet la dérivation

celui qui amuse Max
→ celui qui est amusant pour Max
[qui T être z.] *→ celui amusant pour Max*

et cette forme est nettement plus acceptable que la forme sans le complément en *pour*. Cette remarque paraît avoir une certaine généralité (Ronat), elle pose le problème de la délimitation du champ d'application de la règle d'efface-ment de *qui est*.

Les particules *ci* et *la* (nous ne distinguons pas la variante orthographique *là*) jouent ici le même rôle que les *Modif* que nous venons d'examiner :

Celui (ci + la) (convient).

Rappelons que *celui-ci* et *ceux-ci* peuvent être coréférents à un antécédent, mais pas *celui-la*, *ceux-la*[8]. Ces particules jouent un rôle mal compris dans les relations de référence, nous les retrouverons avec *ce N* (III, 4.1) et avec les relatives sans antécédents (III, 4.4). Notons déjà qu'on ne peut pas affirmer d'emblée que ce ne sont que des *Modif*, elles sont en effet incompatibles avec le complément de définition :

* *Celui d'entre eux (ci + la) convient.*

Cependant, l'analyse que nous avons faite de la référence d'inclusion et de la référence lexicale nous conduit à postuler l'existence du complément de défi-nition dans les formes de départ. Les discours

Max a acheté des lits, celui-(ci + la) convient

étant interprétables avec *celui-(ci + la)* partie des *lits* du premier membre, la dérivation de ces pronoms sera

$$* \; \textit{celui des lits (ci + la)}$$
$$= * \; \textit{celui d'eux (ci + la)}$$
$$= \quad \textit{celui-(ci + la).}$$

Nous observons d'ailleurs des incompatibilités du complément de définition avec des *Modif* autres que les relatives, avec les compléments de nom dits géni-tifs :

* *celui d'entre eux de Max*
* *celui de Max d'entre eux*

par contre dans les autres cas les acceptabilités sont variables :

? *Celle d'entre elles à manches (convient)*
? *Ceux d'entre eux arrivés la veille (conviennent)*
? * *Ceux d'entre eux (acceptables + détestés) arrivent,* etc.

Ainsi, nous pourrons avoir à postuler un complément de définition sous-jacent pour rendre compte de certaines interprétations comme nous l'avons fait avec *ci* et *la*, et de formes familières avec *de N* détaché, par exemple dans

Max a celle de se laver le soir # d'habitude
Max aime les livres de maths, Luc aime ceux de chimie # de livres.

---

8. Toutefois dans un dialogue comme

— *Max a encore fait des bêtises*
— *Celui-la commence à m'agacer*

on pourrait considérer qu'il y a coréférence entre *celui-la* et *Max*. Cependant l'interprétation du pro-nom semble particulière, on aurait *celui-la = ce type-la* ou une équivalence de ce genre. Une autre particularité de *celui-la* est que dans les formes populaires du type

Je connais (celui-la + çuila) qui est venu

la relative apparaît comme restrictive, ce qui suggérerait une lexicalisation du pronom.

3 Groupes à article défini

3.1 *Groupes* Artd N Modif

Nous avons vu en III, 1.1, remarque 3 que dans le cas défini non générique, la forme générale était

$$GN = \textit{Artd N Modif}$$

et que les cas où *Modif* = *E* en étaient dérivés. Nous avons également rappelé en III, 2 que les formes

et
$$\textit{ce lui Modif (= celui que tu lis)}$$
$$\textit{le N Modif (= le livre que tu lis)}$$

étaient sémantiquement identiques, et qu'elles ne différaient que par la règle *N → LUI (livre → lui)*. Cette observation nous conduit à relier les deux familles de formes par des transformations, et à préciser leurs relations mutuelles. C'est ainsi que nous constatons que *Artd N Modif* ne donne pas lieu à la référence d'inclusion : dans

Max a acheté des lits, Luc a vendu le lit que tu vois

le lit n'a pas de rapport avec *des lits*. De ce point de vue, la forme à pronom démonstratif la plus proche de la forme à *Artd* s'observe dans

Max a acheté des lits, Luc a vendu celui que tu vois # de lit.

La différence entre ces deux discours ne réside guère que dans le caractère familier de la forme avec *de lit* détaché. D'une manière générale, on peut attribuer à l'application de [détach] l'apparition de cet élément familier (Gross 1968). En conséquence, on doit supposer que la forme de base à laquelle [détach] s'est appliqué comportait cet élément ; cette forme de base *celui de lit que tu vois* doit alors être exactement synonyme de la forme dérivée *le lit que tu vois*. Nous ferons donc l'hypothèse que la forme démonstrative est la source de la forme en *Artd* :

$$\textit{celui de lit que tu vois}$$
$$= \textit{le lit que tu vois.}$$

Le parallèle morphologique suggère d'associer pronom démonstratif et article. Il est alors nécessaire de disposer des règles suivantes que nous avons discutées ailleurs (Gross 1968) :

— [*ce* z.] ; cet effacement du *ce* est vraisemblablement à relier à d'autres réductions formellement analogues ;

— [*de* z.] ; on peut rapprocher cet effacement d'autres observés dans la même position, par exemple dans

$$\textit{(Max utilise) le terme d'article}$$
$$= \textit{(Max utilise) le terme article.}$$

Il existe de nombreux contextes où cette préposition est effacée et nous en mentionnerons d'autres dans cette étude. Cependant la structure et la nature lexicale des contextes où l'effacement se produit sont telles qu'il ne semble pas permis de parler de l'application d'une règle unique *de → E* ;

— réduction du pronom et ajustements morphologiques ; nous écrirons

$$\textit{LUI → L}$$

133

cette règle opère indépendamment de la présence éventuelle de marques de genre et nombre. Nous la formulons ici sur des éléments abstraits, mais elle a la contrepartie phonologique

$$lui \rightarrow le$$

qui nous servira souvent de notation équivalente. A la suite de cette règle, les ajustements suivants ont lieu :

$$L\ fém \rightarrow la$$
$$L\ (E + fém)\ plur \rightarrow les.$$

Rappelons que nous avons en fait *fém* = -*v* (une voyelle) et *plur* = -*s*, notre notation étant purement mnémonique. Ces règles sont encore justifiées par l'analyse des pronoms préverbaux (Gross 1968, chapitre II), elles permettent par exemple de rapprocher les deux séries de formes

Max ne voit que (lui + elle(s) + eux)
Max (le + la + les) voit.

Nous aurons alors des dérivations du type

	→ *ce lit-s de lits qui sont ici*
N → LUI	→ *ce LUI-s de lits qui sont ici*
[de z.]	→ *ce LUI-s lits qui sont ici*
[ce z.]	→ *LUI-s lits qui sont ici*
[réduction]	→ *L-s lits qui sont ici*
[ajustement]	→ *les lits qui sont ici.*

Il est important de noter que les accords entre articles et noms sont la conséquence mécanique de la contrainte d'identité des *N* dans la forme de départ. Nous avons donc unifié les phénomènes d'accord des pronoms démonstratifs (III, 2.2) et ceux de l'article défini.

Remarquons que la réduction à l'article interdit la présence des particules *ci* et *la* qui proviennent du *Modif.* Toutefois, *la* est accepté, au moins dans des formes populaires : *L'homme là a fait cette chose* ; *ci* est entièrement exclu.

Dans une large mesure, cette dérivation reflète le développement historique de l'article défini à partir de l'ancien français et du latin où certaines de nos formes intermédiaires étaient attestées. Signalons à ce propos que nous n'avons pas justifié l'ordre des règles qui a été présenté dans la dérivation. Le choix d'un ordre est actuellement difficile à opérer, mais l'introduction de considérations diachroniques pourrait conduire à résoudre cet éventuel problème.

La solution que nous venons de mettre en œuvre supprime pour les formes *le, la, les* l'appartenance aux deux catégories lexicales disjointes : articles et pronoms ; *le, la, les* ont reçu une description unique et sont en un sens des pronoms dans tous les cas, mais cette description ne peut être complète que si toutes les occurrences de *le, la, les* sont traitées de façon uniforme. Nous examinerons donc un certain nombre d'autres utilisations de ces éléments lexicaux dans le but de vérifier dans quelle mesure notre analyse leur est généralisable.

3.2 *Groupes interrogatifs en* quel

Nous analyserons aussi bien les pronoms des questions directes que ceux des questions indirectes, c'est-à-dire

Lequel de vos amis est arrivé ?
Je me demande lesquels d'entre ces lits Max a acheté

et nous ne distinguerons pas ici ces formes des *Dadj* et *Dnom* discutés en II, 5.

Une première remarque porte sur les réponses associables aux questions. Nous pouvons répondre à la question directe ci-dessus par

Celui que je vous ai présenté hier.

L'association de ce *GN* à pronom démonstratif avec le *GN* interrogatif est significative dans la mesure où cette même réponse n'est pas acceptée pour la question analogue en *qui*

Qui est arrivé ?

nous interpréterons cette observation comme confirmant un parallélisme entre les deux types de *GN*.

L'étude du complément de définition montre qu'il peut être constitué de *de N* puisque nous avons

Lequel as-tu acheté ≠ de lit ? (familier)

ou bien de *de GN déf,plur.* Mais nous observons aussi

Lequel de Max ou de Luc as-tu vu ?

alors que

∗ *Lequel de Max et de Luc as-tu vu ?*

Autrement dit, une disjonction et non pas une conjonction de deux *de GN déf, sing* fonctionne comme un *de GN déf,plur* ce qui est tout à fait inhabituel du point de vue de la logique usuelle de *et* et de *ou*. Cette disjonction semble moins acceptable avec les pronoms démonstratifs sans toutefois être exclue.

La relation d'inclusion ensembliste

{ *le* } ⊂ { *GN déf,plur* }

est celle que nous avons définie (III, 2.1), avec sa conséquence pour l'accord en genre des deux termes.

Quel apparaît comme un *Modif* (II, 5), en effet les *Modif Adj* ou *Rel* sont difficilement compatibles avec *quel* :

? ∗ *Lequel qui a fait cela as-tu vu ?*

Dans ces conditions, la dérivation de ces pronoms interrogatifs aura la forme suivante

ce lui de GN Modif
→ ∗ *ce lui de GN quel*
→ ∗ *ce lui quel de GN*
[*ce z.*] → ∗ *lui quel de GN*
→ *le quel de GN.*

Cette dérivation nécessite une permutation spéciale du *Modif quel* (II, 5).

Il existe encore une forme générale de pronom interrogatif : *quel N*, employée par exemple dans

Quel lit achèteras-tu ?

Cette forme ne semble pas pouvoir présenter de référence d'inclusion. Elle est synonyme de

Lequel ≠ de lit achèteras-tu ? (familier).

Sa dérivation pourrait alors être la suivante :

celui de N Modif
→ * *celui de N quel*
→ * *celui quel de N*
[*de* z.] → * *ce lui quel N*
[*ce* z.] → * *lui quel N*
[*lui* z.] → *quel N.*

Nous analyserons le cas particulier (Ruwet 1975) des formes en *quel* observées avec le verbe *être* à partir de ces dernières constructions, ainsi

Quel est l'homme qui était ici ?

proviendra d'une forme comme

Quel (homme + personne) est l'homme qui était ici ?

(ces dernières formes sont ambiguës avec *quel homme = quelle sorte d'homme*).

3.3 *Pronoms relatifs en* quel

Ce sont les pronoms de

Le lit auquel je pense est large
Max a acheté un lit dans lequel je dors.

Ils n'existent que dans les positions prépositionnelles. Nous observons bien

Un lit, lequel est très large, est arrivé hier

qui pourrait faire penser aux relatives non restrictives, mais l'existence de formes parallèles (vieillies) comme

Un lit, lequel lit est très large, est arrivé hier

où le *N* n'a pas disparu suggère que les formes *lequel (E + lit)* sont apparentées à des pronoms, et que nous avons affaire ici à des incises plutôt qu'à des relatives, ce que confirme l'existence des formes associées

Un lit est arrivé hier, lequel (E + lit) est très large

se présentant comme des formes conjointes ; nous n'avons pas d'explication pour la limitation des pronoms à la seule position « en tête de phrase » ; il semble que nous observions en effet des contrastes comme

? *Un lit est arrivé hier, lequel lit j'ai acheté peu cher*
* *Un lit est arrivé hier, j'ai acheté lequel lit peu cher.*

Ces formes particulières seront dérivées de la forme de base

ce lui de N Modif

par les règles [*ce* z.], [*de* z.], réduction de *LUI*, et *Modif → quel* (coréférentiel).

La forme générale sera dérivée de la même source, soit

Prép ce lui de N Modif.

Lors de la formation d'une relative, il s'établit une coréférence entre le pronom relatif et l'antécédent. Cette relation est en partie représentée par la règle *Modif → quel* (coréférentiel). Notons que comme dans les autres cas de coréférence examinés, il y a exclusion entre référence d'inclusion et coréférence, ce qui pourrait rendre compte de l'impossibilité d'avoir un complément *de GN déf, plur* avec ces pronoms. Nous n'observons pas non plus semble-t-il la forme *de N* familière :

> ? * *Le lit auquel je pense* ≠ *de lit est large*

de N ne peut donc pas apparaître pour la même raison.

Les autres règles s'appliquent de façon régulière.

Remarques :

1) L'analyse distributionnelle des pronoms relatifs (Bonnard 1961 ; 1966 ; Dubois 1965 ; Moignet) fournit les résultats suivants :

a) avec antécédent substantival ou pronom démonstratif :

— en position sujet :	*qui*
— en position objet direct :	*que*
— en position indirecte *de* :	*dont*
pour les *Nhum* :	*qui*
n'est guère acceptable :	*lequel*
— dans les autres positions prépositionnelles :	*lequel*
pour les *Nhum* :	*qui*

b) avec antécédent *ce* :

— en position sujet :	*qui*
— en position objet direct :	*que*
— en position indirecte en *de* :	*dont*
n'est guère acceptable :	*quoi*
— dans les autres positions indirectes :	*quoi*

Il n'y a donc pas lieu de séparer ces pronoms en définis et indéfinis, d'après leur forme. Nous constatons alors qu'abstraction faite de la morphologie, nous avons affaire à deux séries complètes dont la seule irrégularité réside dans la possibilité de particulariser les pronoms humains après *Prép* dans le cas *a*).

2) Contrairement à l'opinion répandue par les études traditionnelles et génératives, la possibilité pour un *GN* de comporter une relative dépend de la position syntaxique du *GN* et de son contenu lexical, situation analogue donc à la possibilité d'apparition d'une complétive. Ainsi, *idée*, *esprit* n'auront pas de relative dans

> *Ceci m'est venu à l'(idée + esprit)*

et il en va de même pour des exemples de V, 4. Notons encore

> ? * *Je lui ai raconté l'histoire qui est bizarre.*

3) Le dernier exemple donne lieu à une observation des plus générales. La distinction entre sens défini et indéfini constitue un cas classique d'utilisation d'intuitions absolues de sens. Ces intuitions s'observent sur des paires comme

(1)   *J'ai lu les livres*
(2)   *J'ai lu des livres*

— *les livres* est « défini », ou « déterminé », ou « possède un référent dans le monde extérieur localisable pour le destinataire de (1) » ;

— *des livres* est « indéfini », « son référent n'est pas localisable pour le destinataire de (2) ».

C'est cette différence qui sert de fondement à la distinction. Bien entendu, nous ne souscrivons en aucune manière à de telles procédures de définition, et les nôtres, qui usent de la même terminologie, sont rigoureusement extensionnelles.

Considérons maintenant les phrases

(1a) *J'ai lu les livres que Max m'a donnés*
(2a) *J'ai lu des livres que Max m'a donnés*

elles diffèrent des précédentes par l'adjonction d'une relative, déterminative en principe. Mais l'opposition de sens a disparu, les deux phrases sont pratiquement synonymes. On ne peut donc plus parler du sens défini ou indéfini de déterminants pris isolément, puisque leur interprétation dépend de la présence d'un modifieur et de sa nature. Ainsi, les phrases

(1b) *J'ai lu les livres (rouges + bien écrits)*
(2b) *J'ai lu des livres (rouges + bien écrits)*

présentent la même différence que (1) et (2). Cette situation est anormale si l'on fait l'hypothèse habituelle selon laquelle des relatives sont les sources des adjectifs et participes, soit ici

(1c) *J'ai lu les livres qui sont (rouges + bien écrits)*
(2c) *J'ai lu des livres qui sont (rouges + bien écrits).*

En effet, les sources (1c) et (2c) ne présentent pas le parallélisme observé entre (1a) et (2a). Nous voyons donc que ce n'est pas seulement la nature formelle des modifieurs qui est en cause mais leur nature sémantique (Chapitre V, § 3.1). Remarquons encore que les formes (1c) sont quasi inacceptables, ce qui pose le problème de la source de (1b) sans le poser pour la source de (2b) qui est bien synonyme de (2c).

4) La distinction entre relative et complétive peut être complexe à cerner dans des cas dont l'extension est encore inconnue, faute d'études. Considérons la construction

Le temps que Max vienne, le travail sera fini

que Max vienne s'y présente comme une complétive *que Psubj.* Cependant, on observe l'interdiction

* *Le temps que Max vienne aujourd'hui, le travail sera fini.*

La façon la plus aisée d'en rendre compte est de considérer *que Max vienne* comme une relative où *que* est pronom relatif pour le complément de temps. Notons que cette relative est réductible à la façon d'une complétive :

Le temps de venir, le travail sera fini.

5) Les relations entre relatives et infinitives en *à* du type

Max partira dans les jours qui viennent
= *Max partira dans les jours à venir*

restent à étudier.

3.4 *Groupes Possessifs*

Ces constructions présentent un certain nombre de difficultés d'analyse[9]

---

9. Langacker a proposé une analyse des possessifs parmi bien d'autres envisageables, une critique, parmi d'autres possibles, en a été faite par Schmitt-Jensen.

qui tiennent surtout au fait que les constructions *GN de GN* considérées comme les formes de base des possessifs ont une grande variété de sources. Leur étude comporte en grande partie l'étude des nominalisations que nous aborderons en V, 4.

Nous examinerons surtout ici quelques-unes de leurs propriétés morphologiques. Nous considérerons ainsi des sources générales comme

$$ce\ N\ de\ (N + GN\ d\acute{e}f,plur)\ de\ GN$$

et, à partir d'elles, des dérivations du type

     * *ce lit de lit de Max*
→ * *ce lui de lit de Max*
→   *celui de Max* ≠ *de lit* (familier).

En poursuivant, nous obtiendrons encore

[*de z.*]   → * *celui lit de Max*
[*ce z.*]   → * *lui lit de Max*
[réduction] → * *le lit de Max.*

Lorsque dans la forme de départ *Max* est pronominalisé (coréférence) par une règle du type

$$de\ Max \rightarrow (son + sien)\,[10]$$

nous obtenons

$$*\ ce\ lui\ de\ lit\ (son + sien)$$

et par une permutation analogue à celle de *quel*

$$ce\ lui\ (son + sien)\ de\ lit.$$

A partir de ces formes nous avons deux possibilités qui conduisent

— l'une aux adjectifs possessifs :

                 * *ce lui son de livre*
[*de z.*]   → * *ce lui son livre*
[*ce z.*]   → * *lui son livre*
[réduction] → * *le son livre*
[*le z.*]   → * *son livre.*

Notons bien que le *N (livre)* du complément de définition reste en place, ce qui interdit à la fois la référence d'inclusion et l'existence de formes familières avec *de N* extrait, ce que nous observons effectivement.

Nous précisons [*le z.*] en indiquant que cet effacement laisse en place les marques de genre et nombre de *livre*, ce qui permet d'accorder l'adjectif possessif avec *livre*. Nous retrouverons avec les pronoms possessifs ce type d'accord anormal en un sens, puisque le genre de l'adjectif est indépendant de celui de sa source ;

— l'autre aux pronoms possessifs. Dans ce cas, une pronominalisation supplémentaire a lieu qui porte sur *lit*, plus précisément sur le complément de définition. Ainsi, à la forme de départ

$$ce\ lui\ sien\ de\ (N + GN\ d\acute{e}f,plur)$$

10. D'autres règles du même type introduiront les autres pronoms :
        de nous → *nôtre, de eux* → *leur*
nous n'analyserons pas plus en détail ces processus morphologiques en partie examinés dans Gross 1968, chapitre II.

on appliquera des règles de substitution et de réduction (en particulier *de LUI → E)* qui, selon les cas, rendront compte de la référence lexicale ou de la référence d'inclusion que présentent les pronoms possessifs. Leur forme exacte est obtenue par la dérivation

$$\text{[ce z.]} \quad \begin{array}{l} * \textit{celui sien} \\ \rightarrow \quad * \textit{lui sien} \\ \text{[réduction]} \rightarrow \quad \textit{le sien} \end{array}$$

et nous constatons bien l'existence de formes familières à référence lexicale comme

Max a acheté le sien ≠ de lit.

Remarques :

1) Ici aussi les dérivations proposées passent par des étapes intermédiaires correspondant à des formes attestées en diachronie.

2) Les pronoms possessifs présentent un accord anormal en genre (il n'est pas clair qu'il y ait accord en nombre). Considérons la forme *la sienne,* le *la* y est le substitut d'un *N* obligatoirement féminin singulier, ce qui est normal. Par contre, la partie *sienne* qui, contrastée avec la forme *sien* est considérée comme au féminin, peut être le substitut d'un *N* masculin *(sienne* pourra correspondre à *ce garçon* dans *la montre de garçon).* Il se pose donc le problème de rendre compte de ce type d'accord dans le même cadre que celui que nous utilisons pour les autres accords en genre et nombre. Nous pourrions envisager que lors de l'effacement de *de LUI* la marque vocalique du féminin reste en place, on aurait

$$\begin{array}{l} \textit{LUI-v sien de LUI-v} \\ \rightarrow \textit{LUI-v sien-v} \end{array}$$

puis réduction et ajustement *(sien-v → sienne).* Cette solution rendrait compte de l'observation. Notons que les formes avec détachement obéissent aux mêmes règles :

La sienne ≠ de montre.

Dans ce cas, le détachement se fait par duplication du *de N* dont une occurrence est effacée laissant en place sa marque de genre. Les relations d'accord de la forme vieillie *la sienne montre* nécessitent alors une duplication du *N,* mais sans détachement.

3) Nous considérons un *GN* tel que *son lit* comme défini pour les raisons suivantes :

— le *Ppv* objet direct associé est *le (la, les)* :

Max voit son lit
= Max le voit ≠ son lit.

La présence du pronom *le* révèle un *lui* sous-jacent au *GN,* ce qui renforce notre analyse (déjà celle de Beauzée) puisque dans ce cas le détachement se fait obligatoirement par duplication ;

— le possessif apparaît dans des formes superlatives *(son plus petit lit)* qui, autrement, comporteraient l'article défini *le* (Martinon).

Notons toutefois que certains possessifs peuvent être associés à des indéfinis, ce que l'on voit sur des formes vieillies comme *un sien lit.*

4) Il existe des articles définis qui ont clairement le sens possessif. Dans

Max a blessé Luc à la tête
Luc a montré Max du doigt

la et *le* se réfèrent obligatoirement à *Luc* et non pas à *Max*. Nous les considérerons comme issus de la même dérivation que les adjectifs possessifs, mais au lieu d'appliquer [*le* z.] à la dernière étape, nous appliquerons [*son* z.] (ou, de façon équivalente, l'effacement du *de N* source de *son*). Cette variante morphémique apparaît comme déclenchée par des conditions lexicales et structurelles particulières : par exemple avec les noms de partie du corps et pour des positions respectives de l'antécédent et du possessif fixes et prédéterminées (Boons, Guillet, Leclère 1976-I).

4 Groupes à adjectif démonstratif

4.1 *Groupes nominaux démonstratifs*

Nous avons déjà mentionné des propriétés de leur *Modif* (III, 1.1), nous examinerons ici leur dérivation à partir de la forme générale

ce N de (N + GN) Modif.

L'effacement du *Modif* permet, comme nous l'avons indiqué, d'établir la coréférence avec un *GN* placé à la gauche.

Les formes *ce N* seront obtenues par effacement de l'un des *N*. Nous n'utiliserons pas la forme *de GN déf,plur* dans leur source, la raison en est que nous n'observons pas de référence d'inclusion : nous n'avons pas de formes comme *cet homme d'entre eux* et dans des discours comme

Des enfants sont arrivés, cet enfant s'est assis

il n'y a pas de relation de référence d'inclusion entre les deux *GN*.

Nous devons donc dériver les formes *ce N* de formes *ce N de N*, soit en effaçant *de N* (éventuellement le *de LUI* dérivé), soit en effaçant le premier *N* et *de*. Le traitement de l'accord en genre et nombre nous oriente plutôt vers cette deuxième solution, nous avons en effet la représentation de départ

ce Ng,n de Ng,n

où les deux occurrences de *N* sont identiques, y compris donc leur genre et nombre, nous en dériverons comme avec les pronoms démonstratifs

ce LUIg,n de Ng,n

puis par effacement de *LUI* et de *de* :

ce g,n Ng,n

les marques de genre et de nombre sont alors disponibles pour effectuer l'accord du *ce* avec le *N*. Cette solution est ainsi compatible avec celle que nous avons utilisée pour décrire les autres phénomènes d'accord.

La règle d'effacement de *LUI* que nous employons est nouvelle par rapport à la solution où ce serait *de N* (ou *de LUI*) qui serait effacé. Cependant, nous avons appliqué une règle très voisine dans l'analyse des adjectifs possessifs, où, dans la même position, un *LE* réduit de *LUI* était effacé sans que les marques de genre et nombre fussent affectées. Nous pouvons considérer que c'est cette règle qui s'applique ici encore.

Cette analyse laisse en suspens le problème de la coréférence entre une forme *ce N* et un *GN* dont le *N* principal est différent (III, 1.1) :

> *Un étudiant est entré, ce garçon a demandé l'heure.*

(Ce phénomène est également observable avec *Artd N*, mais moins nettement.) L'interprétation de la coréférence est alors facilitée par une relation sémantique classificatoire explicitable par

> *Un étudiant est un garçon*

Notons qu'en échangeant les deux *N*, comme dans

> *Un garçon est entré, cet étudiant a demandé l'heure*

la coréférence est conservée. La phrase correspondante, soit

> *? Un garçon est un étudiant*

change alors de statut : elle n'est plus analytique, elle apporte une information nouvelle, extra-linguistique dans la mesure où le locuteur indique une qualité imprévisible du *garçon*, celle d'être *étudiant*.

L'information que nous discutons peut être soit analytique, c'est-à-dire connue de tous les locuteurs de la langue, soit nouvelle car imprévisible, elle est alors apportée par le locuteur. Il est certain que ce type d'information joue un rôle fondamental dans de nombreux processus souvent considérés comme purement syntaxiques (Harris 1970), cependant, nous ne tenterons pas de l'ini corporer davantage à notre analyse de la référence, car parmi les solutions envisageables il est difficile d'en motiver une et une seule. Nous nous contenterons de faire remarquer que les exemples donnés indiquent qu'avec *ce N* la coréférence s'établit indépendamment de la nature de l'information liant les deux *N* en jeu.

Nous pourrions aussi bien utiliser les phrases classificatoires comme

> *Un étudiant est un garçon*

pour généraliser aux deux termes la relation d'inclusion ensembliste que nous avons fait jouer : d'une certaine manière le sens de *garçon* est inclus dans celui de *étudiant*. Nous ferions intervenir alors des formes avec complément de définition comme

> *étudiant de garçon* ou *garçon de étudiant*[11].

Nous pourrions envisager un autre type de solution où les phrases classificatoires ne serviraient qu'à interpréter sémantiquement certaines formes. Dans l'état actuel fort embryonnaire des connaissances, la mise en œuvre de ces solutions apparaît comme bien prématurée, aucune n'éclairerait les faits rassemblés jusqu'ici, faits pour lesquel d'ailleurs aucun recensement sérieux n'a jamais été entrepris.

---

11. De telles formes sont à rapprocher des constructions comme *ce crétin de Max* (il en existe de différents types : *putain de, amour de*) (Harris 1970 ; Milner 1975). L'interprétation de
Le Journal a rapporté que ce crétin de Max quittait son poste
est telle que l'information *ce crétin* ne provient pas du *Journal*. Nous avons donc ici un exemple montrant l'intervention des phrases classificatoires dans cette famille de constructions.

Les noms propres (III, 4.3) pourraient être traités par le même mécanisme, et la coréférence observée dans

J'ai visité COLMAR, CETTE PETITE VILLE est splendide

pourrait être dérivée de formes comprenant *(la) (petite) ville de Colmar* ou bien encore au moyen de la phrase classificatoire

Colmar est une (petite) ville.

Remarques :

1) Au cours de diverses dérivations, il nous est arrivé d'effacer certains *N* ou les formes réduites correspondantes *LUI* ou *L*. Dans certains cas, nous avons bien spécifié que ces formes disparaissaient en laissant en place leurs marques de genre et nombre. Mais dans d'autres cas, l'effacement portait également sur les marques. Il importerait donc de spécifier exactement toutes ces opérations. Le lecteur se convaincra aisément de la nature de la difficulté qui se présente alors : il est très simple d'imaginer une grande variété de représentations et de règles pour traiter cette question, la difficulté consiste à choisir un système et un seul, c'est-à-dire à éliminer tous les autres possibles. Nous n'avons pas résolu ce problème, mais nous avons toutefois adopté une position spécifique, en choisissant des représentations par marques concrètes, plutôt que par traits distinctifs abstraits qui élargissent encore le champ des solutions possibles *a priori*.

A titre d'exemple de la complexité en jeu rappelons (I, 4.3) que certains effacements de *de LUI* (genre et nombre compris) devaient être décomposés selon les deux étapes

de LUI → *en*
en → *E*.

L'unification des processus d'effacement du *de LUI* conduirait donc à des dérivations comme

de LUI → *de L*
de L → *en*
en → *E*

avec éventuellement dédoublement de la seconde règle en deux étapes autonomes d'effacement du *de* et du *L*. L'un des problèmes à résoudre est celui de la détermination de l'étape où s'opèrent les effacements de marques.

2) Nous avons vu en III, 2.3 que les particules *ci* et *la* étaient associées à des *Modif* restrictifs, nous retrouvons *ci* et *la* dans *ce N (ci + la)*, mais il apparaît que les propriétés coréférentielles de ces groupes ne sont plus les mêmes que celles des groupes *ce N* : si dans

UN ÉTUDIANT est entré, CE GARÇON-LA a demandé l'heure

il y a bien coréférence, cette relation est beaucoup plus difficile à accepter dans

Un étudiant est entré, ce garçon-ci a demandé l'heure.

Dans ces conditions, la source des particules apparaît comme variable. Ainsi, pour des raisons de forme, il semblerait naturel de dériver l'interprétation *celui-ci = il* à partir de *ce garçon-ci* par la règle *garçon* → *lui*, mais alors nous observons une coréférence dans

UN ÉTUDIANT est entré, CELUI-CI a demandé l'heure

que nous ne trouvons pas dans la source. Les faits sont inverses dans le cas de *la, celui-la* n'est pas coréférent. Il y aura donc lieu de lier la substitution prono-minale au contenu du *Modif* source des deux particules, et nous distinguerons alors les *Modif* coréférentiels des *Modif* de référence externe (III, 1.2).

Il existe une situation peut-être analogue où l'apparition du *LUI* dépen-drait de la nature du *Modif*. Considérons les deux formes

Max a vu ce toit de la maison
Max a vu celui de la maison

elles ne diffèrent que par *toit* → *lui*, cependant leurs interprétations sont diffé-rentes : la première forme implique que la maison a ou a eu plusieurs toits, ce qui n'est pas le cas dans la seconde. Ici, on pourrait éventuellement considérer qu'il existe un complément de définition *des toits* sous-jacent à la première forme mais pas à la seconde.

4.2 Groupes génériques

Le terme générique est une notion de sens assez vague, appliquée de façon variable à toutes sortes de *Dét*. Par exemple dans

Le lion est un mammifère
Une vache est un mammifère

les *Dét le* et *un* sont dits génériques pour la raison qu'ils réfèrent à des ensembles et non pas à des animaux particuliers. Nous avons la même situation sémanti-que dans

Max a vu un lion, la sorte d'animal que je viens de mentionner le fascine
Max a vu un lion, cette sorte d'animal le fascine

où l'effet générique est combiné à un effet de coréférence. Ces dernières cons-tructions suggèrent une analyse des *Dét* dits génériques par réduction ou effa-cement d'un *N* générique comme *genre, type*, etc. Nous aurons par exemple la dérivation suivante, où la relative restrictive sera réduite à *chocolat* :

Max aime ce produit qu'on appelle chocolat
= * *Max aime ce produit chocolat*
= * *Max aime ce lui chocolat*
= * *Max aime lui chocolat*
= *Max aime le chocolat.*

Notons que l'utilisation de la relative rend compte du fait que les formes *Dét N* génériques n'entrent pas dans des relations de coréférence.

De même nous aurons

Max aime un type de chocolat
= *Max aime un chocolat.*

Ici encore donc, notre forme de base permet d'analyser ce type de déterminant, et de rendre compte de sa variété d'interprétation en variant les *N* sous-jacents.

4.3 Noms propres

La notion de générique apparaît comme un cas particulier de la notion de classifieur. Les classifieurs ne sont pas limités à des termes comme *espèce, genre, type*, mais ils peuvent être étendus à bien d'autres et en particulier à des noms propres. Nous avons ainsi fait allusion ci-dessus en III, 4.1 au cas de noms de villes comme *Colmar* dont le classifieur serait *ville*. Nous pourrions considérer bien d'autres exemples de types divers.

C'est ainsi qu'une famille très productive d'ellipses du type mentionné ci-dessus (III, 4.2) apparaît dans des positions de *Dét*, elles rendent compte du genre et parfois du nombre de bien des noms propres (Gouet) utilisés comme noms communs.

Ainsi, lorsque l'on commande de la bière dans un café par un nom de marque, la forme sera toujours au féminin :

Une (Kronenbourg + Heineken + Munich + Stella + etc.) !
* *Un (Kronenbourg + Heineken + Munich + Stella + etc.) !*

Il semble naturel d'analyser ces formes par effacement du $N =$ *bière* ou de *bière de la marque*, ou *de bière du nom de*[12] à droite de *une*.

Lorsque, toujours dans un café, on commande un verre de vin par son appellation, la forme est au masculin et non pas au féminin, même si l'appellation est, comme pour *Bourgogne*, normalement au féminin :

Un (bordeaux + beaujolais + bourgogne + muscadet + blanc + rouge) !

Ici la forme effacée pourrait être *verre de vin de (la ville de)* ou *verre de vin du (pays de)* pour les noms d'origine, *verre de vin* pour les noms de couleur, etc. (Dans le même contexte, les expressions *un crème*, *un noir* suggèrent l'effacement de *café*.) Dans un restaurant, une commande de vin se fera plutôt au masculin :

— Le serveur : *Qu'est-ce que vous boirez avec ça ?*
— Le client : *Un bourgogne blanc*

mais très couramment, le serveur répercutera la commande au patron sous la forme

Une bourgogne blanc pour la deux[13] *!*

Nous voyons que les segments effacés varient considérablement avec le contexte extra-linguistique et que les termes soumis à ellipse changent avec le point de vue du locuteur :

vin de serait effacé pour le client, *bouteille de vin de* pour le serveur qui doit faire la différence avec *verre de vin de* selon qu'il sert à table ou au comptoir. Notons que le client qui désirera limiter sa consommation devra commander

Un quart de bourgogne !

où *litre de vin* a été effacé, ou bien

Une demi (de) bourgogne !

(et non pas *un demi (de) bourgogne*) où il semble que l'effacement porte sur *bouteille de vin*, ce qui expliquerait le changement de genre observé et ce qui correspond exactement aux façons en usage de conditionner le vin. On ne pourra

---

12. Les termes comme *nom*, *marque*, *appellation* ont, d'une façon générale, un rôle important dans l'introduction des *Npr* dans le discours (Harris 1976).
13. L'expression *la deux* suggère l'effacement de *table numéro* ; dans même contexte on pourrait entendre *le deux* qui correspondrait à l'effacement d'une expression comme *client de la table numéro*.

pas attribuer de genre à *demi* dans ce contexte, puisqu'en commandant de la bière on devra dire

Un demi de Munich !

et non pas le féminin ; *demi* est ailleurs un adjectif.

Le genre toujours masculin de l'adjectif *(blanc)* ainsi que sa position post-posée sont vraisemblablement dus au fait qu'il modifie *vin de bourgogne*, et non pas *vin* seul ou *bouteille* :

((vin de bourgogne) blanc).

Ces remarques ont un caractère général, et il est nécessaire d'étendre cette analyse à des noms propres de vêtements, d'ustensiles et de produits ménagers, de machines de toutes sortes. De même, divers pluriels ont certainement une source analogue :

les membres de la famille Durand[14]
= *les Durand.*

Les dépendances entre ces ellipses et le contexte où elles ont lieu fait que certains groupes sociaux ou professionnels pourraient être aisément caractérisables par l'emploi de ces formes linguistiques.

La description que nous venons de proposer repose en grande partie sur des effacements. Depuis quelque temps, il s'est développé à l'intérieur de la grammaire générative une résistance à l'emploi de l'ellipse. Le développement de cette tendance semble avoir une raison purement formelle : les possibilités d'effacement envisagées donneraient aux grammaires la puissance d'automates récursivement énumérables non récursifs. Or, certains linguistes semble-raient vouloir limiter la puissance des grammaires à celles des mécanismes stric-tement récursifs. Il n'existe à notre connaissance aucune raison empirique de considérer que ces deux concepts tirés de la logique mathématique aient une pertinence quelconque à l'analyse syntaxique des langues naturelles, mais cette croyance a suscité diverses entreprises de confection de mécanismes destinés à éviter les effacements d'éléments sémantiquement non vides. Ce sont les méca-nismes d'interprétation qui, se basant sur la présence de certains indices formels dans des constructions, attribuent un sens particulier à ces constructions au lieu de rétablir l'élément effacé correspondant. Il est fort possible que les deux types de solutions soient équivalents (ce que dénient les auteurs concernés). Cependant, les exemples donnés ici pourraient bien montrer que les mécanis-mes d'interprétation sont inadéquats ou qu'ils sont équivalents de façon inin-téressante aux mécanismes d'effacement.

Les mécanismes d'interprétation sont par définition des mécanismes por-tant sur le sens. Mais ils ont tous été élaborés à partir de l'anglais où il n'existe pas de problèmes de genre. De ce fait, certaines difficultés semblent avoir été ignorées par de nombreux chercheurs. Ainsi, la solution par ellipse que nous venons de proposer pour la description de *Dét* de noms propres rend compte du genre observé de ces noms. Une solution par interprétation ne peut pas en

---

14. L'exemple suivant, difficile à analyser sans ellipse, est dû à A. Guillet :
un appartement de quatre pièces = un quatre pièces ;
une auto de sept chevaux = une sept chevaux.

rendre compte, elle ne peut que constater l'arbitraire du genre, tout en se basant sur sa présence pour interpréter les *GN*. Il nous semble que dans ce cas on soit bien conduit à adopter la solution par effacement et à rejeter les mécanismes d'interprétation qui ont été proposés à ce jour.

Il existe bien d'autres cas et utilisations de noms propres (Le Bihan), nous nous contenterons de suggérer que leur introduction devrait être faite d'une manière générale au moyen de phrases classificatrices (Harris 1976) et nous rappelons qu'employés sans *Dét*, les noms propres doivent être considérés comme définis, puisque leur pronominalisation donne lieu aux pronoms appelés traditionnellement définis.

4.4 *Relatives sans antécédents*

Les constructions ainsi appelées[15] sont des *GN* de l'une des formes *ce Rel* ou *Rel* selon que le sens du pronom relatif[16] est non humain ou humain :

Luc mange ce que Max cuisine
Luc parle à qui l'écoute.

Nous les avons déjà en partie discutées (Gross 1968). Nous ne ferons que mentionner la propriété qu'a leur pronom relatif d'être modifiable par *de Adj* :

Luc mange ce que Max cuisine de bon
? Luc parle à qui d'intéressant l'écoute.

Rappelons que ces *GN* sont interprétables comme définis et le fait que les objets ou personnes auxquels ils se réfèrent ne soient pas déterminés est dû à une absence de référence lexicale. On peut vraisemblablement rendre compte de celle-ci en utilisant des antécédents dont le sens est très général, comme *quelque chose* et *quelqu'un*, et qui subiraient un effacement.

La relative accompagnant *ce* peut être réduite à *ci* ou *la*, deux cas principaux sont alors traditionnellement distingués :

— *ce (ci + la)* correspond à une chose, il n'y a pas coréférence, mais référence externe. La source des particules *ci*, *la* pourrait être de la forme *qui est (ici + la)* ou *que voi(ci + la)*,

— *ce (ci + la)* correspond à une phrase, ces pronoms remplacent alors des complétives, et nous avons coréférence. Nous avons analysé les complétives *(E + ce) Qu P* comme des formes réduites à partir de la structure générale

ce N de N Qu P

où *N* est du type *fait, idée*, etc. (Gross 1968). Nous pouvons alors affirmer que les pronoms *ce(ci + la)* du second type renvoient aussi à des noms (*fait, idée*, etc.) et il n'y a plus à distinguer le cas spécial de la coréférence avec des phrases.

Remarquons que nous avons des paradigmes généraux portant sur la présence de *tout* du type

| *Max sait (ce qui arrive + cela + ceci)*
| *Max sait tout (ce qui arrive + cela + ceci)*

---

15. Il y aura lieu de distinguer ces relatives des questions indirectes comme
   Je sais (ce que Max cuisine + qui l'écoute).
16. Ces pronoms relatifs ne sont jamais en *quel*, bien que *celle Modif* puisse signifier *la chose Modif*.

$$\begin{cases} \textit{Max sait qu'il arrive des choses} \\ * \textit{Max sait tout (E + ce) qu'il arrive des choses.} \end{cases}$$

Cette dernière interdiction pourrait suggérer que *ceci* et *cela* ont leur source dans une question indirecte plutôt que dans une complétive. Mais nous observons avec le même sens

Max sait toutes ces (choses + faits)

or ce type de forme est voisin de notre structure de base des complétives, il sera donc pris comme source et rendra compte de la présence de *tout*.

Sous des formes identiques, ces constructions peuvent avoir des propriétés différentes. Nous avons par exemple des incises :

Max, ce que je sais, viendra demain

ou des complétives extraites :

Ce que je sais, c'est que Max viendra demain

mais les incises n'acceptent pas la modification *de Adj* :

* Max, ce que je sais de sûr, viendra demain
Ce que je sais de sûr, c'est que Max viendra demain.

5   Position des adjectifs

Nous n'avons pas étudié les détails de la position des adjectifs mais simplement mentionné qu'ils provenaient de relatives par réduction de *qui est*. Il importe de préciser les contraintes en jeu et d'expliquer la nature des formes observées.

Notons d'abord que dans la plupart de nos analyses il est possible et nécessaire de remplacer *N* par une combinaison *N Adj* ou *Adj N*. Par exemple, au lieu de parler de coréférence ou de référence lexicale pour des *N* seuls comme en III, 1.1 ou en III, 1.2, nous devons appliquer ces relations à des combinaisons *Adj N* dans les discours suivants : nous avons coréférence dans

UN BRILLANT ÉTUDIANT est entré dans le bureau,
LE BRILLANT ÉTUDIANT a demandé l'heure

mais pas dans

Un brillant étudiant est entré dans le bureau, le brillant étudiant que je vous ai montré a demandé l'heure

nous avons de nouveau coréférence dans

UN BRILLANT ÉTUDIANT est entré dans le bureau, LE BRILLANT ÉTUDIANT QUE JE VIENS DE MENTIONNER a demandé l'heure.

De même, dans

Max achète (du bon vin + de bons lits), et Luc en vend

la référence lexicale porte sur *bon vin* ou *bons lits* et non pas sur les seuls *N vin* et *lits*. Nous avons de même *de Adj N* dans le complément de définition qui sert de base aux formes familières

Luc vend ceux-ci # de bons lits
Luc vend celui qui est là # de vin blanc.

Les procédures dites cycliques de pronominalisation ou plus généralement les représentations abstraites de discours données par Harris 1976 permettent d'obtenir sans difficulté de telles extensions des notions de référence. Dans le cadre de notre analyse, les *Adj* seront introduits dans le complément de définition, et non pas adjoints au premier *N* de la structure de base.

Il existe encore des *GN* de la forme *Dét Adj* dont l'analyse pose quelques problèmes. Considérons le discours

Max a acheté des lits, le grand convient très bien à Luc

l'une de ses interprétations est telle que *le grand* est un lit de l'ensemble acheté par *Max*, autrement dit il y a référence d'inclusion :

$$\{ \textit{le grand} \} \subset \{ \textit{des lits} \}$$

On pourrait envisager pour ces formes l'analyse par effacement

le grand lit → *le grand*

mais cette règle ne rendait pas compte de l'interprétation observée, puisque la source

Max a acheté des lits, le grand lit convient très bien à Luc

ne présente pas de référence d'inclusion. Notons que pour avoir la référence d'inclusion, il faut peut-être faire appel à un élément extra-linguistique : le fait que l'ensemble des lits achetés ne contient qu'un seul *grand lit*. Ce facteur intuitif devient formel dans les phrases superlatives synonymes comme

Max a acheté des lits, le plus grand (E + de ces lits) convient très bien à Luc.

Nous rendrons compte des formes *Artd Adj* de la façon suivante :

— nous utilisons toujours la forme de base

ce N de (GN + N) Modif

où *Modif* est contraint par *ce N* et non pas par *de GN*, ce qu'indique l'accord en nombre :

Celui des lits qui est ici (convient)
* Celui des lits qui sont ici (convient).

La forme de base pourra donc être

ce N de GN Adj = ce lit des lits grand

— la dérivation sera

    * ce lui de ces lits grand
→ ** ce lui d'eux grand*
→ ** ce lui grand*
→ ** lui grand*
→   *le grand*

elle utilise des règles toutes motivées de par ailleurs, et la référence d'inclusion est décrite de la même façon que dans les autres cas traités. Le complément de définition peut être *de N*, auquel cas il n'y a plus référence d'inclusion, c'est ce que nous observons dans la forme suivante qui a subi [détach] :

Max a acheté des lits, le grand # de lit convient très bien à Luc.

De la même façon, il existe des formes

ce Adj (E + ci + la)
= ce gros + ce grand-ci + ce rouge-la

dont on pourrait penser qu'elles résultent d'un effacement de *N* dans *ce (Adj N + N Adj) (E + ci + la)*. Mais cette analyse présente des difficultés. D'une part il semble y avoir des conditions imprévisibles sur les *Adj,* il est par exemple difficile de construire des phrases incorporant des formes comme *cet intelligent-ci, ce beau-la, cet admirable,* etc. D'autre part les formes acceptées n'ont pas les mêmes propriétés référentielles que leurs sources supposées, (cf. III, 4.1, remarque).

Certains adjectifs ont des constructions spéciales, ce sont :

— *seul* (II, 8), rappelons qu'en première approximation, nous avons classé *le seul ... Rel* comme *Dadj,*

— les *Dnum, deux, trois,* etc.,

— les ordinaux (II, 3.2) *premier, deuxième, (E + avant) dernier,* etc. Nous les observons dans des *GN* comme

Max a lu le (seul + dernier) (E + d'entre eux) qui ait paru hier
Max a lu les deux (E + d'entre eux) qui ont paru hier

alors que nous avons

* *Max a lu les (rouges + grands) d'entre eux (E + qui ont paru hier).*

Avec *seul* le *Modif* est obligatoire, ce qui apparente cette forme aux pronoms démonstratifs, avec lesquels d'ailleurs nous avons synonymie. En présence de *de GN déf, plur* nous observons des différences :

Max a lu le (second + dernier) d'entre eux
* *Max a lu les deux d'entre eux*

qui pourraient s'expliquer sémantiquement : à l'intérieur d'un ensemble ordonné par des conditions extra-linguistiques, le second ou le dernier élément sont bien identifiés, ce qui n'est pas le cas pour le sous-ensemble { *les deux* } qui lui n'est pas sémantiquement déterminé (malgré sa forme définie) à l'intérieur de l'ensemble plus grand { *eux* }. Cette association de forme et de sens définis rend également compte de la différence entre les deux *GN* :

ceux d'entre ces lits qui sont roses (conviennent)
* *ceux d'entre ces lits qui sont trois (conviennent)*

car la propriété d'être *rose* détermine bien un sous-ensemble de { *ces lits* }, ce que ne fait pas *trois.* Cette différence sémantique est annulée dans des phrases apparentées où les sujets correspondent à des ensembles bien définis :

Ces lits sont roses
Ces lits sont trois[17]

Les *Dnum* pourraient donc ne pas être introduits dans les *GN* de la même façon que les autres *Adj,* c'est-à-dire à partir du *Modif.* La distinction rend compte du fait qu'ils n'interdisent pas la coréférence (III, 1.1, remarque 4). Dans

Max a acheté DES LITS, LES TROIS conviennent très bien à Luc

il y a coréférence entre *des lits* et *les trois,* et la cardinalité de { *des lits* } se trouve ainsi être indirectement spécifiée. De façon voisine encore, dans

---

17. Notons à ce propos que dans des *GN* comme
les lits qui sont trois (conviennent)
la relative peut difficilement être interprétée comme restrictive.

Max a acheté des lits, les trois roses conviennent très bien à Luc

il y a référence d'inclusion entre *des lits* et *les trois roses*[18].

La construction en *seul* se distingue des autres, superficiellement au moins, par la présence possible d'un *N* :

Max est la seule personne d'entre mes étudiants qui viendra

alors que

? * *Ces gens sont les (premières + trois) personnes d'entre mes étudiants qui viendront*

nous avons { *la seule personne* } ⊂ { *mes étudiants* }, mais pour qu'il y ait effacement du *N*, il faut identité avec celui du *GN déf,plur*, ici *N = étudiant*, ce que confirme la nécessité d'avoir l'accord en genre :

? * *Max est la seule d'entre mes étudiants qui viendra.*

Avec les *Dnum* et les ordinaux, le même effacement de *N* pourrait avoir lieu, mais il serait obligatoire. Dans ces *GN*, nous observons sur les *Modif* des restrictions voisines des contraintes mentionnées en III, 2.3 :

— avec *seul* et les ordinaux la relative peut être au subjonctif :

Ce lit est le seul qui soit acceptable

elle n'est pas toujours réductible à un *Adj* :

Ce lit est le seul acceptable

mais

? * *Ce lit est le seul bas*

— avec les *Dnum* la réduction est moins contrainte,
— dans ces trois cas on peut avoir *Modif = à VΩ* en compagnie d'un *N* :

Max a lu les (seuls + premiers + trois) (E + livres) à être parus sur ce sujet

ce qui vient à l'appui d'un effacement commun du *N*. Nous n'avons pas ce *Modif* avec les pronoms démonstratifs.

Notons encore le comportement de *autre* (II, 12) du point de vue de la référence d'inclusion. Dans

Max a acheté des livres, Eve en a lu, Léa a lu les autres[19]

l'interprétation est telle que { *des livres* } = { *en* } ∪ { *les autres* } : *autre* impose une partition explicite de l'ensemble de référence, ce que confirme la quasi-impossibilité d'interpréter

Max a acheté six livres, Eva en a lu un, Léa a lu les deux autres.

Bien que *autre* et *même* n'aient pas un comportement adjectival régulier, il semble possible d'introduire ces formes comme des *Adj* dans des *GN* à article défini. Cette solution éliminerait donc les *Dadj* à article. La même analyse est plus difficilement envisageable pour les *Dnom le peu, l'un* et *la plupart* qui peuvent mieux être décrits en diachronie.

Nous avons mentionné en III, 4.4 une forme *de Adj*, elle se retrouve dans divers contextes. Considérons

---

18. Le même type de considération est susceptible de rendre compte d'une restriction observée en II, 13 :

* *Luc a mangé tous les trois gâteaux*

où l'interdiction provient de l'incompatibilité de *tous* et du *Dnum trois*.

19. La forme *les autres* s'obtient en appliquant parmi d'autres règles l'effacement *N → E* du complément de définition, il en irait encore ainsi pour la forme *les mêmes*. On observe d'ailleurs les formes détachées : *(les autres + mêmes) ≠ de livres.*

Max n'a lu que ce livre d'intéressant

prononcé avec intonation montante sur *livre*. Bien que populaires, ces formes sont couramment acceptées. Cette acceptation est liée à la présence de la restriction *ne ... que*, puisque

? * *Max a lu ce livre, d'intéressant.*

La restriction *seul* peut également faciliter l'apparition de *de Adj* :

Max a lu les seuls livres d'intéressants

et, plus facilement encore,

Max a vu ceci d'intéressant.

Ce dernier exemple suggère une analyse par effacement d'un *N* dans un complément de définition, sa source serait du type

Max en a lu un # de livre intéressant.

Il ne semble pas cependant que les deux phrases aient les mêmes intonations, ce qui constitue une première difficulté. De plus, les autres faits mentionnés ne s'expliquent pas par une telle analyse.

Notons encore quelques constructions où interviennent des *Adj* dans des positions de *N*, au point d'ailleurs qu'il est parfois difficile de justifier leur catégorie :

— dans

Max est un boxeur

boxeur est un *N*, mais dans

Max est boxeur

boxeur occupe une position d'*Adj*. Cependant, une règle *un → E* ne permettrait pas de relier ces phrases d'une manière générale[20] ;

— pour les phrases (Martinon, p. 41)

L'intéressant (E + de la chose) est que Luc vienne

il semble possible de supposer un *N* sous-jacent approprié qui serait donc effacé dans

L'intéressant (côté + aspect) (E + de la chose) est que Luc vienne.

6   Remarques sur la structure du groupe nominal

6.1   *Structure globale*

L'analyse des *GN* définis impose un réexamen de l'analyse des *GN* indéfinis. Nous avons justifié l'utilisation de la structure de base

ce N de (GN déf,plur + N) Modif ; { N } ⊂ { GN déf,plur }

parallèle à la structure générale des indéfinis dont une spécification est

Dét de (GN + N)
= Dét de (GN déf,plur + N) Modif ; { Dét } ⊂ { GN déf,plur }.

---

20. Nous avons en effet des paradigmes comme
   Max est (un + E) aviateur
   Max est un (grand aviateur + aviateur intelligent)
   * *Max est (grand aviateur + aviateur intelligent).*

Ces deux types de formes sont voisins, mais néanmoins différents, du fait des rôles joués par *Dét = ce* et par *Dét = Dind*, c'est-à-dire du fait de la présence d'un *N* supplémentaire dans le cas défini. Le parallélisme serait plus étroit si pour le cas indéfini nous pouvions écrire

Dind N de (GN + N) Modif

autrement dit, si nous pouvions reconstruire un *N* à la droite de *Dind*. Nous avons fait une telle tentative, par exemple dans les cas de *quelques uns* (II, 6) et de *chacun* (II, 7) (en considérant d'ailleurs que *chaque* était défini) ; il faudrait motiver cette analyse pour tous les *Dind*.

Notons qu'il existe quelques raisons d'opérer cette reconstruction :

— déjà les *Dnom* (à l'exception des *U* (II, 5) et des formes commençant par une préposition (II, 4) comportent explicitement un *N* dans la position indiquée ;

— pour les *Dadj* variables, l'hypothèse d'un *N* permettrait de traiter leur accord en genre et nombre avec le *GN déf,plur* de la même manière que dans le cas défini, c'est-à-dire par un effacement du *N* qui laisserait en place genre et nombre, si nécessaire ;

— les *Dadv* ne s'accordant pas, l'argument de l'accord devient peut-être une difficulté, mais la plupart d'entre eux ont un comportement adjectival d'attribut, nous avons

Mes amis sont (assez + beaucoup + trop) [21]

et ces constructions ne sont pas prolongeables par le complément de définition :

* Mes amis sont beaucoup de (GN déf,plur + N)
* Mes amis sont (assez + beaucoup + trop) d'entre eux.

Les seuls *Dadv* n'entrant pas dans cette construction sont les négations et les *Dadv* ayant déjà une forme nominale (*un peu*, etc.). Si les *Dadv* pouvaient être analysés comme des adjectifs attributs, il serait naturel qu'ils puissent devenir des épithètes introduits par relativation et qui précèderaient le *N* que nous tentons de reconstruire. Rappelons qu'en 1,5 nous avons montré que divers *Dét* avaient une propriété particulière de modifieur épithète. On peut opposer toutefois à cet argument que les *Dadj* n'entrent pas toujours dans la phrase à attribut, si l'on a bien

Mes amis étaient plusieurs
* Mes amis étaient plusieurs d'entre eux

nous observons par contre

* Mes amis étaient (certains + divers).

L'argument ne pourrait devenir déterminant que dans une situation où toutes ces constructions auraient été mieux étudiées. Elles présentent en effet une grande complexité, dont des ambiguïtés délicates à séparer, comme le suggèrent les exemples

Ils sont beaucoup d'entre mes amis (à venir)
Mes amis, ce sont plusieurs d'entre eux.

---

21. Ces phrases pourraient être des variantes distributionnelles de celles que nous avons considérées comme sources en I, 6.3. Il se pose alors le problème d'étudier la compatibilité des deux projets de traitement que nous proposons, ceux-ci ne s'excluent pas forcément. Nous avons fait figurer dans les tables la propriété N_0 *est Dét*.

Rappelons encore (III, 2.1) une possibilité qui irait dans ce même sens de l'analyse du *GN* à partir de phrases simples. Nous venons d'indiquer que certains *Dét* pourraient être introduits par relativation. Il pourrait en être de même du complément de définition qui proviendrait de

Cet homme est de (E + entre) mes amis

phrases comportant les relations sémantiques et syntaxiques que nous avons observées à l'intérieur de nombreux *GN*.

Nous avons placé les compléments de définition *de N* et *de GN déf* au même niveau dans *GN*, mais il ne semble pas simple d'introduire *de N* de la même façon que *de GN déf*, puisque

* *Cet homme est d'ami.*

Rappelons (III, 5) que ces formes *N* ne sont pas forcément les plus élémentaires qu'il soit possible d'envisager et que ce *N* peut prendre des *Modif* variés :

Beaucoup de (bons amis + amis sur qui je compte) viendront.

Il se pose donc la question de déterminer la nature profonde du complément *de N* :

— ou bien *N* est un élément de base, dans ce cas il est nécessaire d'y adjoindre des *Modif* au moyen de structures non attestées qui serviront également à l'introduction de l'élément observé dans le *GN*,

— ou bien *N* est un indéfini régulier, donc de forme de base *Dind N*. Il est alors nécessaire de postuler une règle d'effacement du type *(un + des)* → *E*, mais cette solution ne résout pas le problème essentiel qui est celui de l'analyse des indéfinis, c'est-à-dire de l'adjonction de *Dind* à des *N* simples, sans déterminant ni modifieurs.

En d'autres termes, les deux éventualités que nous venons d'évoquer ne constituent vraisemblablement que deux variantes terminologiques du même problème, qui, s'il était bien posé ne mettrait pas en concurrence une analyse par insertion et une analyse par effacement. Nous avons ici encore un exemple de question non linguistique imposée par l'utilisation de systèmes de réécriture pour formaliser les phénomènes, un système algébrique ne produirait pas de telles questions parasites.

Il se pose aussi des problèmes d'ordre d'introduction de ces éléments à l'intérieur du *GN*. Notons à ce sujet que la règle de permutation (II, 1.1) [*Dnom p.*] est susceptible d'intervenir dans la formation des compléments en *de*, dans des dérivations du type

du vin qui est de cette qualité
[*qui être z.*] → *du vin de cette qualité*
[*Dnom p.*] → *cette qualité de vin.*

6.2 *Récursivité des structures*

De ces considérations générales il se dégage une structure du *GN* relativement régulière à un certain niveau d'analyse. Nous pouvons écrire d'une façon globale

GN = Dét N de (GN + N)

Dans le second membre de cette expression, la première occurrence de *N* serait le substantif de base sur lequel le verbe opérerait sa sélection, et les parties *Dét* et *de (GN + N)* seraient éventuellement dérivées, c'est-à-dire introduites à partir de phrases situées à un niveau supérieur.

L'expression ci-dessus peut être considérée comme une grammaire du *GN*, grammaire composée des deux règles de réécriture

$$GN \rightarrow Dét \ N \ de \ GN$$
$$GN \rightarrow Dét \ N \ de \ N.$$

La première règle est récursive, ce qui veut dire qu'elle permet d'engendrer des constructions aussi longues que l'on veut de la forme

$$GN = Dét \ N \ de \ Dét \ N \ de \ Dét \ N \ de \ Dét \ N \ ... \ de \ GN.$$

Mais nous avons déjà vu que de telles constructions étaient contraintes et nous étudierons au chapitre IV les transitions possibles entre deux *Dét* consécutifs.

Dans le cas des *GNdéf* il n'y a pas de telles contraintes et des formes comme

(Max a parlé avec) ceux des étudiants qui étaient là qu'il connaissait

sont acceptables. Elles ont la structure de départ

($_{GN}$ *ce étudiants de* ($_{GN}$*ce étudiants de étudiants qui étaient là) qu'il connaissait*)

où la première règle a subi deux applications.

Nous avons écrit

$$GN = Dét \ N \ de \ (GN + N).$$

Si tous les *Dind* étaient introduits par relativation, alors il n'existerait plus qu'un déterminant de base : le *ce* défini, et nous devrions écrire :

$$GN = (E + ce) \ N \ de \ (GN + N).$$

Autrement dit, il y aurait toujours deux types principaux : le défini qui serait marqué par *ce*, et l'indéfini qui serait non marqué, et les diverses formes d'indéfinis ne seraient donc que des formes superficielles. Il nous semble qu'une telle position, même si elle pose encore des problèmes de détail (par exemple la nature de *chaque*), simplifie grandement l'analyse du système complexe des déterminants. Il est vraisemblable aussi qu'elle devrait permettre de mieux comprendre d'autres phénomènes qui affectent la structure entière de la phrase et que nous aborderons dans les chapitres suivants.

IV

EXTENSIONS DE LA NOTION DE DÉTERMINANT

1 Formes adverbiales « supplétives »

Ces adverbiaux, notés *Advd*, ne sont pas des (pré)déterminants, puisqu'en général, nous avons ∗ *Advd (N + GN)*. Cependant, ils apparaissent devant certains *N* dans des constructions particulières (II, 15.2) :

> *Luc a très (faim + peur + confiance en Eve)*
> *Luc a si (faim + etc.) qu'il ne peut attendre*
> *Luc a aussi (faim + etc.) qu'Eva*
> *Luc fait très peur à Eve, etc.*

On les observe devant des adjectifs *(N_0 est Advd Adj)* et des adverbes. *Si* et *aussi* sont accompagnés de formes *que P* ayant des propriétés déjà observées avec *Dadv = tellement + autant* (I, 3.1.2). Dans certains contextes, les *Advd* sont parallèles à (en supplétion avec ?) certains *Dadv*, ceci motive donc leur examen. Considérons la phrase au passif

> *Luc est ennuyé par cette affaire*

les *Advd* y sont insérables devant *V-pp*, mais ils ont inacceptables dans la phrase active   correspondante :

> *Luc est très ennuyé par cette affaire*
> ? ∗ *Cette affaire ennuie très Luc*
> ∗ *Cette affaire très ennuie Luc.*

Avec certains verbes, les *Advd* sont acceptables devant le participe passé actif, mais pas dans la forme active à un temps simple :

> *Luc a très apprécié ce discours* (interdit en grammaire normative)
> ? ∗ *Luc apprécie très ce discours*
> ∗ *Luc très apprécie ce discours.*

Les distributions de *très, si ... que P* et *aussi ... que P* sont donc irrégulières. Par contre les distributions des *Dadv beaucoup, tellement ... que P* et *autant ... que P* dans les mêmes contextes sont régulières. Or les propriétés syntaxiques et le sens de ces *Dadv* les rendent voisins des *Advd* associés. En combinaison avec les adjectifs, une certaine complémentarité entre les *Dadv* et les *Advd* est observable. Les phrases

> *Luc est si grand qu'il ne peut pas entrer*
> *Luc est tellement grand qu'il ne peut pas entrer*

sont synonymes. Par contre les paires suivantes sont complémentaires :

> { *Luc est très grand*
> ? ∗ *Luc est beaucoup grand* (accepté dans certains dialectes)

$$\begin{cases} \textit{Luc est aussi grand qu'Eve} \\ \textit{? * Luc est autant grand qu'Eve.} \end{cases}$$

La compatibilité de ces éléments avec les adverbes est entièrement parallèle :

(si + tellement) stupidement que P (formes synonymes)
? * *(beaucoup + autant ... que P) stupidement*
(très + aussi ... que P) stupidement

et il en est de même avec divers *Préd* :

(presque + tout) (aussi + autant)
* *(presque + tout) (très + beaucoup + si + tellement).*

Les *Advd* interdisent pratiquement la pronominalisation (I, 4.4) des adjectifs, mais pas les *Dadv* associés :

$$\begin{cases} \textit{? * Gentil \# Luc l'est très} \\ \textit{* Gentil \# Luc l'est si que P} \\ \textit{? * Gentil \# Luc l'est aussi que P} \end{cases}$$

$$\begin{cases} \textit{? \ \ Gentil \# Luc l'est beaucoup} \\ \textit{Gentil \# Luc l'est tellement que P} \\ \textit{Gentil \# Luc l'est autant que P.} \end{cases}$$

Les *Advd* ne sont guère déplaçables dans les formes au passé composé en français standard :

? Luc a très été méchant
? Luc a si été méchant que P
? Luc a aussi été méchant que P

les *Dadv* le sont de façon naturelle, et plus encore dans les formes pronominalisées que dans les formes complètes :

Luc l'a beaucoup été
Luc l'a tellement été que P
Luc l'a autant été que P.

Le comportement des *Dadv* pris isolément est irrégulier ici, il en est de même de celui des *Advd*. Mais si nous confondons les *Dadv* et les *Advd* se correspondant, le comportement de ces unités doubles devient beaucoup plus régulier.

Une solution descriptive pourrait alors consister à traiter les *Dadv* et *Advd* comme des formes supplétives, c'est-à-dire à supposer l'existence d'unités abstraites *BT, AA, TS* dont la distribution serait régulière par rapport aux *N*, aux *Adj* et aux *Adv*, mais dont les réalisations morphémiques dépendraient des contextes. Nous aurions les règles

$$\begin{cases} \textit{BT} \rightarrow \textit{beaucoup} \\ \textit{BT} \rightarrow \textit{très} \end{cases}$$

$$\begin{cases} \textit{AA} \rightarrow \textit{autant ... que P} \\ \textit{AA} \rightarrow \textit{aussi ... que P} \end{cases}$$

$$\begin{cases} \textit{TS} \rightarrow \textit{tellement ... que P} \\ \textit{TS} \rightarrow \textit{si ... que P.} \end{cases}$$

Une autre solution consiste à faire l'hypothèse d'éléments doubles non attestés : * *très beaucoup,* * *aussi (au)tant,* * *si tellement,* dont l'une des parties sera effacée exactement dans les contextes appropriés de la solution précédente. Ces deux solutions pourraient *a priori* paraître indiscernables l'une de l'autre, cependant, des phénomènes de l'anglais où les formes doubles sont attestées *(very much, so much)* donnent une réalité linguistique aux formes doubles que n'a pas la solution par éléments abstraits.

Remarque :

L'adverbe *fort* possède une distribution voisine de celle de *très*, cependant *fort* est modifiable par *bien*, alors que *très* ne l'est pas. En plus des contextes où nous avons observé *très*, *fort* peut apparaître en compagnie d'un verbe à un temps simple, ce qui le rend régulier :

Cette affaire ennuie fort Luc.

2 Combinaisons de déterminants

Nous avons rencontré en I, 6.1 des exemples de (pré)déterminants se combinant entre eux pour donner des formes plus complexes, mais qui conservent des propriétés de certains des éléments de départ. Nous amorçons ici l'étude systématique de ces combinaisons, en construisant les séquences *Dét (E + de) Dét*, et en vérifiant leur acceptabilité.

Nos quatre classes devraient nous conduire à étudier seize ensembles de combinaisons, mais nous verrons qu'il est nécessaire d'en examiner davantage. Par exemple, il existe des adverbes (IV, 1) autres que les *Préd* qui peuvent modifier certains *Dét* à leur droite et/ou à leur gauche ; ces adverbes peuvent à leur tour être modifiés par d'autres adverbes. De telles combinaisons de trois éléments ne figurent pas dans nos tableaux ; l'étude de ces constructions fait pourtant partie de l'analyse de la constitution du groupe nominal. Considérons ainsi la séquence *tout aussi peu* qui fonctionne comme un *Dadv*, *peu* est un *Dadv*, *aussi* n'est pas un *Dét*, mais *aussi peu* a un comportement de *Dadv*, nous conviendrons donc que *aussi* modifie *peu*, c'est-à-dire que *aussi peu* a la structure

$$(_{Dadv}(_{Adv}{}^{aussi)}\ peu).$$

Par ailleurs, la séquence *tout peu* n'est pas acceptable, mais la séquence *tout aussi* l'est et elle se comporte comme *aussi*, même dans des contextes proprement adverbiaux : *tout aussi gros*. Nous conviendrons donc que *tout* modifie *aussi*, ce qui nous conduit à la structure de déterminant

$$(_{Dadv}(_{Adv}{}^{(tout)\ aussi)}\ peu).$$

Le nombre des éléments en jeu et la complexité de leurs combinaisons nous ont limité dans notre étude. Nous pensons cependant avoir réussi à dégager l'amorce de certaines régularités qui se retrouveront vraisemblablement lors d'éventuelles études ultérieures de combinaisons.

Les tableaux représentent des combinaisons *Dét₁ Dét₂* de deux éléments de la façon suivante : *Dét₁* est lu sur une ligne et *Dét₂* dans une colonne ; à l'intersection de la ligne et de la colonne figure le signe + lorsque *Dét₁ Dét₂* est acceptable.

2.1 *Combinaisons* Dadv Dadv

Le tableau IV, 1 comporte les séquences *Dadv Dadv* qui sont autorisées, il ne comporte pas de constructions *Dadv de Dadv* qui sembleraient possibles *a priori,* mais qui se révèlent être toutes inacceptables ; nous y reviendrons ci-dessous.

Tableau IV, 1

Dadv Dadv	autant	d'autant (plus + moins)	davantage	moins + plus	pas mal	tant	peu	assez	trop	beaucoup	énormément	un N (N = epsilon + …)	un ((tout) petit) peu	drôlement	infiniment	suffisamment	tellement	vachement	ne … guère	ne … jamais	ne … (aucunement + ni + pas)	ne … plus
autant																						
d'autant (plus + moins)																						
davantage																						
moins + plus																						
pas mal																						
tant																						
peu																						
assez							+															
trop							+															
beaucoup			+				+															
énormément			+				+															
un epsilon			+				+															
un poil			+				+															
un soupçon			+				+															
un tantinet			+				+															
un ((tout) petit) peu			+				+															
drôlement			+				+	+														
infiniment			+				+	+														
suffisamment			+				+	+														
tellement			+				+	+														
vachement			+				+	+														
ne … aucunement	+		+							+	+											
ne … guère	+	+	+							+												+
ne … jamais	+	+	+					+	+	+	+	+				+	+					+
ne … pas	+	+	+					+	+	+	+	+				+	+					
ne … plus	+							+	+	+	+	+				+	+		+	+		
ne … ni	+	+	+	+	+			+	+	+	+	+	+	+	+	+	+					

Pour des raisons de commodité, nous avons groupé les deux entrées *moins* et *plus* qui ont le même comportement, il en est d'ailleurs de même pour leur fonction *Dnom,* ainsi *plus (Dnom)* et *moins (Dnom)* sont les seuls *Dnom* donnant lieu à des combinaisons *Dadv Dnom.* Les *N epsilon, poil, soupçon, tantinet* ont leurs propriétés combinatoires identiques, mais ces propriétés diffèrent de celles de l'entrée de *Dadv* en *peu,* qui elle aussi comporte un *Dét.* Les propriétés de ce *Dadv* sont à rapprocher de celles de *peu* (II, 11), en tout cas dans les combinaisons avec les négations. Nous avons également regroupé *ne ... (aucune-*

ment + ni + pas) dans une colonne, ces *Dadv* n'acceptant aucun *Dadv* à leur gauche.

Les combinaisons représentées se divisent en plusieurs groupes.

Un premier groupe *(autant à peu)* ne prend aucun *Dadv* à droite.

Un second groupe *(assez à vachement)* a des combinaisons remarquablement limitées : les seules occurrences de droite sont *moins, plus, trop* d'une part, et *peu* d'autre part. *Moins, plus, trop* et la forme complexe *trop peu* se combinent tous avec les mêmes *Dadv* à gauche. L'élément *peu* a des combinaisons différentes des précédentes, sauf dans le cas des *Dadv* en *-ment*. Toutes ces combinaisons correspondent à des *GN* de forme

Dadv Dadv de (N + GN déf)

où la séquence *Dadv Dadv* se comporte comme un *Dadv* unique dont les facteurs ne sont pas dissociables (par permutation par exemple comme en I, 6.1). Nous avons mentionné que l'étude des combinaisons

Dadv de Dadv de (N + GN déf)

indique qu'aucune n'est acceptable. Nous observons cependant des phrases à couleur populaire comme

Luc dort beaucoup de trop
Luc a lu beaucoup de trop de ces livres

parallèles aux phrases dites standards

Luc dort beaucoup trop
Luc a lu beaucoup trop de ces livres

et qui en seraient dérivées par [de z.]. Ces séquences *Dadv de Dadv* pourraient suggérer l'existence d'un phénomène général, elles devraient alors être généralisées à d'autres combinaisons comme

Luc a lu assez de peu de ces livres

qui sont entièrement inacceptables, puisqu'elles ne semblent pas pouvoir être considérées comme populaires. *Trop* apparaît donc comme un élément unique du point de vue des *Dadv de Dadv*, ou bien peut-être, il importerait de distinguer *trop (Dadv)* d'une autre entité *de trop* apparaissant dans les phrases populaires précédentes et dans

Luc dort de trop
Luc dort (bien + deux fois + trois nuits) de trop
Luc est de trop ici.

Pour que *de trop* puisse être considéré comme un *Dadv*, il serait nécessaire que la séquence suivante soit acceptable, au moins avec couleur populaire :

Luc a lu de trop de livres

or elle semble entièrement inacceptable. *De trop* ne peut pas non plus être rapproché des formes *de Dadv* superficiellement analogues que l'on trouve dans

Luc a manqué Eve de (peu + beaucoup).

Ici, nous avons affaire à un complément indirect *de GN* vraisemblablement réduit de la façon suggérée en I, 5. Une raison supplémentaire de séparer *trop (Dadv)* de *de trop* est le fait que *de trop* n'est pas combinable avec *peu* alors que *trop (Dadv)* l'est :

* Luc dort de trop peu
Luc dort trop peu.

De trop est vraisemblablement à rapprocher de *en trop* dans

> *Luc a compté ceci en trop*
> *Luc est en trop ici.*

Notons que nous avons les phrases apparemment voisines

> *Luc a compté ceci en (moins + plus)*

mais ces constructions recevront une analyse (IV, 3.3.2) qui ne semble pas pouvoir s'appliquer à *en trop* ; nous pouvons d'ailleurs déjà remarquer une première différence

> * *Luc dort de (moins + plus).*

Signalons enfin que *Prép = par* ne se combine guère qu'avec *Dadv = trop*, comme dans

> *Luc a par trop mangé (E + de gâteaux)*

Un troisième groupe particulier est celui des combinaisons avec négation à gauche : *ne ... (aucunement + guère + jamais + ni + pas + plus) Dadv.* La simple observation de l'existence de ces combinaisons pose des problèmes d'acceptabilité difficiles à résoudre. Il est en effet toujours possible de trouver une intonation dite contrastive ou de citation telle que toute combinaison soit acceptable[1]. Intuitivement, ces intonations comportent une discontinuité entre les deux éléments de la combinaison, perceptible dans

> *Luc ne mange pas # un peu de pain...*

et cette phrase serait naturellement prolongeable par la partie contrastive

> *... il en mange # beaucoup.*

Nous n'avons indiqué dans le tableau IV, 1 que les combinaisons à intonation uniforme, avec la marge d'erreur que comporte cette distinction intuitive mais relativement opératoire. Bon nombre de nos décisions devraient donc être reproductibles.

Certaines combinaisons marquées comme autorisées présentent des particularités difficiles à analyser. Ainsi, les séquences

> *Luc ne boit (pas + plus) tellement d'eau*
> *Luc ne dort pas tellement*

sont acceptables, mais les propriétés et le sens de *tellement* ont varié par rapport aux phrases sans négation. C'est ainsi que les séquences

> *Luc boit tellement d'eau*
> *Luc dort tellement*

doivent être prolongées par un contexte *que P* pour être acceptées, ce qui n'était pas le cas en présence des négations. Des faits voisins s'observent avec *tant* à l'impératif :

> *Ne bois (pas + plus) tant d'eau !*
> * *Bois tant d'eau !*

(cette séquence est cependant acceptable avec l'interprétation *tant = telle quantité*, IV, 3.1.2.c).

Dans les séquences acceptables ci-dessus, *tant* devient voisin en sens de *autant* et *tellement*. Un phénomène analogue apparaît avec la combinaison *ne ... jamais autant*, nous avons

> *Luc n'a jamais bu autant de vin*
> ? * *Luc a bu autant de vin*

---

1. Le fait que nous ayons noté la possibilité de nombreuses combinaisons *ni Dadv* tient à cette observation. La conjonction *ni* produisant toujours un effet contrastif, elle semble pouvoir porter sur tout *GN.*

la dernière séquence n'est guère acceptable sans la présence d'un *que P* comparatif, d'une nature différente de celui qui accompagne *tellement* (I, 3.1.2). (Ces faits pourraient être liés à une notion de polarité (Baker ; Fauconnier 1976).)

Notons une autre difficulté de l'analyse de *jamais*, cette fois en combinaison avec *ne ... que*. Nous pourrions définir, avec une précision toute relative, les sens de *ne ... jamais* et de *ne ... que* comme les différences de sens qui apparaissent respectivement dans les paires

> { *Luc boit du vin*
> { *Luc ne boit jamais de vin*
> { *Luc boit du vin*
> { *Luc ne boit que du vin.*

Dès lors l'analyse du sens de

> *Luc ne boit jamais que du vin*

pose des problèmes insolubles. Cette phrase a deux interprétations au moins, paraphrasables par

> *Luc boit exclusivement du vin*
> *Luc, après tout, boit simplement du vin*

aucune de ces interprétations ne se déduit de façon claire des interprétations de *ne ... jamais* et de *ne ... que*, telles que nous les avons définies ci-dessus. Dans d'autres cas de combinaisons de deux négations, il arrive que l'apport en sens de l'une d'elles soit quasi nul, ou en tout cas bien moins sensible que si elle était introduite dans une phrase sans négation. C'est ce que nous observons en comparant les trois phrases

> *Luc ne boira plus d'eau*
> *Luc ne boira plus jamais d'eau*
> *Luc ne boira jamais plus d'eau*

la présence de *jamais* y modifie peu le sens de la phrase initiale.

La plupart des problèmes que nous venons de mentionner peuvent être résolus si l'on fait appel à deux mécanismes distincts, qui n'ont pas encore été bien précisés :

— nous pouvons faire provenir les négations d'une phrase d'un niveau supérieur, en utilisant donc l'analyse de Harris 1970, Lakoff 1970. Considérons la phrase suivante (1) et sa source selon II, 9 :

(1)   *Max n'aime pas que Luc*
            Max n'aime pas personne d'autre que Luc

en dehors du fait que la source est difficilement acceptable, elle semble sémantiquement différente de (1) ; cette difficulté disparaît si nous prenons pour source une forme comme

(2)   *Que Max n'aime personne d'autre que Luc n'est pas le cas.*

Lors du passage de (2) à (1), la négation descendra dans la complétive qui deviendra donc principale simple. Le même type d'opération intervient à l'impératif (Gross 1968, chapitre V ; Cornulier 1973) ce qui résout certains des problèmes mentionnés ci-dessus :

> * *Je veux que tu boives tant d'eau*
> *Je ne veux pas que tu boives tant d'eau*
> = *Ne bois pas tant d'eau !*

Cette analyse rend également compte des difficultés observées avec *tellement* :

> * *Luc dort tellement*
> *Que Luc dorme tellement n'est pas le cas*
> = *Luc ne dort pas tellement.*

La nécessité de disposer aussi d'un mécanisme autre que l'abaissement de la négation est illustrée par un exemple formellement voisin de (1) : l'interprétation de

(3)   *Max n'aime plus que Luc (Maintenant, Max aime seulement Luc)*

devrait avoir une source de sens différent, soit

> *Que Max n'aime que Luc n'est plus le cas*

qui ne convient qu'à une autre interprétation de (3).

— afin de résoudre de telles difficultés, nous ferons appel à une procédure d'analyse des négations basée sur l'intuition sémantique que celles-ci sont composées d'un complément et de la négation élémentaire *ne ... pas* (Klima). Par exemple *ne ... plus* sera analysé en un adverbial proche de *encore*, et en *ne ... pas*. Ainsi nous aurons une dérivation comme

> *Que Max aime encore Luc n'est pas le cas*
> = *Max n'aime plus Luc*

au cours de laquelle, en plus de la règle d'abaissement de la négation, la règle de sélection morphémique suivante s'appliquera :

> { *pas, encore* } → *plus*

cette notation implique en particulier que l'ordre des morphèmes du premier membre n'est pas déterminé, il ne s'agit donc pas des règles d'incorporation de négation de Klima comme nous le verrons ci-dessous ; les possibilités de formalisation de ces règles sont si variées, qu'en l'absence de critères de choix nous ne discuterons pas de leur statut théorique (Ce type de règle ne correspond pas forcément à ce que nous avons appelé règle de synthèse morphémique en II, 3.2).

De la même façon, la règle

> { *pas, à un moment quelconque* } → *jamais*

ou bien   { *pas, une fois* } → *jamais*

permettra une dérivation comme

> *Max ne boit pas de vin blanc à un moment quelconque*
> = *Max ne boit jamais de vin blanc.*

Les règles suivantes formeront d'autres négations complexes :

> { *pas, quelqu'un* } → *personne*
> { *pas, un* } → *aucun*
> { *pas, ou* } → *ni* (Gross 1973).

Le fonctionnement de ces éventuelles règles possède une particularité que révèlent diverses formes composées comme

> *Max ne boira plus jamais d'eau*

qui comportent deux négations formelles, il est difficile de considérer que leur source comporte deux étages sous-jacents en *ne ... pas* ; la source du dernier exemple donné devra plutôt être

> *Que Max boira encore de l'eau à un moment quelconque n'est pas vrai.*

Dans ces conditions, nous devons considérer que les règles de formation des négations sont des inductions contextuelles complexes puisqu'une seule occurrence de *ne ... pas* suffit à déclencher plusieurs applications de règles de formation, ces conditions excluent donc que les règles de formation soient des règles qui fusionnent des morphèmes ou des représentations abstraites de morphèmes. Cette remarque pourrait également rendre compte de la présence d'un seul *ne* avec certaines négations dites doubles. Néanmoins, il n'est pas possible d'expliquer actuellement les distances qui séparent des morphèmes négatifs le *ne* qui leur correspond, ceux-ci pouvant apparaître dans des positions difficiles à définir par rapport au verbe principal portant le *ne* :

Max n'a réparé les extrémités des pieds d'aucune table.

Nous avons donc vu apparaître plusieurs groupes distincts de combinaisons de *Dadv* :

— celui des *Dadv* non négatifs, séparés en deux classes : les combinaisons avec *moins, plus* et *trop* à droite d'une part, avec *peu* à droite d'autre part,

— celui des *Dadv* négatifs à gauche, moins régulier que le précédent[2]. Seuls, ces *Dadv Dadv* sont dissociables par permutation.

Il est intéressant de noter que nous ne retrouverons pas ailleurs de telles propriétés de combinabilité, celles-ci sont donc liées aux *Dadv*. Remarquons encore que les constructions *Dadv de GN* ne peuvent pas être précédées d'un article défini *(∗ Ddéf Dadv de GN)*. Nous avons discuté en II, 11 le cas de *peu* qui, éventuellement, dans *le peu de GN ... Rel*, constituerait une exception à cette remarque. Cependant les règles de combinaison des *Dét* avec *peu* sont d'une complexité et d'une particularité telles que nous avons préféré séparer *peu* de *le peu*.

2.2 *Combinaisons* Adv Dadv

Nous avons étudié en IV, 1 des adverbes notés *Advd* et leur relation aux *Dadv*. Nous représentons dans le tableau IV, 2 des séquences *Adv Dadv*, en incluant dans *Adv* des adverbes comme *absolument* dont il semble clair qu'ils n'ont pas de relations syntaxique directe avec les (pré)déterminants. De nombreux autres adverbes[3] ont des propriétés analogues et devraient donc être placés dans le tableau IV, 2, comme par exemple *réellement, vraiment*. Leur étude reste à faire et l'un des premiers problèmes qu'ils posent est celui de leur portée : ces adverbes portent-ils sur des *Dadv*, ou ne sont-ils que des insertions dans des phrases, l'une de leurs positions étant à la gauche immédiate d'un *Dadv* ? Considérons ainsi les phrases

---

2. Nous n'avons pas fait apparaître dans les colonnes du tableau IV, 1 les éléments *Advd = aussi + fort + si + très*, dont nous avons vu (IV, 1) qu'ils avaient des relations étroites avec les *Dadv*. Notons que les combinaisons autorisées sont

ne... (aucunement + jamais + ni + pas + plus) Advd

3. L'adverbe (?) *grand* a un comportement voisin de *fort* et *très* dans certains contextes :

Luc a (fort + grand + très) faim

mais il ne se combine pas avec les *Dadv*. Notons que *grand* a un caractère adjectival, puisqu'il peut s'accorder en genre.

Luc ne boit absolument pas d'eau
Luc ne boit vraiment pas d'eau

elles semblent avoir des structures et des sens très voisins. Cependant, l'omission de la négation conduit à

? * *Luc boit absolument de l'eau*
Luc boit vraiment de l'eau.

Pour *absolument*, nous n'avons donc qu'une possibilité : considérer cet adverbe comme une adjonction à la négation[4]. Par contre *vraiment* pourrait être un adverbe occupant des positions variables dans la phrase. Mais nous constatons alors que

Luc ne boit vraiment pas d'eau
et   *Luc ne boit pas vraiment de l'eau*

qui diffèrent formellement par une permutation ne sont pas liés par le sens. Or avec les adverbes librement permutables comme *joyeusement*, nous observons la restriction suivante sur le déplacement :

* *Luc ne boit joyeusement pas de l'eau.*

La distribution et le sens de *vraiment* suggèrent donc que nous avons affaire à deux analyses de *vraiment*, l'une analogue à *absolument* l'autre à *joyeusement*, qui ne diffèrent que par les ordres d'introduction dans la phrase de *ne ... pas* et de *vraiment*.

Tableau IV, 2

Adv Dadv	autant	d'autant (moins + plus)	davantage	moins + plus	pas mal	tant	peu	assez	trop	beaucoup	énormément	un N (N = epsilon + ...)	un ((tout) petit) peu	drôlement	infiniment	suffisamment	tellement	vachement	ne ... aucunement	ne ... guère	ne ... jamais	ne ... ni	ne ... pas	ne ... plus
absolument / vraiment	+	+	+	+		+	+	+	+	+						+			+ / +				+ / +	+ / +
aussi					+																			
fort				+	+																			
si					+																			
très					+																			
bien	+		+	+		+	+	+	+							+								
tout	+																							
presque	+		+	+				+	+							+			+	+			+	+
Dnum fois	+		+	+					+															
plus ou moins	+																							

Remarques sur le tableau IV, 2 :

---

4. *Absolument* se combine encore avec *ne* ... *(aucun + personne + rien)*, *n'importe quel* et *tout*.

1) *Bien* et *tout* étant des *Préd* exceptionnels, nous les avons fait figurer dans ce tableau, de même que *presque*.

2) *Dnum fois (Dnum = un + deux + etc.)* est un *Adv* aspectuel, d'autres *Dadj* sont substituables à *Dnum*. Alors que les autres *Adv* se combinent avec *plus* et *moins (Dadv* et *Dnom)*, *Dnum fois* ne se combine pas avec eux dans leur fonction de *Dnom*, on observe cet élément avec d'autres *Dnom (deux fois le nombre)*.

3) La combinaison *trop peu* se comporte comme *trop* et non pas comme *peu*.

2.3 *Combinaisons* Dnom Dnom

Ces combinaisons correspondent aux formes *GN = Dnom de Dnom de GN* dont notre analyse (II, 1.1 ; II, 2) implique qu'elles devraient obéir à la contrainte générale

GN = Dnom de GN déf, avec *GN déf = Ddéf*...

Le dénombrement de ces combinaisons pose déjà des problèmes que nous n'avions pas rencontrés lors de l'étude des *Dadv Dadv*. Les sentiments d'acceptabilité étaient alors bien tranchés, il n'en va pas de même pour les *Dnom de Dnom* qui comportent un assez grand nombre de cas dont le caractère marginal n'apparaîtrait pas dans un tableau binaire. Cette situation pourrait provenir de ce qu'avec les *Dnom*, les *GN* sont plus complexes syntaxiquement et morphologiquement, donc moins grammaticalisés ; mais il est difficile de donner une base formelle sérieuse à cette observation intuitive sur la complexité.

Nous avons indiqué en II, 2 certains problèmes posés par l'étude des *GN*

Dnom de GN = Dét Nd de GN
= (un + le) (groupe + quart) de GN.

Dans ces groupes, il apparaissait des contraintes de sélection entre *Nd* et *GN*, celles-ci sont doubles dans les groupes

Dét Nd de Dét Nd de (GN + N).

Les *Nd* pouvant varier considérablement, un recensement sous forme de tableau ne donnerait qu'une image imparfaite des possibilités combinatoires des *Dnom* ; cependant, quelques-uns des paramètres de l'étude peuvent déjà être dégagés. Ainsi, le contraste

* *Un certain nombre de ce groupe de soldats (rester(a + ont))*
Un certain nombre de ces groupes de soldats (restera)

ne provient pas d'une contrainte entre *nombre* et *groupe*, il résulte du fait que *nombre* ne détermine que des *GN* au pluriel. Nous observons la même restriction avec *chacun* :

* *Chacun de (ce + un) groupe de soldats (restera)*
Chacun de ces groupes de soldats (restera).

Par contre, des interdictions comme

* *Un morceau d'un groupe de soldats (disparaîtra)*
* *Un morceau d'un nombre élevé de soldats (disparaîtra)*

sont valables indépendamment des *Dét* en jeu, elles correspondent à des violations de contraintes sémantiques entre les *Nd* des *Dnom*. Il y a donc lieu d'éliminer de tels facteurs dans l'étude syntaxique des combinaisons.

Alors, les contraintes que nous avons décrites en II, 1 opèrent de façon générale et rendent compte de la plupart des combinaisons que nous pouvons recenser, à condition d'étendre quelque peu nos définitions. C'est ainsi que nous considérerons que les formes suivantes qui comportent l'article défini sont des *Ddéf* (II, 1.4 (ii)) :

> *le plus clair, le (E + plus) gros, la plupart,*
> *le ((E + tout) petit + E) peu, l'un, U lequel.*

Remarques :

1) Le *Dnom plein* (populaire) et ses analogues (littéraires) *nombre* et *quantité* sont difficiles à étudier : ils donnent lieu à des constructions d'acceptabilité variable. Cependant quelques combinaisons nous semblent acceptables :

> *Bon nombre du peu d'amis que nous voyons encore (viendront)*
> *Bon nombre d'une quantité importante de mes amis (viendront)*

ces formes sont moins acceptables en l'absence de *bon*. Notons que l'adjectif *bon* en compagnie de certains *Dnom* : *un(e) bon(ne) (quantité + paquet + tas + etc.)* prend l'interprétation spéciale *grand*, phénomène qui ne se produit que dans des contextes particuliers. Nous avons de même *(Luc a bu) dix bons litres de vin.*

2) *Pour* étant un *Dnom* (II, 4), nous avons des combinaisons comme

> *Luc achète pour (moins + plus + près) de dix francs de vin.*

2.4 Combinaisons Adv Dnom

Tableau IV, 3

Adv Dnom	un groupe	la moitié	un morceau	un nombre ... Rel	une partie	une quantité ... Rel	le plus clair	le (plus) gros	le ((tout) petit) peu ... Rel	l'un	chacun	quelques-uns	ne ... rien	(bon) nombre	plein	quantité	combien	lequel	n'importe combien	n'importe lequel	je ne sais combien	je ne sais lequel	moins	plus	près	aux environs
absolument							+	+			+	+							+	+						
vraiment							+	+			+			+					+	+			+	+		+
aussi																								+		
fort																								+		
si																								+		
très																								+		
bien		+																					+	+	+	
tout		+	+	+	+	+	+	+	+					+										+		
presque		+					+	+			+								+	+						
Dnum fois																	+	+	+							
plus ou moins	+																									

Nous avons représenté dans le tableau IV, 3 les combinaisons des adverbiaux mentionnés en IV, 2.2, ce sont des séquences *Adv Dnom*.

Nous signalons une particularité de la combinaison *bien la moitié*, qui, dans

Luc a mangé bien la moitié de ce gâteau

est synonyme de *au moins la moitié*.

2.5 Combinaisons Dadj Dadj

2.5.1 *Fractions*

Les fractions sont également des *Dnom* comportant un *N*. Nous noterons *Nf* des nominaux analogues aux *Nd* comme *nombre, quantité, morceau* ; ces *Nf*, en général, ne peuvent pas apparaître sans déterminant (Clédat 1923). Considérons les formes

Nf = moitié + tiers + quart + cinquième[5] + etc.

elles se composent avec les *Dnum un, deux*, etc. dans les constructions

Dnum Nf de N = (un + sept) tiers de gâteau.

Les *Nf* se combinent avec tous les *Dnum*[6]. Il existe également des constructions avec conjonction :

Dnum N (E + et) Dnum Nf
= (un + deux) gâteaux (E + et) trois quarts

qui s'analyseront à partir de

Dnum N (E + et) Dnum Nf de N
= deux gâteaux et trois quarts de gâteau

par réduction de l'élément répété, ici *de N = de gâteau*. Les *Nf* entrent encore dans les *GN* définis *Ddéf Nf de N (E + Rel)* :

Les deux tiers de cheval qui ont été vendus étaient avariés.

L'élément *demi* voisin des *Nf* a une construction différente :

un demi gâteau, mais * un demi de gâteau.

Nous analyserons pourtant la forme sans *de* par effacement du *de* dans la forme * *Nf de N*, où *Nf = demi*. En effet, nous observons indirectement ce *de* dans

Luc en a mangé un demi # de gâteau.

Les éléments *demi* et *quart* dans leur construction à conjonction peuvent, au contraire des autres *Nf*, apparaître sans *Dnum* :

un gâteau et (demi + quart)[7]
* un gâteau et (tiers + cinquième + etc.).

---

5. La relation des fractions en *Dnum-ième* avec les ordinaux de même forme n'est pas claire, ces fractions commencent avec *Dnum = cinq* et sont au masculin (peut-être à cause de *Dnum*), les ordinaux commencent avec *Dnum = deux* et sont des adjectifs s'accordant en genre avec leur *N*.

6. Avec des restrictions non syntaxiques : on ne dira guère *quatre sixièmes de gâteau* parce qu'on aura tendance à simplifier la fraction en *deux tiers*.

7. La conjonction *et* ne peut pas être omise dans ces formes, elle pouvait l'être avec les autres fractions.

Les constructions en *pour* comme

> *Max a acheté (trois + cinquante) pour (cent + mille) de la récolte*

comportent également des fractions. Dans *Dnum pour Dnum*, le second *Dnum* (surtout) présente des restrictions extra linguistiques. Cette forme fonctionne à la façon d'un *Nd* comme *moitié* (II, 2).

2.5.2 *Numéraux*

Les *Dnum* simples (du point de vue morphophonémique) peuvent être combinés entre eux pour fournir tous les autres numéraux, mais divers phénomènes restent inexpliqués. Par exemple, les *Dnum* se terminant par *un* ou *onze* sont de deux types au moins : *un* et *onze* peuvent être conjoints ou non par *et* à la première partie du numéral :

> * *soixante (un + onze) ; soixante et (un + onze)*
> *quatre vingt (un + onze) ; ? * quatre vingt et (un + onze)*

les faits sont différents avec les autres numéraux :

> *(soixante + quatre vingt) dix ;*
> *? * (soixante + quatre vingt) et dix.*

D'une manière générale, l'intervention de la conjonction dans la formation des *Dnum* complexes est mal comprise. A ce sujet, mentionnons

> *vingt et quelques N* et *vingt N et quelques*

qui pourraient s'analyser à partir de

> *vingt N et quelques N*

par réduction, soit du *N* de droite, soit du *N* de gauche.

Les *Dnum* sont incompatibles avec certains *Nd* :

> * *Max a mangé trois grands nombres de gâteaux.*

2.5.3 *Autres combinaisons* Dadj Dadj

Les autres combinaisons *Dadj Dadj N* sont rares et limitées à l'un des trois types suivants :

(i) *Dadj tel N*[8] ; nous avons alors

> *Dadj = un + deux + trois + certains + chaque + différents + divers + force*
> *+ maints + quelques + tout + aucun + nul + U quel + l'autre + le seul ... Rel*
> *+ un autre + un seul.*

Tel (Dadj) apparaît dans des phrases qui comportent obligatoirement deux membres, comme

> *Tel homme parlera de vin, telle femme montrera ses robes.*

Lorsque *tel* est précédé d'un *Dind* il en va différemment, et les séquences

> *(un tel homme + de tels hommes) donnent du vin à Luc*

qui ont la forme d'un membre unique, sont acceptables. *Tel* a d'ailleurs ici un autre sens, celui d'un démonstratif générique :

> *un tel homme = un homme de (cette sorte + ce type).*

---

8. Rappelons à ce propos l'existence des conjonctions avec *Dadj* répété :
tel (et + ou) tel N, maints et maints N.

Nous retrouvons ce sens de *tel* dans l'interprétation de la forme ambiguë

Luc est un chef tel qu'on en voit peu

qui comporte éventuellement une pause entre *chef* et *tel*. L'autre sens *(tel = tellement)* aurait une pause entre *tel* et *qu'*. Un déplacement de *tel*, comme dans

Luc est un tel chef qu'on en voit peu

élimine la première interprétation. Les relations entre ces diverses utilisations de *tel* apparaissent donc comme complexes. Nous reviendrons sur *tel (Dadj)* en IV, 3.3.2 d ;

(ii) *Dadj Dnum N*, avec *Dnum ≠ un(e)* ; on a alors

Dadj = quel + les autres + les mêmes + les seuls ... Rel

les combinaisons *U quel Dnum N* sont douteuses ;

(iii) *Dadj différents N* ; ces combinaisons sont souvent douteuses, même avec les *Dadj* les plus acceptables, soit

Dadj = deux + trois + ... + maints.

Mais il est encore possible de combiner les *Dadj* de deux autres manières qui correspondent aux constructions

Dadj de Dadj N et *Dadj de Dadj de GN.*

Les combinaisons sont alors plus variées, les conditions générales d'obtention que nous avons observées en III, 2 sont applicables ici aussi, et les mêmes extensions de définition opèrent. Ainsi, certains *Dadj* ont la construction

Dadj de GN, pour *GN = GN déf, plur*

ils pourront avoir la forme *Dadj de Dadj...*, c'est-à-dire comporter des combinaisons de *Dadj*, lorsque la seconde occurrence de *Dadj* sera définie pluriel, ce qui limite les *Dadj* autorisés dans cette position à ceux qui peuvent avoir une forme en *les*. Nous aurons par exemple

Diverses des plus grosses personnes (sont arrivées)
Deux des autres personnes (sont arrivées).

2.6 *Combinaisons* Dnom Dadj

Nous n'avons pas non plus étudié systématiquement

Dnom de GN, pour *GN = Dadj N.*

Ici encore la complexité des constructions fait que les sentiments d'acceptabilité ne sont que rarement nets. En particulier, il serait nécessaire de séparer

Dnom de Dadj N et *Dnom de Dadj de GN*

puisqu'il existe des différences comme

* *Luc a vu la plupart de certains amis*
? *Luc a vu la plupart de certains de mes amis*
* *Luc verra n'importe lequel de trois amis*
Luc verra n'importe lequel de trois de mes amis.

Nous retrouvons dans ces combinaisons les conséquences des contraintes générales qui opèrent sur les *GN* déterminés par les *Dnom* (IV, 2.3). Ainsi, le fait que certains *Dnom* ne déterminent que des *GN* définis rend compte des combinaisons où *Dadj* comporte *chaque, le (la, les)*, il en va de même pour les *Dnom* appliqués à des *GN déf,plur*. Cependant, un certain nombre d'exceptions, apparentes au moins, se présentent dans cette étude. Certains *Dnom* s'appliquent à des *GN* indéfinis au singulier ; par exemple, sont autorisées les constructions

> *Un groupe d'une sorte bizarre de cheval (est arrivé)*
> *Un groupe d'un certain nombre de chevaux (est arrivé).*

alors que *un groupe d'un certain arbre* est inacceptable. De même les formes en *un* et en *quel*, qui sont indéfinies, conduisent à des combinaisons acceptables (par exemple *un ensemble de n'importe quelle sorte de lit*) ; mais le phénomène est superficiel car le facteur fondamental est celui du choix du *N* modifié par *Dadj* et déterminé par *Dnom*. Comme ces *N* sont proches des *Nd*, le problème abordé est en fait celui des combinaisons *Dnom Dnom*.

Remarques :

1) Les combinaisons acceptables *Dnom de chaque...* s'expliquent si on considère *chaque* comme défini.

2) La combinaison *rien de tel...* a été acceptée alors que

> * *Luc n'a lu rien de tel livre.*

Elle correspond aux formes où *rien* est déplaçable à gauche de *lu* comme

> *Luc n'a rien lu de tel (E + que cela).*

3) L'interdiction de combinaisons comme

> *un morceau de plusieurs N*

s'expliquent par les relations existant entre le *Nd (morceau)* et le *N* qui suit *plusieurs*.

4) Des adjectifs ou des participes comme *nombreux, variés* imposent le pluriel à leur *N*, à ce titre donc ils pourraient être considérés comme des extensions de *Dadj*.

2.7 *Combinaisons* Adv Dadj

Nous avons repris la famille d'adverbiaux discutée en IV, 2.2 et IV, 2.4, et nous avons étudié leurs combinaisons avec les *Dadj* ; le tableau IV, 4 les représente. Remarquons que ces combinaisons sont rares, compte tenu du fait que nous tentons de combiner des adverbiaux avec des adjectivaux.

La combinaison *bien maints* est douteuse, et les combinaisons *Dnum fois Dadj* sont difficiles à évaluer du fait d'une ambiguïté aspectuelle : *Dnum fois* peut porter sur le verbe ou sur le déterminant. Cette dernière interprétation n'est nette que dans le cas où *Dadj = Dnum*. Nous avons ainsi

> *Luc a mangé trois fois deux gâteaux*

paraphrasable par

> *Par trois fois, Luc a mangé deux gâteaux*

et

> *Luc a mangé six gâteaux.*

Nous avons également noté dans le tableau IV, 4 les combinaisons *Ddéf Dadj*. Dans certains cas de forme *le Dadj*, un modifieur *(Rel)* est obligatoire :

> *Luc a vu les trois amis*
> ? * *Luc a vu les quelques amis*
> *Luc a vu les quelques amis qui étaient là.*

Tableau IV, 4

Adv Dadj	absolument vraiment	aussi fort si très	bien tout presque	Dnum fois	Ddéf
un seul					
un certain					
un autre					
le seul … Rel			+		
le même			+		
le (moins + plus) Adj					
l'autre					
quel					
je ne sais quel					
n'importe quel	+ +		+		
ne … nul autre que N					
ne … nul					
ne … aucun	+ +		+		
tout	+ +		+		
tel					
quelques					+
quelque					
plusieurs					
maint(s)			+		+
force					+
divers					+
différents					+
chaque			+		
certains					
trois			+	+	+
deux			+	+	+
un			+	+	

2.8 *Combinaisons* Dadv Dadj

Nous avons mentionné en II, 1.2 une analyse envisageable de certaines séquences *Dadv de GN* : *Dadv* porterait sur le verbe et *de GN* serait un *GN* partitif. Cette interprétation dépend du *Dét* de *GN* ; alors que pour *Dét* = *Dnom* elle n'est pas possible, elle le devient pour certains *Dét* = *Dadj*. La construction du tableau IV, 5 doit donc tenir compte de cette possibilité. Une façon d'éliminer ce facteur consiste à placer les combinaisons étudiées dans des positions prépositionnelles, où le partitif n'est pas autorisé. Comme les négations ne sont pas autorisées non plus dans ces positions, nous ne les avons pas fait figurer dans le tableau.

Nous avons donc étudié des exemples comme

*? * Luc obéit à trop de certains principes*
* Luc a goûté à assez d'un gâteau qui était là
Luc a goûté à un petit peu d'un gâteau qui était là

mais dans divers cas, la complexité des constructions rend les intuitions moins nettes qu'avec ces trois formes.

Aucune séquence de la forme *Dadv Dadj* (sans *de*) n'est possible, ce qui est quelque peu en contradiction avec notre terminologie et la terminologie traditionnelle dont elle dérive, puisque des adverbiaux devraient en principe pouvoir modifier des adjectivaux.

2.9 *Combinaisons* Préd Préd

La simple vérification de l'acceptabilité des séquences *Préd Préd GN* pose déjà des prpblèmes complexes dus à la possibilité qu'ont les *Préd* d'être également interprétés comme des adverbes portant sur un verbe (I, note 7 ; pour les *Dadv* : II, 1.2 et IV, 2.8). Par ailleurs, il existe des séquences $Préd_1$ $Préd_2$ *Dét N* qui sont interdites, alors qu'une séquence associée (par permutation) comme $Préd_1$ *Dét N* $Préd_2$ est acceptable :

* Luc lira environ jusqu'à trois livres
*? * Luc lira jusqu'à environ trois livres*
Luc lira jusqu'à trois livres environ.

Les exemples suivants sont moins clairs, car avec certaines pauses des séquences inacceptables deviennent acceptables, mais en même temps il semble qu'il y ait modification de la portée de l'un des *Préd* au moins :

* Luc lira en gros plutôt ces trois livres
*? * Luc lira plutôt en gros ces trois livres*
Luc lira en gros ces trois livres plutôt
Luc lira plutôt ces trois livres en gros.

De même, nous avons

* Luc lira en gros environ trois livres
Luc lira environ trois livres, en gros.

Dans cette dernière forme (plutôt pléonastique), on pourrait à la rigueur interpréter *en gros* comme une apposition à *environ*. Nous devrions donc construire également un tableau pour les combinaisons de *Préd* situés de part et d'autre de *Dét N*.

Tableau IV, 5

	autant / d'autant (plus + moins) / davantage / (moins + plus) / pas mal / tant / peu / assez / trop / beaucoup / énormément	un (epsilon + poil) / un tantinet / un ((tout) petit) peu	drôlement / infiniment / suffisamment / tellement / vachement
un seul		+ + +	
un certain		+ + +	
un autre		+ + +	
le seul ... Rel	+ + + + + + + + + +	+ + +	+ + + + +
le même	+ + + + + + + + + +	+ + +	+ + + + +
le (moins + plus) Adj	+ + + + + + + + + +	+ + +	+ + + + +
l'autre	+ + + + + + + + + +	+ + +	+ + + + +
quel ?	+ + + + + + + + + +	+ + +	+ + + + +
je ne sais quel	+ + + + + + + + + +	+ + +	+ + + + +
n'importe quel	+ + + + + + + + + +	+ + +	+ + + + +
ne ... nul autre que			
ne ... nul			
ne ... aucun			
tout		+ + +	
tel		+ + +	
quelques			
quelque		+ + +	
plusieurs			
maints			
force			
divers			
différents			
chaque		+ + +	
certains			
trois			
deux			
un		+ + +	
Dadv Dadj			

Les séquences *Préd*$_1$ *Préd*$_2$ *Dét N* et *Préd*$_1$ *Dét N Préd*$_2$ posent plusieurs problèmes d'analyse difficiles à résoudre. Il existe en effet un certain nombre de possibilités concurrentes *a priori* :

(i) Comme nous l'avons mentionné, *Préd*$_2$ pourrait être une apposition à *Préd*$_1$ dans *Préd*$_1$ *Dét N Préd*$_2$, et plus exactement, le résidu d'un *GN* complet qui se réduirait du fait d'une répétition de la façon suivante :

$$\textit{Préd}_1 \; \textit{Dét N, Préd}_2 \; \textit{Dét N}$$
$$= \textit{Préd}_1 \; \textit{Dét N, Préd}_2.$$

Si l'on convenait qu'un *GN* ne peut prendre qu'un seul *Préd*, cette solution rendrait compte de façon naturelle des inacceptabilités de *Préd*$_1$ *Préd*$_2$.

(ii) On pourrait encore penser que les *Préd*$_1$ *Préd*$_2$ *Dét N* ont une structure d'arbre branchant à gauche comme dans la figure IV, 7.

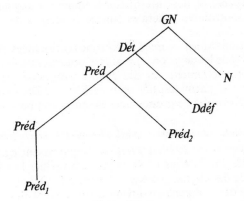

Figure IV, 7

Ainsi, dans ces structures[9], *Préd*$_1$ est un adverbe portant sur *Préd*$_2$ plutôt que sur *GN*. On a parfois attribué (Chomsky 1960, Yngve) à ce type de branchement une diminution de l'acceptabilité des séquences correspondantes. Certains *Préd*$_1$ *Préd*$_2$ *Dét N* pourraient donc être grammaticaux tout en étant inacceptables, et les *Préd*$_1$ *Dét N Préd*$_2$, dérivés par permutation des précédents (I, 6.2), seraient acceptables, car leur structure brancherait moins à gauche.

(iii) Une partie des interdictions est probablement sémantique, car elles correspondent à des combinaisons de synonymes ou d'antonymes. Nous pou-

9. D'autres structures sont envisageables pour ces constructions, par exemples le nœud supérieur *Préd* pourrait être attaché à *GN* au lieu de l'être à *Dét*. Dans ces deux solutions les *Préd* sont internes au *GN*, ce qui peut être un inconvénient. On pourrait y remédier en créant une nouvelle entité *SupGN* qui coifferait *GN* et *Préd* : *SupGN = Préd GN*, solution entièrement ad hoc équivalente à celle qui consiste à utiliser une barre de plus avec *N* dans la notation de Harris 1946-Chomsky 1967.

vons par exemple constituer des classes de *Préd*[10] d'après des intuitions de sens évidentes[11] :

$A = \{$ *approximativement, pratiquement, virtuellement, environ, à T près, en gros* $\}$

qui s'oppose à

$A' = \{$ *exactement, exclusivement, simplement, strictement, uniquement* $\}$

et par ailleurs

$B = \{$ *presque, à peine, au plus, au mieux, jusqu'à, pas tout à fait* $\}$

s'opposant à

$B' = \{$ *au moins, au pire* $\}$

Dès lors, les combinaisons AA, AA', $A'A$, $A'A'$, BB, BB', $B'B$, $B'B'$ sont toutes susceptibles d'être soit pléonastiques soit contradictoires, ce qui déterminera leur inacceptabilité.

(iv) D'autres combinaisons sont vraisemblablement exclues sur des bases purement syntaxiques, et des interdictions comme * *ni plutôt* et * *plutôt ni* proviendront de contraintes générales sur les processus de conjonctions examinés en IV, 3.2 a.

Les combinaisons *(bien + tout) Préd* sont représentées par deux colonnes de la table *Préd*. Nous les séparons des autres pour la raison (intuitive) que ces deux $Préd_1$ portent nettement sur des $Préd_2$, c'est d'ailleurs pourquoi nous avons placé *bien* et *tout* parmi les *Adv* qui modifient des *Dét* dans les tableaux IV, 2 ; IV, 3 et IV, 4. Notons à ce propos que les seules combinaisons possibles *très Préd* sont

très (approximativement + exactement + particulièrement + précisément + spécialement).

Les combinaisons *pas Préd* et *Préd pas* apparaissent également dans des colonnes de la table *Préd*. Nous n'avons fait que vérifier l'existence d'une telle forme, sans faire de distinction par exemple entre les *Dét* du *GN* (ici N_1 direct). C'est ainsi que les deux séquences suivantes fournissent des combinaisons *pas Préd* acceptables :

(1)   *Luc ne lit pas précisément cette sorte de roman*
(2)   *Luc ne lit pas strictement cette sorte de roman.*

Pourtant, le fait que N_1 soit défini cache en partie une différence entre (1) et (2) plus facilement mise en évidence sur un N_1 indéfini. Nous avons

Luc ne lit pas précisément de romans

cette phrase comporte *de N* (sans *Dét*) bien que *pas* ne soit pas adjacent à *de romans*. Mais la séquence analogue

* *Luc ne lit pas strictement de romans*

est inacceptable. Notons qu'une intuition directe de forme pourrait suffire à séparer (1) de (2) : Nous pouvons percevoir dans (2) mais pas dans (1) une

---

10. Les éléments de ces classes peuvent cependant avoir des comportements différents dans d'autres contextes ; ainsi pour *pratiquement, environ* tous deux dans *A* nous avons
Luc a mangé pratiquement tout le gâteau
* *Luc a mangé environ tout le gâteau.*
11. Ces notions seraient : « imprécis » pour *A*, « précis » pour *A'*, *B* et *B'* sont « imprécis » : *B* « par défaut », *B'* « par excès ».

sorte de pause entre *pas* et *Préd*. En termes de constituants, nous pouvons attribuer à (1) et (2) les structures partielles suivantes qui décrivent la différence :

(1′)   *Luc (ne lit pas (précisément)) (cette sorte de roman)*

où *précisément* est une adjonction à *pas*, et

(2′)   *Luc (ne lit pas) (strictement cette sorte de roman)*.

Nous retrouvons un exemple formellement analogue avec

Luc ne lit pas que cette sorte de roman

où la présence de *pas* n'influe pas sur la forme de l'objet direct :

* *Luc ne lit pas que de romans.*

Les combinaisons de *quelques* ont un statut peu clair. *Quelques* semble s'apparenter à *quelque (Dadj)*, mais le fait de porter sur *Dnum* uniquement entraînerait pour *quelque (Dadj)* un changement de sens important si nous considérions que *quelques (Préd)* en est le pluriel. Pourtant une forte majorité de *Préd* entrent dans *Préd quelques*, alors qu'aucun *quelques Préd* n'est permis et que *Dadj Préd* n'est jamais permis non plus.

Nous terminerons l'étude des combinaisons en relevant quelques distinctions dans l'utilisation des *Préd*.

La différence entre *environ* et *presque* pourrait n'être que sémantique (cf. note 11), c'est ce que suggèrent les contrastes

presque (tout le[12] + n'importe quel + chaque + pas de) gâteau
* *environ (tout le + n'importe quel + chaque + pas de) gâteau.*

Presque a moins de restrictions par rapport à son *Dét N* que *environ* qui implique presqu'obligatoirement *Dét = Dnum*. Par ailleurs, ces deux *Préd* se comportent de façon voisine :

* *(environ + presque) (beaucoup + certains + lequel) de ces gâteaux*
(environ + presque) (la moitié + trois) de ces gâteaux.

Presque et *à peine* sont plus voisins en sens :

Luc a mangé presque trois gâteaux
Luc a mangé à peine trois gâteaux

pourtant, ces éléments ont des comportements différents :

Luc ne mange presque pas de gâteaux
* *Luc ne mange à peine pas de gâteaux.*

Il semblerait qu'il soit toujours possible de trouver de telles oppositions, quels que soient les *Préd* comparés.

Ces quelques exemples sont destinés à rappeler qu'une étude complète devrait porter sur toutes les combinaisons *Préd Dét*, nous retrouverions alors la plupart des problèmes déjà rencontrés, tels ceux de I, 3.1.1.

---

12. Dans cet exemple *presque* porte sur *tout* puisque * *presque le gâteau* et *tout* porte sur le *gâteau*. Nous avons ici un exemple naturel de branchement à gauche, inacceptable dans d'autres contextes.

3 Prédéterminants

Rappelons que la classe *Préd* (I, 2) comprend les éléments qui, dans les positions sujet et complément direct au moins, ne peuvent pas constituer un groupe nominal avec les *N* (noms communs sans déterminant). Nous aurons par exemple

Préd GN = au moins un lit
Préd N = ∗ au moins lit(s)
Préd de N = ∗ au moins de lit(s).

Les *Préd* apparaissent alors obligatoirement en compagnie de *Dét*. Par conséquent, ils peuvent être étudiés comme des adjonctions aux *Dét*. C'est le point de vue adopté par M. Salkoff dans sa *Grammaire en chaîne du français*. La distinction entre *Dét* et *Préd* pourra donc paraître artificielle par certains aspects. Ainsi dans

(peu de + trop de) ces livres

les séquences *peu de* et *trop de* figurent à gauche d'un *Dét*, elles pourraient donc être considérées comme des adjonctions à *Dét* = *ces*, c'est-à-dire comme des *Préd*. De même,

trop peu de ces livres

montre que *trop* est une adjonction à *peu (de ces livres)*, donc un *Préd*. Mais *trop de* n'est pas un *Préd* dans de telles séquences puisque

∗ trop de peu de ces livres.

Cette position nous conduirait à poser l'existence de deux éléments lexicaux *trop de (Préd)* et *trop (Adv)*, ce qui n'est pas souhaitable étant donné la parenté morphologique et sémantique des deux éléments. Nous abandonnerons donc cette analyse de *trop* et nous conserverons pour le moment les distinctions que nous avons opérées, en particulier la séparation entre *Dét* et *Préd*.

Nous examinerons plus particulièrement ici des processus de composition d'éléments qui ne sont pas des adjonctions simples à des *Dét* et qui permettent d'analyser des formes ayant un comportement superficiel de *Préd*.

3.1 *Entrées composées de la table* Préd

3.1.1 *Formes prépositionnelles*

Certains *Préd* sont des constructions complexes qui ne peuvent pas être représentées de façon naturelle dans la table. Nous ne considérerons pas en première analyse comme complexes les formes du type

en (moins + plus) + à moitié + au tiers

car elles ne sont pas susceptibles de variations. Par contre, il en existe quelques unes qui correspondent à des familles de *Préd*.

C'est ainsi qu'à *au moins*, on peut associer *à tout le moins* par simple insertion de *tout*, mais la forme voisine *pour le moins* n'a pas cette propriété. La forme *au plus*, du même point de vue serait figée.

De la même façon, *au mieux* est source de *au grand mieux.* La forme *au pire* est différente, *au grand pire* n'est pas accepté, mais *au pis aller* devra être rapproché de *au pis,* forme liée à *au pire.*

L'entrée *à Tind près* représente une famille entière de formes. La notation *Tind* est destinée à rappeler que les segments correspondants ont un caractère indéfini, comme le suggère :

> *Luc a tout fini à (quelque + une (E + seule) + deux) choses près*
> *+ à (E + bien + fort + très) peu (E + de chose) près*
> *+ au peu de pain près qui reste sur la table.*

Bien d'autres *N* que *chose* sont donc susceptibles d'entrer dans *Tind,* mais alors l'intuition de prédéterminant qui y est attachée tend à s'estomper, sauf peut-être dans le cas de quelques N^{13}, comme dans

> *à un (cheveu + epsilon + poil + tantinet) près.*

L'analyse de toutes ces formes met vraisemblablement en jeu l'élément *près (Dnom)* (IV, 3.3.3), ainsi que les constructions définies

> *à (ceci + cette chose) près que P*

où *que P* est obligatoire.

L'expression *avant tout* est marginale parmi les *Préd.* Elle est en effet susceptible d'être analysée dans le cadre des compléments de temps *avant GN* qui apparaissent par exemple dans

> *Luc lira ce livre avant ce journal*[14]
> *Luc lira ce livre avant tout cela.*

Nous avons considéré que *avant tout,* dans

> *Luc lira avant tout ce livre*

était proche d'un *Préd,* car nous pouvons appliquer l'extraction dans *C'est... Qu* à *avant tout* GN_1 :

> *C'est avant tout ce livre que Luc lira.*

Cependant il semble plus difficile d'extraire la séquence *avant GN* GN_1 :

> ? * *C'est avant ce journal ce livre que Luc lira.*

Avant tout (Préd) est synonyme de *avant toute chose* dont ce pourrait être une réduction, il pourrait en aller de même pour *par dessus tout* qui serait lié à *par dessus toute chose.* Un autre *Préd* voisin des précédents, *surtout,* ne semble pas s'analyser de la même façon (* *sur tout(e) chose*).

Les formes *entre ... et* et *de ... à* sont doubles, ce sont des conjonctions de *Dét* (essentiellement *Dnum*) :

> *Luc a lu entre trois livres et sept livres*
> *= Luc a lu entre trois et sept livres*[15]
> *Luc a lu de trois livres à sept livres*
> *= Luc a lu (E + de) trois à sept livres*

---

13. Les *N* que nous donnons en exemple sont des parties de *Dadv* à l'exception de *cheveu.* Ces entrées de *Dadv* forment une classe naturelle, mais comme elle comporte *soupçon,* plus difficilement acceptable dans *à un soupçon près,* les relations entre ces *N* et les *Dadv* correspondants ne sont pas claires.

14. Cette phrase est vraisemblablement une réduction de

> *Luc lira ce livre, avant qu'il ne lise ce journal*

obtenue au moyen de l'un des processus discutés en IV, 3.2.2 (Harris 1976).

15. La seconde occurrence du *N* (= *livres*) est plus difficilement réductible :

> ? * *Luc a lu entre trois livres et sept.*

Les *Dét* autres que *Dnum* sont plus difficilement acceptés :

> * *Luc a lu entre mes (E + livres) et tes livres*
> ? * *Luc a lu de quelques (E + livres) à beaucoup de livres*
> ? *Luc a lu entre un petit et un grand nombre de livres.*

Ces constructions complexes sont peut-être à rapprocher (ou à dériver) de compléments de certains verbes :

> *Ce nombre est compris entre trois et sept*
> *Ces nombres vont de trois à sept.*

Notons encore que du point de vue de l'inclusion des bornes (*trois* et *sept* ici) le sens de ces constructions est mal défini.

Les *Préd* prépositionnels nous permettent dans certains cas de préciser les conditions d'application de certaines règles d'effacement de prépositions. Nous avons utilisé (II, 15.1) des règles comme

> *de de → de ; de à → de ; à à → à ;* etc.

qui contractent des séquences inacceptables de deux prépositions contiguës. Mais lorsque la seconde préposition appartient à un *Préd*, certaines séquences de deux *Prép* sont acceptées :

> *Luc obéit à à (peine + peu près) trois personnes*
> *Luc est content d'à (peine + peu près) trois personnes*

tandis que l'application des règles d'effacement conduirait à des séquences inacceptables :

> * *Luc obéit à (peine + peu près) trois personnes*
> * *Luc est content de (peine + peu près) trois personnes.*

Dans des cas comme ceux de

> *Préd = à peine + au plus + en gros + etc.*

on pourrait invoquer une lexicalisation du *Préd*[16] qui ferait que la *Prép* aurait perdu son individualité, donc la possibilité d'être soumise à la règle de réduction. Mais il n'en va pas ainsi dans les cas de *à Tind près, au moins*, etc. qui sont des expressions productives par insertion à droite de *à*. Ici, la *Prép* a gardé ses propriétés puisqu'elle continue à se contracter avec des articles définis comme dans

> *Max a tout mangé, au peu de pain près qu'il n'a pu finir.*

Il est donc nécessaire de contraindre de façon structurelle certaines contractions de séquences *Prép Prép*.

3.1.2 *Autres formes*

a) *Jusqu'à*

Ce *Préd* ne s'emploie guère qu'en positions N_0 et N_1 direct :

> ? * *Luc (pense à + rêve de) jusqu'à deux amis à la fois*
> *Luc a vu jusqu'à dix amis à la fois*
> *Jusqu'à ses amis ont battu Luc.*

---

16. Cette situation n'est pas limitée aux *Préd*, nous la retrouvons avec la séquence suivante qui nous paraît acceptable :
> *Luc a ri de d'autant plus de choses que son auditoire ne le gênait pas*
alors que la forme réduite est nettement inacceptable :
> * *Luc a ri d'autant plus de choses que son auditoire ne le gênait pas.*

L'application de [passif] à la dernière phrase conduit à

> ? * *Luc a été battu par jusqu'à ses amis*
> ? * *Luc a été battu jusqu'à par ses amis*

jusqu'à bloque donc le passif. Mais alors que la forme *jusque* était une variante formelle de *jusqu'à*, la forme passive en *jusque* :

> *Luc a été battu jusque par ses amis*

est nettement plus acceptable. Pourtant, alors que la restriction sur le passif semble l'interdire, d'autres contextes suggèrent de rapprocher les deux formes par effacement de *à*, nous avons par exemple les formes synonymes

> *Luc est allé jusque (E + à) dans son bureau.*

De plus, en remplaçant *dans son bureau* par *à son bureau* dans la forme en *jusqu'à* qui précède, nous obtenons

> * *Luc est allé jusqu'à à son bureau*

alors que les formes

> *Luc est allé jusque (E + à) son bureau*

sont permises ; il est donc naturel de décrire ces formes par effacement de *à* dans les formes en *jusqu'à*, d'autant plus que la préposition *à* est ici obligatoire avec *aller* :

> *Luc est allé à son bureau*
> * *Luc est allé son bureau.*

b) *Pas tout à fait*

Cette expression, telle qu'elle apparaît dans

> *Luc lira pas tout à fait trente livres*

semble difficile à décomposer en l'adverbe *tout à fait* et la négation *ne ... pas*. En effet, le *ne* est interdit en compagnie de ce *Préd* :

> * *Luc ne lira pas tout à fait trente livres*[17]

et *pas* n'est pas déplaçable à gauche d'un participe passé :

> * *Luc a pas lu tout à fait trente livres.*

L'adverbe *tout à fait* s'observe dans

> *Luc est tout à fait content*

ainsi qu'en compagnie de *ne ... pas* :

> *Luc n'est pas tout à fait content.*

On le trouve également avec des verbes :

> *Luc dort tout à fait*

il n'est alors pas permutable :

> * *Tout à fait, Luc dort.*

Nous analyserons donc les phrases avec *ne* du type

> *Luc ne dort pas tout à fait*

comme comportant la combinaison de *ne ... pas* et de *tout à fait* et non pas le *Préd pas tout à fait.*

---

17. Cette séquence est peut-être acceptable avec une interprétation où *tout à fait* porte sur le verbe, et où donc chacun des trente livres aura été lu mais pas entièrement.

c) *Préd* en *-ment*

Nous avons donné des exemples variés de *Préd* adverbiaux en *-ment*[18]. Certains d'entre eux comme *approximativement, uniquement* peuvent clairement porter sur un *GN*, pour d'autres la situation est moins nette (par exemple pour *virtuellement*). Quelques uns ont une relation (quasi) paraphrastique avec un adjectif du *GN* :

> *Eva porte simplement une toge*
> *Eva porte une simple toge*

d'autres avec un nom :

> *Eve mange totalement les trois gâteaux*
> *Eve mange en totalité les trois gâteaux*
> *Eve mange les trois gâteaux en totalité.*

Nous avons considéré *en totalité* comme un *Préd* distinct de *totalement*, mais nous reviendrons sur ces paires en IV, 3.3.

La plupart de ces adverbiaux peuvent être extraits dans *C'est ... Qu* en compagnie d'un *GN*, mais d'autres adverbes ont cette propriété sans qu'ils puissent être considérés comme des *Préd*, c'est le cas de *décidément* et *forcément* par exemple :

> *C'est (décidément + forcément) Luc qui a pris le lit*
> *C'est (décidément + forcément) ce lit que Luc a pris*

et il n'est pas possible de considérer que ces adverbes portent sur des *GN* dans les phrases sources

> *(Décidément + forcément), Luc a pris ce lit.*

d) Formes en *sur*

Les phrases du type

> *Luc a lu trois livres sur sept (E + livres)*[19]
> *Luc a lu ces trois livres sur ces sept (E + livres)*

ont des *GN* complexes difficilement analysables par réduction de conjonction ou de relative, on ne voit pas en effet quelle serait la source de *sur*. Dans ces *GN* c'est la seconde occurrence du *N* qui est omissible (cf. note 15). Par ailleurs, la partie *sur GN* du *GN* complément est mobile comme un adverbe :

> *Sur sept livres, Luc a lu trois livres,* etc.

la partie restante devient alors pronominalisable :

> *Sur sept livres, Luc en a lu trois*

ce qui n'est pas le cas dans la phrase complète de départ :

> * *Luc en a lu trois sur sept livres.*

Les prépositions *parmi* et *entre* semblent être substituables à *sur* dans ces formes sans qu'il y ait de changement sensible des propriétés. Il est possible que ces constructions soient des cas particuliers de

> *Luc a lu trois livres dans ce tas (E + de livres)*
> *Luc a lu les trois livres de ce paquet (E + de livres)*

---

18. Piot 1975, Hirschbuhler et Ruwet 1975 ont étudié divers aspects de ces adverbiaux.
19. Ces phrases sont ambiguës, elles peuvent signifier qu'il y avait exactement sept livres et donc que Luc en a lu trois, ou bien qu'il y en avait nettement plus de sept et que Luc en a lu les trois septièmes.

où nous observons de part et d'autre de la préposition une même relation d'inclusion ensembliste. Dans ces constructions, les séquences *Prép (N + GN)* sont des adverbes de lieu pouvant être interprétés comme contenant le *GN* à gauche de *Prép* ; cette remarque ne change pas la situation générale de III, 2.1, puisque la relation de contenant à contenu est un cas particulier de l'inclusion ensembliste.

e) Formes en *et, ou*

Dans les phrases du type

Luc a lu (E + ces) quatre ou cinq livres

il semble nécessaire d'avoir une contiguïté entre les *Dnum* :

* *Luc a lu (E + ces) trois ou sept livres.*

Cette interdiction fait qu'il est difficile d'analyser ces *GN* comme résultant d'une réduction de la disjonction

Luc a lu (E + ces) quatre livres, ou
Luc a lu (E + ces) cinq livres

puisqu'elle n'impose pas de condition de contiguïté. Cette condition, si elle devait être incorporée à la grammaire, serait complexe à formuler, car nous avons aussi

Luc a lu quatre ou cinq cents livres
* *Luc a lu trois ou sept cents livres*
* *Luc a lu quatre cents ou quatre cent un livres*
* *Luc a lu quatre cent quatre ou quatre cinq livres*

ces interdictions[20] montrent que la contiguïté n'est pas une contrainte purement arithmétique ; le processus est interdit pour la conjonction *et* dans

* *Luc a lu trois et quatre cents livres.*

On observe des constructions dont les propriétés sont voisines en forme et en sens lorsque l'on substitue *à* à *ou* dans les séquences précédentes :

Luc a lu quatre à cinq cents livres.

Ces phrases sont à rapprocher de

Luc a lu de quatre à cinq cents livres.

Cependant les phrases en *de... à* ne sont pas soumises aux conditions de contiguïté, on a

Luc a lu de trois à sept cents livres.

La phrase

Luc a lu quatre cinq cents livres

est vraisemblablement à dériver des phrases correspondantes en *ou* ou en *à*, par effacement de l'un de ces éléments.

Les conjonctions *et, ou* peuvent porter sur d'autres *Dét* pour constituer des (pré)déterminants complexes, nous avons ainsi

tel (et + ou) tel (Dadj)

où les deux conjonctions sont interchangeables, et

---

20. Ces trois formes sont acceptables, mais comme disjonctions ordinaires.

maints et maints (Dadj)
tant (E + et tant) (Dadv) signifiant *une certaine quantité ; des kilos et des kilos.*

Les formes *moitié... moitié, mi... mi*[21] peuvent être analysées comme des conjonctions non marquées. Dans

Luc boira moitié eau moitié vin

moitié employé sans *Dét*, à la différence de *moitié (Dnom)*, doit être obligatoirement redoublé[22] :

? * *Luc boira moitié vin.*

On peut donc considérer ces constructions comme des réductions de formes conjointes contenant *moitié (Dnom)*, quoique ces dernières ne soient pas attestées. Cette analyse s'applique moins aisément à *mi... mi* dans

Luc boira mi eau mi vin

car *mi* n'a pas d'autre rôle de *Dét*. Mentionnons encore les phrases

Luc mangera tout ou partie de ce gâteau

qui, si elles étaient analysées comme réductions de phrases conjointes, auraient leur source non attestée :

? * *Luc mangera partie de ce gâteau.*

Nous retrouvons donc avec ces phrases un problème déjà posé. Notons qu'il est possible de supposer un effacement de *Dét* dans le processus de conjonction, comme il sera précisé ci-après en IV, 3.2.1.

f) *à la fois, en même temps* portent sur des *GN* au pluriel ou conjoints. Ces *Préd* superficiels pourraient alors être des modifieurs de *Conj* introduits comme ci-dessous.

3.2 *Prédéterminants et conjonctions*

Un certain nombre de formes cataloguées *Dét* ou *Préd* sont morphologiquement complexes, donc susceptibles d'être réduites à des formes plus simples. Nous venons d'en rencontrer quelques unes : *de GN à GN, entre GN et GN*, et les expressions superficiellement conjointes par *et, ou* (note 8 ; IV, 3.1.2, e. Sémantiquement, il est clair que ces constructions ont une fonction déterminante, mais syntaxiquement nous n'avons pas résolu le problème de leur analyse. Il existe de nombreuses autres formes complexes analogues aux précédentes qui indubitablement mettent en jeu des adverbes ou des conjonctions, mais qui, moins nettement peut-être, ont des rôles de déterminants. La plupart de ces formes semblent pouvoir s'analyser au moyen de processus généraux de réduction de phrases conjointes.

Nous examinerons ci-dessous quelques exemples de la forme

(E + X) GN Y GN

qui se comportent comme des *GN*, et où *X* et *Y* peuvent être clairement reliés par des réductions à des adverbes, prépositions ou conjonctions.

---

21. M. Gouet a attiré notre attention sur les particularités de ces formes.
22. Notons encore l'existence de la construction symétrique
Luc a partagé le gâteau, moitié moitié avec Eve
Luc et Eve ont partagé le gâteau moitié moitié.

3.2.1 *Réduction des conjonctions*

Nous avons étudié ailleurs la réduction des conjonctions de coordination (Gross 1973), nous en rappellerons les principaux traits.

Nous considérons que les conjonctions de phrases sont doubles, autrement dit qu'elles ont la forme

$$\text{Conj } P_1 \text{ Conj } P_2$$
$$(= \textit{Et Max viendra, et Luc restera}).$$

En général, les formes à une conjonction comme

$$P_1 \text{ Conj } P_2$$
$$(= \textit{Max viendra et Luc restera})$$

seront des formes dérivées des précédentes par effacement de la première occurrence de *Conj*. Nous avons par exemple

$$\text{Conj} = \textit{et} + \textit{ou} + \textit{ni} + \textit{tantôt}.$$

Notons qu'en compagnie de ces conjonctions certains *Dét* peuvent être éliminés, nous avons

Max a mangé et pommes et poires
Max a mangé pommes et poires

alors que les phrases sources doivent obligatoirement comporter un *Dét*. Dans ces exemples, il semble que ce soit l'article coréférentiel *les* qui ait été effacé.

Nous utilisons trois types de réductions définis en termes de familles naturelles de segments réduits. Nous les schématiserons sur des exemples. Une première famille de formes réduites s'obtient lorsque la partie de P_2 située à droite de son sujet (ci-dessous *Guy*) comporte des éléments identiques aux éléments correspondants de P_1 :

Ni Luc n'a vu Eva, ni Guy n'a vu Eva
Ni Luc n'a vu Eva, ni Guy vu Eva
Ni Luc n'a vu Eva, ni Guy Eva
Ni Luc n'a vu Eva, ni Guy.

Nous rassemblerons ces seconds membres dans la formule

(F)   *ni Guy (((n'a) vu) Eva)*

où les seules parties omissibles sont celles qui figurent entre deux parenthèses correspondantes.

Le second membre peut être réduit d'une manière différente :

Ni Luc n'a vu Eva, ni Luc n'a vu Léa
Luc ni n'a vu Eva, ni n'a vu Léa
Luc n'a ni vu Eva, ni vu Léa
Luc n'a vu ni Eva, ni Léa.

Ces formes réduites peuvent être rassemblées dans la formule

(G)   *ni (((Luc) n'a) vu) Léa.*

Le premier membre est également réductible selon la formule

(H)   *Ni Luc (n'a (vendu (de livres (à Eva))))*

qui aura pour second membre

... , ni Guy n'a vendu de livres à Eva.

Ces trois processus sont parfois combinables dans une même phrase, ils permettent de rendre compte de la variété observée des formes conjointes réduites.

3.2.2 *Exemples*

a) *Plutôt*

Nous sommes amené à considérer cet élément comme un *Préd* dans

Luc a lu plutôt les livres (E + que les journaux).

Par ailleurs, forme et sens suggèrent que ces phrases sont apparentées à

Luc a lu les livres plutôt qu'il n'a lu les journaux
Luc ne lit pas de livres, plutôt, il lit des journaux

phrases où *plutôt* apparaît dans des rôles de conjonction et d'adverbe, respectivement.

Nous examinerons donc des analyses où *plutôt (Préd)* est obtenu par des opérations de réduction de phrases complexes.

La nature de la conjonction *plutôt* est telle que la réduction de la forme *que P* qui y est attachée peut prendre différentes allures :

— d'une part, *plutôt que P* est analogue aux formes comparatives de I, 3.1.2, et s'apparente donc aux conjonctions de coordination. Ainsi, nous observons les formes

Luc a lu les livres plutôt que feuilleté les journaux
Luc a lu les livres plutôt que les journaux

obtenues par une réduction de type (G) (IV, 3.2.1), et les formes (Vergnaud 1975)

Luc lira les livres plutôt que Max les journaux
Luc lira les livres plutôt que Max

obtenues par une réduction apparentée à (F). Considérons cependant

P_1 *plutôt que* P_2

plutôt que P_2 et ses formes réduites sont susceptibles d'être déplacés à l'intérieur de P_1 à la façon des adverbes, ce qui rapproche *plutôt que* des conjonctions de subordination. Notons que *plutôt* n'est pas séparable de *que* P_2 complet, alors que cet élément est déplaçable à partir des formes réduites de *que* P_2 :

? ∗ Luc a lu plutôt les livres qu'il n'a lu les journaux
Luc a lu plutôt les livres que les journaux
Luc a plutôt lu les livres que les journaux
? Luc, plutôt a lu les livres que les journaux
? ∗ Plutôt, Luc a lu les livres que les journaux.

Dans la seconde de ces cinq formes, *plutôt* occupe la position d'un *Préd*, et dans le cas de compléments prépositionnels on a

Luc pense plutôt à ce livre qu'à ce journal
? ∗ Luc pense à plutôt ce livre qu'à ce journal

— d'autre part, *plutôt que* P_2 a la forme réduite *plutôt que de* V^o Ω où le sujet de P_2, coréférent à celui de P_1, a été réduit :

Luc écoutera Max plutôt que de lire les journaux

et *plutôt que de V^n Ω* est également déplaçable comme un adverbe. On pourrait envisager que dans ces dernières formes se produise un effacement du verbe *V* quand il est identique au *V* principal, une telle dérivation nous conduirait alors aux formes *plutôt que (E + Prép) que GN*. Mais cette analyse ne rendrait pas compte des formes où *plutôt que* porte sur un sujet : Les phrases suivantes conservent toutes le sujet de P_2 :

> *Luc plutôt que Max lira les livres*
> *Plutôt que Max, Luc lira les livres*
> *Plutôt Luc que Max lira les livres*

elles sont obtenues par permutation de *plutôt que GN*. Remarquons que dans ces phrases le groupe complexe du sujet peut être extrait :

> *C'est (Luc plutôt que Max*
> *+, plutôt que Max, Luc*
> *+ plutôt Luc que Max) qui lira les livres).*

Nous analysons ensuite les formes sans *que*, telles que

> *Luc lit plutôt des livres.*

Dans ces phrases, *plutôt* peut occuper toutes les positions d'un adverbe, mais avec des portées variables. Nous utiliserons dans l'analyse de ces phrases les formes apparentées

> *Luc lit des journaux, (E + ou) plutôt, il lit des livres*[23]
> Comme   * *Luc lit des journaux, ou plutôt qu'il lit des livres*

on ne peut pas analyser les phrases en *plutôt* par un simple effacement de *que* ; à l'encontre d'une telle analyse, notons que la source (sans *ou*) aurait un sens nettement différent et la particule *ne* ne serait pas acceptable dans les formes sans *que* :

> * *Luc lit des journaux, (E + ou) plutôt, il ne lit des livres.*

Nous utiliserons une dérivation par pronominalisation et effacement de pronom qui s'appliquera à une phrase à trois membres du type

> $P_1, (E + ou) P_2$ *plutôt que* P_3
> = *Luc lit des journaux, (E + ou) il lit des livres*
> *plutôt qu'il ne lit des journaux.*

Lorsque P_0 et P_1 sont coréférents, comme dans l'exemple ci-dessus, la seconde occurrence peut être pronominalisée et l'on obtient

> $P_1, (E + ou) P_2$ *plutôt que cela*
> = *Luc lit des journaux, (E + ou) il lit des livres plutôt que cela.*

Cette pronominalisation est représentable par la règle

> $P \to cela$

cette règle diffère de la règle qui est utilisée avec les complétives (Gross 1968) et qui a la forme

> *(E + ce) que P* $\to$ *cela.*

On pourrait donc faire l'hypothèse que le complément *plutôt que P* a pour forme de base * *plutôt que ce que P*, ce qui permettrait d'appliquer la règle de pronominalisation des complétives. Par ailleurs, cette même forme de base rendrait

---

23. Dans ces phrases la conjonction *et* n'est pas autorisée.

compte d'une particularité des formes infinitives. Celles-ci comportent simultanément *que* et *de* :

plutôt que de lire des livres.

Or la règle de réduction des complétives et des circonstancielles a la forme

$$ce\ que\ P \to (E + de)\ V\Omega$$

dans sa formulation *de* et *que* sont en distribution complémentaire. Cette règle ne peut donc pas rendre compte de la forme *plutôt que de VΩ*. Cependant, si on l'applique à la forme de base mentionnée, elle fournit le résultat observé.

L'obtention des formes que nous cherchons à analyser nécessite alors une nouvelle règle, l'effacement de *que cela* :

$$que\ cela \to E$$

ce qui nous conduit à

$P_1,\ (E + ou)\ P_2$ *plutôt*
= *Luc lit des journaux, ou il lit des livres plutôt*

et l'adverbe *plutôt* est alors déplaçable à l'intérieur de P_2 par des permutations[24] de caractère général :

Luc lit des journaux, ou il lit plutôt des livres
Luc lit des journaux, ou plutôt il lit des livres.

Les phrases où *plutôt* porte sur un sujet différent de *Luc* sont obtenues de la même façon, mais à partir d'une phrase P_2 ayant une relation de parallélisme avec P_1 différente de celle des exemples précédents : nous avons la dérivation

Luc lit des journaux, ou Max lit des journaux plutôt que Luc lit des journaux
= *Luc lit des journaux, ou Max lit des journaux plutôt que cela*
= *Luc lit des journaux, ou Max lit des journaux plutôt*
= *Luc lit des journaux, ou plutôt Max lit des journaux.*

Remarques :

1) Nous ne disposons guère d'autres justifications pour la règle *que cela* → *E*, que l'analyse que nous venons de présenter. Cependant, des omissions du *que P* qui accompagne les *Dét* comparatifs pourraient être analysées par cette règle.

2) Il existe des éléments de sens associés à *plutôt* qui diffèrent selon les constructions. Ainsi dans

Luc lit des livres plutôt que des journaux

un libre choix, une décision de *Luc*, est associé à la disjonction, alors que dans

Luc lit des livres, ou plutôt des journaux[25]

on a affaire une assertion du locuteur suivie d'une rectification que celui-ci apporte à l'assertion. Ces différences de sens pourraient s'analyser au moyen de performatifs introduits dans les formes de base, ceux-ci ont des portées différentes dans les phrases avec coordination et dans les phrases avec subordination, elles pourraient rendre compte de ces phénomènes.

---

24. *Plutôt* ne peut pas être déplacé dans P_1.
25. Cette phrase est une forme réduite de type (G).

3) *Plutôt* occupe encore des positions adverbiales dans

> *Luc dormira plutôt*
> *Luc est plutôt idiot.*

Celles-ci s'analyseront comme précédemment par effacement de *que cela*.

4) *Plutôt que P$_2$* joue, en tant que second membre, un rôle contrastif dans l'extraction en *C'est... Qu* (Gross 1977), ceci expliquerait les doubles extractions (IV, 3.2.2d, remarque) :

> *C'est Luc qui viendra, plutôt que quelqu'un d'autre*
> = *C'est plutôt Luc qui viendra.*

b) *En plus*

Cet élément a une distribution et une analyse voisines de celles de *plutôt*. La forme de base sera

> *Luc lit des livres en plus de GN.*

En plus de est donc une préposition et nous pouvons avoir *GN = ce que P^{26} + V°Ω*. Lorsque *GN* est indéfini ou partitif, la règle de cacophonie s'applique :

> *Luc lit des livres en plus de journaux.*

Le complément *en plus de GN* subit toutes les permutations adverbiales.

Nous observons des phrases complexes sans *que* :

> *Luc lit des livres, en plus, il lit des journaux*

qui sont différentes en sens des phrases formellement analogues

> *Luc lit des livres en plus (E + de ce) qu'il lit des journaux*

il n'est donc pas possible de les en dériver par simple effacement de *que*. Dans les phrases complexes, *en plus* est déplaçable dans le second membre comme un adverbe, mais la règle de cacophonie ne s'applique pas alors :

> *Luc lit des livres, il lit en plus des journaux*
> * *Luc lit des livres, il lit en plus de journaux.*

Notons encore que les phrases avec *en plus*, mais pas celles avec *en plus de GN*, sont conjointes par *et*, ce qui autorise les réductions correspondantes.

Nous utiliserons, pour l'analyse de *en plus* la dérivation suivante : la forme de base sera :

> *P$_1$, (E + et) P$_2$ en plus de ce que P$_1$*

la complétive *ce que P$_1$* peut donc y être pronominalisée :

> *P$_1$, (E + et) P$_2$ en plus de cela.*

A cette forme nous appliquerons la règle d'effacement (III, 4.1, remarque 1)

> *de cela → E*

ce qui nous donne

> *P$_1$, (E + et) P$_2$ en plus*

où *en plus* peut être déplacé comme adverbe dans *P$_2$*. La règle d'effacement utilisée est naturelle. En effet, il existe des complétives pronominalisables telles que le pronom peut être omis :

---

26. La règle [pc z.] s'applique à la forme *en plus de ce que P*.

$$P_1, \text{ Luc apprécie que } P_1$$
$$[\text{pronominalisation}] \rightarrow P_1, \text{ Luc apprécie cela}$$
$$[\text{cela z.}] \rightarrow P_1, \text{ Luc apprécie.}$$

Ainsi, comme dans le cas de *plutôt*, les phrases avec *en plus* qui apparaissent comme des conjonctions de deux phrases sont en fait des réductions de conjonctions de trois phrases.

Remarque :

Certaines formes avec *en moins* sont voisines de formes avec *en plus*, mais elles semblent plus difficilement analysables de la même façon puisque la forme *en moins de ce que P* n'est guère acceptée.

c) *En outre*

Il est possible d'analyser certaines formes comportant *outre* et *en outre* dans des positions de *Préd*, de la même façon que les formes avec *plutôt* et *en plus* :

> *Luc lit des livres, outre des journaux*
> *Luc lit des livres, et en outre des journaux*

outre GN est en effet permutable comme un adverbe, et l'on a $GN = que\ P + V\Omega$:

> *Luc lit des livres, outre qu'il lit des journaux.*

Dans

$$P_1, (E + et)\ P_2\ outre\ que\ P_1$$

que P_1 est pronominalisable :

$$P_1, (E + et)\ P_2\ outre\ cela.$$

Si nous voulons dériver de cette forme les constructions comportant *en outre*, il nous faut adopter la règle

$$outre\ cela \rightarrow en\ outre.$$

Il n'existe guère de justifications à l'emploi d'une telle règle ; cependant, elle pourrait être interprétée comme une règle de pronominalisation si *outre* était un verbe.

Remarque :

D'autres conjonctions de subordination ayant des fonctions de préposition et d'adverbe s'analyseront de la même façon. C'est le cas de *après, aussitôt, avant, d'autant (moins + plus), maintenant, pendant,* qui conduisent à des dérivations du type

> *Luc lit des journaux, et depuis qu'il lit des journaux il dort*
> = *Luc lit des journaux, et depuis cela il dort*
> = *Luc lit des journaux, et depuis il dort.*

d) *Non plus* et *aussi*

L'élément *non plus* apparaît dans des conjonctions dont chaque membre comporte obligatoirement une négation :

> *Luc ne donnera pas d'eau à Eva, et*
> *Max ne donnera pas de vin à Léa non plus.*

C'est à ce titre que nous étudierons ces constructions. Les ensembles de formes réduites sont les mêmes que ceux que l'on obtient à partir des phrases en *ni* (IV, 3.2.1), c'est-à-dire au moyen de (F), (G), et (H).

Non plus est la contrepartie négative de *aussi* qui ne peut pas s'employer avec des négations[27] :

> * *Luc ne donnera pas d'eau à Eva, (E + et) il n'en donnera pas à Léa aussi*
> * *Luc donnera de l'eau à Eva, (E + et) il en donnera à Léa non plus*
> *Luc donnera de l'eau à Eva, (E + et) il en donnera à Léa aussi.*

Aussi est déplaçable comme un adverbe.

Les formes réduites en *aussi* sont moins variées que celles en *non plus*, il semble que si on ne les obtient pas toutes, ce soit du fait des contraintes de parallélisme entre les deux membres qui sont particulières à *aussi*. Les deux membres ne peuvent en effet présenter qu'une différence (Harris 1968) ; par exemple, la séquence suivante qui présente trois différences n'est pas acceptable :

> * *Luc donnera de l'eau à Eva, et Max donnera du vin à Léa aussi.*

Il s'ensuit que les réductions de l'un ou l'autre membre devront être compatibles avec cette contrainte, ce qui pourrait être l'explication de certaines inacceptabilités. C'est ainsi que la forme (F)

> *Luc donnera de l'eau à Eva, et Luc à Léa aussi*

est difficilement acceptable bien que le parallélisme soit respecté : les deux membres diffèrent dans la position complément indirect, les sujets (ici *Luc*) sont alors obligatoirement identiques. Comme le verbe du second membre est omis, *Luc* doit être obligatoirement répété et non pas pronominalisé, ce qui entraîne une certaine redondance.

Remarque :

Non pas apparaît aussi comme *Préd* dans

> *Luc a lu des journaux et non pas (Max + des livres)*

il doit avoir une analyse différente de celle de *non plus*. *Non pas* ne nécessite pas la présence d'une autre négation. *Non pas* est la trace de la réduction de phrases contrastives en *C'est... Qu* (Gross 1977) :

> *C'est Luc qui a lu des journaux, et ce n'est pas Max*
> = *C'est Luc et non pas Max qui a lu des journaux*

où la conjonction par *et* de deux *GN* sujets n'entraîne pas le pluriel pour le verbe :

> * *C'est Luc et non pas Max qui ont lu des journaux.*

e) *Tel... tel*

Nous avons vu en IV, 2.5.3 que dans

> *Tel homme donnera du pain à Luc, (E + et)*
> *telle femme donnera du vin à Eve*

---

27. Les négations sont compatibles avec *aussi (Advd)* :
> *Luc n'est pas aussi beau que Max.*

la présence des deux membres était obligatoire. Le second membre est réductible selon (F), ce qui conduit à

Tel homme donnera du pain à Luc, (E + et)
(telle femme du vin à Eve + telle femme à Eve).

Remarques :

1) Les phrases avec *tel N* répété, comme

Tel homme partira, tel homme restera

sont synonymes de

Tel homme partira, tel autre (E + homme) restera.

En présence de *autre*, la seconde occurrence de *homme* peut disparaître, ce qui ne serait pas le cas avec des adjectifs comme *intelligent*.

2) Chaque membre peut comporter plus d'une occurrence de *tel* :

Tel homme partira tel jour, telle femme partira tel autre jour.

f) *Excepté, sauf*

Considérons *sauf* et *excepté*[28] dans les phrases

(1)   *Mes parents ont donné du bon vin à tous mes amis (sauf + excepté) à Luc*

intuitivement, elles comportent des *Préd* puisque *sauf* et *excepté* portent sur *GN* = *à Luc*. On retrouve ces éléments dans d'autres positions syntaxiques :

(2)   *Mes parents (sauf + excepté) Max ont donné du bon vin à tous mes amis*
(3)   *Mes parents ont donné du bon vin (sauf + excepté) du bourgogne, à tous mes amis.*

Dans tous ces exemples, il existe une relation entre les deux parties des *GN* complexes formés avec *sauf* et *excepté* : l'interprétation de *Mes parents sauf Max* nécessite que *Max* soit un de *mes parents*, celle de *du bon vin excepté du bourgogne* entraîne que *le bourgogne* est un *bon vin*, et celle de *à tous mes amis sauf à Luc* que *Luc* est de *mes amis*. La forme et l'interprétation de ces groupes correspond à

(E + Prép₁) GN₁ (sauf + excepté) (E + Prép₁) GN₂ ; avec { *GN₂* } ⊂ { *GN₁* }.

La relation d'inclusion ensembliste doit être dans certains cas généralisée à des inclusions sémantiques (par exemple sous-catégorie générique d'une catégorie générique).

Il est possible d'analyser ces formes à partir de conjonctions, c'est-à-dire de

Mes parents ont donné du bon vin à tous mes amis,
(sauf + excepté) que Max a donné du bourgogne à Luc.

Lorsque certaines conditions de parallélisme sont remplies, il peut y avoir réduction. C'est ainsi que les phrases (1), (2) et (3) ci-dessus proviendront respectivement de

---

28. Ces formes se présentent également comme des conjonctions de subordination qui ne diffèrent guère de prépositions. En fait, l'utilisation de la terminologie traditionnelle appliquée à ces formes est inadéquate. Il est possible que ce qui retient les grammairiens d'appeler ces formes des prépositions (resp. des conjonctions) est le fait qu'elles peuvent précéder d'autres prépositions (resp. d'autres conjonctions) ; en effet, ces deux parties du discours ne sont que rarement combinées entre elles.

(1′)	*Mes parents ont donné du bon vin à tous mes amis,*
	(sauf + excepté) qu'ils n'en ont pas donné à Luc
(2′)	*Mes parents ont donné du bon vin à tous mes amis,*
	(sauf + excepté) que Max ne leur en a pas donné
(3′)	*Mes parents ont donné du bon vin à tous mes amis,*
	(sauf + excepté) qu'ils ne leur ont pas donné de bourgogne.

L'interprétation de (1), (2), (3) met effectivement en jeu la négation que nous avons en (1′), (2′), (3′).

La contrainte sémantique d'inclusion rend compte de façon naturelle de certaines interdictions. C'est ainsi que nous avons

* *Mes parents ont donné du bon vin à Eva (sauf + excepté) à Luc*

dont la source avant réduction serait

Mes parents ont donné du bon vin à Eva, (sauf + excepté) qu'ils n'en ont pas donné à Luc

forme plus acceptable que celle qui précède. Les conditions de la réduction sont donc ici encore des conditions de parallélisme que nous avons observées à propos des autres réductions de conjonction, avec en supplément la condition sémantique d'inclusion.

La réduction peut être plus complète que dans les cas précédents et ne laisser subsister qu'un déterminant (la plupart des *Dind* à l'exclusion des *Ddéf*) :

Mes parents ont donné du bon vin à tous mes amis sauf à (un + deux + quelques uns).

Les réductions (F), (G), (H) ne portant pas toujours sur les négations qui ici doivent obligatoirement disparaître, il sera nécessaire d'adapter les formules de réduction à ces situations. Ainsi, dans le cas de (3′), la présence de la négation conduit à

* *(sauf + excepté) de bourgogne.*

Il sera donc nécessaire de rendre compte de cette interférence entre les règles qui modifient le partitif en présence d'une négation, et les règles qui réduisent les phrases parallèles conjointes. Notons que la phrase

Mes parents ont donné du bon vin à tous mes amis, mais pas à Luc

est très voisine en sens et en forme de (1), elle pourrait être dérivée de façon analogue par réduction à partir de

Mes parents ont donné du bon vin à tous mes amis, mais ils n'en ont pas donné à Luc.

Cependant, dans ce cas, la présence de la négation détermine le comportement usuel du *Dét* partitif ou indéfini pluriel de l'objet direct :

Mes parents ont donné du vin à tous mes amis, mais pas de bourgogne[29].

On pourrait d'ailleurs penser que c'est la négation du second membre qui, combinée avec *mais*, engendre la réduction puisque les conjonctions en *mais* ne sont pas réductibles[30] :

Mes amis mais pas Luc viendront
* *Mes amis mais Luc viendront.*

---

29. La forme avec *de Artg* non réduit est également acceptable :
Mes parents ont donné du bon vin à tous mes amis, mais pas du bourgogne.
30. D'autres conjonctions, non réductibles en général, ne le sont pas non plus lorsqu'une négation apparaît dans les mêmes conditions qu'avec *mais*, c'est le cas de *or*.

Il existe d'autres expressions analogues à *excepté, sauf, mais pas*, nous avons ainsi

Mes amis à l'exception de Luc viendront.

L'analyse de telles phrases pourrait être la même que précédemment, à partir de

Mes amis viendront à l'exception de (ce + le fait) que P.

Cependant, la relation avec les formes en *excepté que P* n'est pas d'un type courant. Citons encore *à l'exclusion de, à l'opposé de, au lieu de, à la place de, à moins que*, ainsi que des paires comme *à la différence de — différemment de, au contraire de — contrairement à.*

g) *De (moins + plus)*

Considérons

Luc mange (un + trois) gâteau (x) de (moins + plus)

les expressions *de (moins + plus)* sont étroitement liées à la présence du *Dnum*, le remplacement du *Dnum* par un *Ddéf* conduisant à

*? * Luc mange (le + ce + mon) gâteau de (moins + plus).*

Ces expressions peuvent donc être considérées comme des parties de *Dét*. Ce ne sont pas des *Préd*, elles n'ont pas leur mobilité :

* De (moins + plus) Luc mange trois gâteaux
* Luc mange de (moins + plus[31]) trois gâteaux.

L'application de l'extraction confirme cette position, puisque

C'est trois gâteaux de (moins + plus) que Luc mange
? * C'est trois gâteaux que Luc mange de (moins + plus).

Nous analyserons les exemples initiaux par réduction à partir de

Luc mange trois gâteaux de (moins + plus) qu'Eve ne mange de tartes.

La réduction du comparatif conduit à

Luc trois gâteaux de (moins + plus) que (Eve + il était prévu + de tartes).

Il suffit donc de postuler ensuite des effacements de *que Pron* dans des contextes appropriés pour obtenir les phrases initiales, par exemple de la façon suivante :

Luc mange trois gâteaux de (moins + plus) que de tartes
= ? Luc mange trois gâteaux de (moins + plus) qu'elles
= Luc mange trois gâteaux de (moins + plus).

Certains des *GN* que nous venons d'analyser se présentent comme des appositions à d'autres *GN*, mais toutes les appositions ne pourront pas être obtenues par réduction de conjonction comme ci-dessus. Les exemples qui suivent comportent une forme prédéterminante difficile à analyser :

Max (en tant que + pour un) chef est supportable
Luc a pris ce chapeau (en guise de + comme) couvercle

les séquences *en tant que GN, pour GN, en guise de N, comme N* sont ici permutables à la façon d'adverbes.

---

31.   *Luc mange de plus trois gâteaux*
est acceptable, mais vraisemblablement avec *de plus* analysé comme en b) ci-dessus.

3.3 Déterminants, prédéterminants et « restructuration » du groupe nominal

Dans une large mesure la définition des *Dét* et des *Préd* reste sémantique, donc intuitive. Cependant la plupart des exemples que nous avons donnés suggèrent des possibilités d'aboutir à une délimitation syntaxique. Ainsi, une des propriétés formelles des *Dét* et de la majorité des *Préd* consiste à apparaître uniquement à la gauche de leur *GN*.

Mais il existe d'autres expressions dont il est intuitivement clair qu'elles ont une relation aux *Dét*, alors qu'elles sont syntaxiquement différentes de ceux-ci. Leur analyse est plus complexe que celle des éléments examinés jusqu'à présent et habituellement considérés comme *Dét* ou *Préd*. Ces derniers ont été essentiellement décrits au moyen de deux processus simples : formation de constituants immédiats et permutation. Or ces deux mécanismes sont insuffisants pour analyser les constructions de ce paragraphe. Par ailleurs, leur examen remet en question les analyses simples déjà effectuées pour les *Dét* et les *Préd* et certains exemples posent de façon aiguë le problème de l'existence et de la délimitation du *GN*, ainsi que l'usage descriptif et théorique qui a été fait de cette notion.

3.3.1 Une relation entre formes déterminantes nominales

Les deux phrases suivantes apparaissent comme synonymes dans une de leurs interprétations :

> *Luc a acheté un nombre énorme de ces lits*
> *Luc a acheté ces lits en nombre énorme.*

Indépendamment de leur parenté morphémique évidente, il existe une relation peut-être transformationnelle qui les lie. En effet, le *Dnom* et le segment *en N* sont en distribution complémentaire : alors que nous avons

> { *Luc a acheté une quantité bizarre de ces lits*
> { *Luc a acheté ces lits en quantité bizarre*

nous observons les interdictions

> { * *Luc a acheté une quantité bizarre de ces lits en nombre énorme*
> { * *Luc a acheté un nombre énorme de ces lits en quantité bizarre*

et ces inacceptabilités ne sont pas dues à des impossibilités sémantiques ou à des effets pléonastiques.

Une difficulté semble se présenter lors de l'établissement de la correspondance entre les adjectifs des deux constructions. Ainsi, l'adjectif (ici *énorme* ou la relative correspondante) est obligatoire dans

> * *Luc a acheté (un nombre + une quantité) de ces lits*

or les séquences associées

> *Luc a acheté des lits en (nombre + quantité)*

sont acceptables sans adjectif ; cependant elles ont l'interprétation spéciale de

> *Luc a acheté ces lits en grand(e) (nombre + quantité)*

et non pas d'autres interprétations comme

> *Luc a acheté ces lits en (nombre + quantité) (petit(e) + bizarre).*

De plus, on retrouve la même interprétation spéciale de *bon* = *grand* dans les deux constructions. Ces observations suggèrent l'analyse suivante :

— les modifieurs (adjectifs, relatives) sont obligatoires dans les deux constructions,

— le modifieur *grand* (ou un équivalent sémantique) est effaçable dans la construction en *en N Adj*[32].

Dans ces conditions la correspondance est régulière du point de vue de la présence de modifieurs, mais elle présente des contraintes entre les *Dét.*

Nous appellerons [restruc] la relation

$$Dét_1 \; N \; Adj \; de \; Dét_2 \; N_2 \; (= un \; nombre \; élevé \; de \; ces \; lits)$$
$$= Dét_2 \; N_2 \; en \; N_1 \; Adj \; (= ces \; lits \; en \; nombre \; élevé)$$

(*Dét₁*, ici *un*, disparaît donc en présence de *en*).

La relation n'est établie que pour des *Dét₁* indéfinis, en effet le défini ne se retrouve pas dans la construction en *en*[33]. La disparition de *Dét₁* pourrait donc faire l'objet d'une règle d'effacement

$$Dét_2 \; N_2 \; en \; (un \; + \; des) \; N_1 \; Adj$$
$$[Dind \; z.] \; \rightarrow \; Dét_2 \; N_2 \; en \; N_1 \; Adj.$$

Notons que les formes

$$Max \; a \; acheté \; des \; lits \; en \; (un \; + \; des) \; nombre(s) \; élevé(s)$$

ne sont pas inacceptables, elles appartiennent à la langue littéraire.

La relation est plus régulière pour *Dét₂*, nous observons les mêmes contraintes dans les deux formes ; l'irrégularité due à l'absence d'un *Artg* :

$$un \; nombre \; élevé \; de \; lits$$
$$= des \; lits \; en \; nombre \; élevé$$

peut être éliminée en utilisant la forme intermédiaire

$$un \; nombre \; élevé \; de \; des \; lits$$

à laquelle s'appliquerait la règle de cacophonie (II, 15.1).

Les *Dind* qui sont interdits avec *N₂*, c'est-à-dire comme second élément des combinaisons *Dnom Dnom* (IV, 2.3) et *Dnom Dadj* (IV, 2.7), sont également interdits dans les formes en *en* :

$$* \; Max \; a \; acheté \; un \; nombre \; élevé \; de \; (beaucoup \; + \; trop) \; de \; ces \; lits$$
$$= * \; Max \; a \; acheté \; (beaucoup \; + \; trop) \; de \; ces \; lits \; en \; un \; nombre \; élevé.$$

Nous avons aussi les formes associables

$$Max \; a \; acheté \; un \; nombre \; élevé \; de \; (certains \; + \; divers) \; lits$$
$$= Max \; a \; acheté \; (certains \; + \; divers) \; lits \; en \; nombre \; élevé$$

---

32. Notons qu'avec *moyenne* l'adjectif n'est pas obligatoire :

{ *Luc achète dix lits par mois en moyenne*
{ *Luc achète une moyenne de dix lits par mois.*

33. Les mêmes restrictions sur les *Dét* s'observent dans toutes les séquences *en Dét N*, quel que soit le rôle syntaxique de ces séquences. Les irrégularités résident peut-être dans l'analyse de *en*, habituellement considéré comme une préposition, donc comme un élément irréductible. La préposition *en* pourrait en fait résulter d'une contraction comme *de LUI* → *en* ou *de Dét* → *en* (III, 1.2 ; III, 4.1, remarque 1).

qui peuvent à première vue paraître déviantes, mais qui sont interprétables (les deux de façon identique) avec un $Dét_2$ générique : $Dét_2 = (certains + divers)$ *types de.*

La graphie de certains exemples ci-dessus (le *s* du pluriel entre parenthèses) soulève un problème de correspondance entre $Dét_1$. Il semblerait en effet que dans

Max achète ce vin en tonneau(x)

tonneau(x) soit obligatoirement au pluriel, ce qui n'est pas perceptible phonétiquement. Mais nous pouvons observer directement ce fait en contrastant

? * *Max achète ce vin en tonneau spécial*

et
Max achète ce vin en tonneaux spéciaux.

Du point de vue de la relation que nous proposons, la phrase associée au dernier exemple serait

Max achète des tonneaux spéciaux de ce vin

et la phrase
Max a acheté un tonneau spécial de ce vin

n'aurait pas de forme correspondante. Nous observons donc ici une irrégularité de la correspondance qui peut faire douter de son existence dans ce cas, ce serait une limitation importante, car les *Nd* comme *tonneau* possèdent une grande généralité lexicale. La question que nous soulevons devient plus apparente sur l'exemple

Luc achète du sucre en morceau(x)

qui devrait être associé à l'une ou aux deux phrases

Luc achète des morceaux de sucre
Luc achète un morceau de sucre.

Ici, la correspondance est difficilement motivée par des raisons sémantiques : les différences de sens entre phrases éventuellement associées sont trop fortes. Notons que nos exemples initiaux avaient une particularité : ils présentaient une synonymie entre singulier et pluriel :

Luc a acheté un nombre élevé de ces lits
= *Luc a acheté des nombres élevés de ces lits*

ce n'est pas le cas avec $N_1 = morceau + tonneau$, remarquons encore une différence peut-être liée au problème : le *Modif* n'est pas obligatoire avec *morceau, tonneau.*

Nous devrons donc limiter la correspondance au cas $Dét_1 \ N_1$ pluriel, ce qui exclut alors de la dérivation les formes marginales

? *Luc a acheté ces lits en un nombre élevé.*

3.3.2 *Structure des* Dnom *restructurés*

Les structures des deux types de phrases que nous associons sont notablement différentes, elles varient de plus avec les positions syntaxiques :

a) Le type $N_0 \ V \ un \ nombre \ Adj \ de \ N_2$ comporte un complément unique, le *GN* objet direct :

Dnom de ces lits = un nombre énorme de ces lits

et ce complément n'est pas fragmentable par des transformations comme la pronominalisation, le passif et l'extraction dans *C'est ... Qu.*

Le type $N_0 \, V \, N_2$ *en nombre Adj* possède deux compléments du verbe : *ces lits* complément direct et *en nombre énorme* complément indirect. Il est en effet difficile d'analyser la séquence *ces lits en nombre énorme* comme un *GN*, puisque chacun des deux segments peut subir indépendamment de l'autre des transformations qui ne s'appliquent (en général) qu'à un syntagme unique :

— la pronominalisation fournit

> *Luc les a achetés en nombre énorme*

— le passif

> *Ces lits ont été achetés par Luc en nombre énorme*

— la question

> *Qu'a acheté Luc en quantité bizarre ?*

— la relativation

> *Les lits que Luc a acheté en nombre énorme sont bons*

— l'extraction dans *C'est ... Qu*

> *Ce sont ces lits que Luc a acheté en nombre énorme*
> *C'est en nombre énorme que Luc a acheté ces lits.*

De plus

> *Ce sont des lits en nombre énorme que Luc a acheté*

est accepté. Nous reviendrons sur cette observation ci-dessous ;

— la permutation de longueur des deux segments

> *? Luc a acheté en nombre élevé ces lits.*

Cette phrase peut paraître douteuse si elle ne comporte pas d'accent emphatique sur *ces lits* (ainsi qu'une pause avant *ces*), mais la phrase où le complément direct est allongé :

> *Luc a acheté en nombre énorme les lits qu'il avait mis ici*

est naturelle ;

— la restriction en *ne ... que* isole aussi le segment *en N* :

> *Luc n'achète (de + ces) lits qu'en nombre(s) énorme(s).*

Aucune des opérations que nous venons d'énumérer ne pourrait s'appliquer aux formes *en N* qui sont habituellement considérées comme des compléments de noms, par exemple à *en fer* dans

> *Luc a cassé des lits en fer.*

Les exemples qui précèdent concernaient tous l'objet direct, mais nous observons les mêmes paires dans d'autres positions syntaxiques, avec cependant des propriétés différentes ;

b) En N_0 nous avons

> *Un nombre élevé de lits est arrivé*
> *Des lits en nombre élevé sont arrivés*

où le complément déterminatif *en nombre élevé* est permutable à la manière des adverbes :

> *En nombre élevé, des lits sont arrivés*
> *Des lits sont, en nombre élevé, arrivés*
> *Des lits sont arrivés, en nombre élevé.*

198

Notons que la permutation inverse qui consisterait à déplacer ce complément à partir de l'objet direct vers la gauche du verbe conduit à des séquences moins aisément acceptables :

> *Luc a acheté des lits en nombre élevé*
> *? En nombre élevé, Luc a acheté des lits*
> *? Luc, en nombre élevé, a acheté des lits*
> *? Luc a, en nombre élevé, acheté des lits.*

Les transformations qui étaient applicables à l'objet direct s'appliquent ici avec quelques différences :

— comme la pronominalisation interdit de façon générale la présence d'un complément entre le *Ppv* et le verbe, nous n'observons que des formes ayant subi une permutation :

> *En nombre élevé, ils sont arrivés*

— le passif ne s'applique qu'en déplaçant la totalité du sujet :

> *Des lits en nombre élevé constituent toute ma fortune*
> = *Toute ma fortune est constituée par des lits en nombre élevé*

et il n'est pas possible de laisser *en N* en position sujet :

> * *En nombre élevé toute ma fortune est constituée par des lits*
> * *Toute ma fortune en nombre élevé est constituée par des lits*

— l'extraction dans *C'est ... qui* fournit

> *Ce sont des lits qui, en nombre élevé, sont arrivés*
> *Ce sont des lits qui sont arrivés en nombre élevé*

où *en N* est séparé du sujet ; nous observons aussi

> *Ce sont des lits en nombre élevé qui sont arrivés*

— la permutation à partir du sujet est régulière, même si elle conduit parfois à des séquences peu naturelles. Si les formes

> *Des lits sont arrivés en nombre élevé*
> *Des médecins ont, en nombre élevé, examiné Max*
> *Des médecins ont examiné, en nombre élevé, Max*
> *Des médecins ont examiné Max, en nombre élevé*

sont acceptables à des degrés divers, les formes sans complément direct semblent plus naturelles ; ainsi

> *Les enfants mangent en nombre élevé*

est mieux accepté que la forme analogue avec complément :

> *Les enfants mangent de la crème en nombre élevé.*

Nous avons encore

> *Les enfants rient de Max en nombre élevé*

— la restriction *ne ... que* s'applique :

> *Les lits ne sont arrivés qu'en petit nombre.*

Dans ces conditions, l'application du passif pose le problème suivant : Considérons les phrases active et passive

(1) *Max a acheté ces lits en nombre élevé*
(2) *Ces lits ont été achetés par Max en nombre élevé*

(2) peut *a priori* avoir deux dérivations :

i) si la structure de (1) est

(1a) $\quad\quad\quad\quad$ *Max a acheté* $(_{GN}$ *ces lits)* $(_{GN}$ *en nombre élevé)*

alors (2) = (1a) [passif] ;

ii) si la structure de (1) est

(1b) $\quad\quad\quad\quad$ *Max a acheté* $(_{GN}$ *ces lits en nombre élevé)*

alors le passif fournit

(1b) $\quad\quad\quad\quad$ [passif] = *Ces lits en nombre élevé ont été achetés par Max*

la permutation de *en nombre élevé* fournit ensuite (2).

Or (2) n'est pas ambigu, il importe donc de choisir une seule de ces deux analyses et par conséquent d'exclure l'autre. Remarquons que l'analyse (1b) de (1) peut correspondre à une structure du type

$\quad\quad\quad\quad$ *Max a acheté* $(_{GN}$ $(_{GN}$ *ces lits)* $(_{GN}$ *en nombre élevé))*

c'est-à-dire à la structure (A3) de II, 1.1, à la position près de la *Prép*. Cette structure possède (1a) comme analyse particulière, mais cette remarque ne résoud pas le problème soulevé puisque les deux dérivations restent possibles à partir de (1b).

Nous ne disposons pas de raisons très solides de choisir, mais nous préférerons appliquer [passif] à l'analyse (1b), qui traite donc la séquence *ces lits en nombre élevé* comme un *GN* unique. En effet, à partir de

$\quad\quad\quad\quad$ (1b) [passif] = *Ces lits en nombre élevé ont été achetés par Max*

il est possible d'appliquer toutes les permutations de *en nombre élevé* à partir du sujet, et ceci par des règles et dans des conditions qui sont indépendantes du passif :

> *(En nombre élevé) ces lits ont été achetés par Max*
> *Ces lits ont (en nombre élevé) été achetés par Max*
> *Ces lits ont été (en nombre élevé) achetés par Max*
> *Ces lits ont été achetés (en nombre élevé) par Max*
> *Ces lits ont été achetés par Max (en nombre élevé).*

Si nous adoptions la solution (1a), il nous faudrait, pour obtenir les trois premières de ces phrases, déplacer dans (2) *en nombre élevé* vers la gauche, ce qui constituerait un nouveau type de permutation puisque nous avons vu que de tels déplacements n'étaient guère possibles à partir de compléments. Notons bien cependant que cet argument n'est pas décisif dans la mesure où ces permutations sont celles que l'on observe avec de nombreux adverbes et que la façon dont *en nombre élevé* reçoit son statut d'adverbe (répondant à la question *comment*) n'est pas claire.

Remarque :

La permutation de *en nombre élevé* vers la gauche est différente de l'extraposition ou de l'une quelconque de ses extensions. Il existe un parallélisme superficiel entre les paires

$\quad\quad\quad\quad$ *L'idée de faire cela est venue à Max*
[extrap] → $\quad$ *L'idée est venue à Max de faire cela*
$\quad\quad\quad\quad$ { *Des idées en nombre élevé ont jailli dans la discussion*
$\quad\quad\quad\quad$ { *Des idées ont jailli dans la discussion en nombre élevé*

mais *en nombre élevé* peut apparaître entre l'auxiliaire et le verbe :

> *Des idées ont, en nombre élevé, jailli dans la discussion*

ce qui n'est pas possible pour les infinitives et les complétives :

> * *L'idée est de faire cela venue à Max.*

c) Dans les positions de compléments indirects nous observons également

> *Luc (obéit à + rit d') un nombre élevé de préjugés*
> *Luc obéit à des préjugés en nombre élevé*
> *Luc rit de préjugés en nombre élevé.*

Mais *en nombre élevé* n'est pas permutable, même lorsque l'autre segment est long :

> * *Luc obéit à en nombre élevé des préjugés qui lui coûtent cher*
> * *Luc rit d'en nombre élevé de(s) préjugés qui lui coûtent cher*

— la question ne peut pas s'appliquer en laissant *en N* en place :

> * *(A quoi + auxquels) Luc obéit-il en nombre élevé ?*
> * *(De quoi + desquels) Luc rit-il en nombre élevé ?*

— et il en va à peu près de même pour la relativation :

> ? * *Les préjugés auxquels Luc obéit en nombre élevé lui coûtent cher*
> ? * *Les préjugés dont Luc rit en nombre élevé lui coûtent cher*

— la restriction *ne ... que* ne semble guère s'appliquer à *en N* :

> ? * *Luc n'obéit à des préjugés qu'en nombre élevé*
> ? * *Luc ne rit de préjugés qu'en nombre élevé.*

Dans les positions prépositionnelles donc, *Dét N en N* se comporte comme un *GN*, mais le problème de structure reste entier pour les sujets et les objets directs N_1 :

— ces séquences se comportent comme des *GN* par rapport au passif, aussi bien en N_0 qu'en N_1 ;

— la pronominalisation selon *Ppv = le (la, les)* laisse *en N* en place, *en N* ne peut donc pas être considéré comme étant du type des modifieurs traditionnels (adjectif, épithète, relative, apposition, ou complément de nom), ceci constitue une raison de considérer que *en N* est en dehors de N_1 ;

— l'extraction dans *C'est ... Qu* peut découper ou non les N_0 et les N_1 de la forme *Dét N en N*. Nous avons ici une difficulté sérieuse, puisque d'une façon générale il n'est pas possible d'extraire simultanément deux compléments. Ainsi, à partir de

> *Max a transformé cet arbre en sciure*

nous obtenons

> *C'est cet arbre que Max a transformé en sciure*
> *C'est en sciure que Max a transformé cet arbre*

mais

> * *C'est cet arbre en sciure que Max a transformé.*

Il n'est donc pas possible de considérer que la séquence *des lits en nombre élevé* apparaissant à droite de *acheté* est constituée de deux compléments de la même façon que la séquence analogue qui accompagne *transformer* ;

— la formation de question ne permet pas de départager entre les deux hypothèses structurelles : *(Dét N en N)* et *(Dét N) (en N)*. En effet, certaines interrogations fragmentent des *GN*, comme par exemple dans

Combien Max a-t-il vu de lits ?

dont la source est du type

Max a vu un certain nombre de lits.

Dans cette source *un certain nombre de lits* n'est pas fragmentable, ni par l'extraction dans *C'est ... Qu* ni par permutation :

* *C'est un certain nombre que Max a vu de lits*
* *Max a vu de lits un certain nombre*

cette séquence doit donc être considérée comme un *GN* unique par rapport à l'interrogation. Nous avons encore des exemples analogues de fragmentation dans

Tu as vu quelque chose de beau
= *Qu'as-tu vu de beau ?*
Tu as vu certains d'entre ces lits
= *Lesquels as-tu vu d'entre ces lits ?*

et l'objet direct de ces sources n'est pas fragmentable par extraction. Nous observons les mêmes faits dans les interrogatives indirectes correspondantes :

Je ne sais combien Max a vu de lits
Je sais ce que tu as vu de beau
Je sais lesquels tu as vu d'entre ces lits

— la relativation peut aussi fragmenter un *GN* :

Les lits dont Max a vu un certain nombre sont bons.

Il en est de même dans les formes sans antécédent (proches des questions indirectes) :

Ce que tu avais vu de beau, c'était cet objet
Celui que tu a vu d'entre ces lits, c'est le plus cher

cette opération ne peut donc pas trancher directement entre les deux hypothèses de départ.

— la restriction *ne ... que* ne fragmente pas les *GN* en *Dnom* mais elle peut porter sur *en N* :

* *Max n'a acheté un petit nombre que de lits*
Max n'a acheté de(s) lits qu'en petit nombre

elle peut porter aussi sur le groupe de *lits* seul, ce que l'on observe nettement en le séparant de *en N* par [longueur p.], par exemple dans

Max n'a acheté en petit nombre que les lits qui lui plaisaient.

Nous rapprocherons les formes avec *en N* d'une classe de constructions dites avec attribut de l'objet direct, du type

Max achète son vin jeune
= *Max l'achète jeune*

où l'attribut possède la plupart des propriétés que nous venons d'observer sur *en N* ; par exemple, l'attribut *jeune* répond à la question en *comment* :

Question :   *Comment Max achète-t-il ce vin ?*
Réponse :   *Jeune*

Cette construction, dont la distribution dépend de façon essentielle de facteurs extra-linguistiques, est discutée par Harris 1976 sous le nom d'états dans les combinaisons verbe-objet direct. Elle n'est pas limitée aux seuls adjectifs, et nos compléments prépositionnels *en N* peuvent, parmi d'autres, constituer également des attributs, nous avons par exemple

> *Max achète son vin en tonneau(x)*
> = *Max l'achète en tonneau(x)*
> { *Comment Max achète-t-il son vin ?*
> { *(En + par) tonneau(x).*

Notons cependant que cette interrogation ne s'applique pas à certains *en N* comme *en totalité*, ni à *pour la plupart* (IV, 3.3.3b).

Le même rapprochement peut être fait avec certains N_0 où une permutation est applicable :

> *Du vin (E + qui est) jeune arrive*
> = *Du vin arrive (E + qui est) jeune*
> *Du vin (E + qui est) en tonneau(x) arrive*
> = *Du vin arrive (E + qui est) en tonneau(x).*

La similitude est confirmée par

> *Max a acheté ces lits nombreux*
> = *Max les a achetés nombreux*

où l'attribut de l'objet a, sémantiquement au moins, une fonction de déterminant. Il est d'ailleurs possible qu'une relation d'adjectivation (II, 8 ; II, 14) lie le dernier exemple à

> *Max a acheté ces lits en nombre.*

3.3.3   *L'extension des restructurations*

Il existe de nombreuses constructions

$$N_0 \ V \ N_1 \ en \ N_2$$

pour lesquelles des choix de N_1 et N_2 particuliers sont tels que la construction associée

$$N_0 \ V \ N_2 \ de \ N_1$$

existe, avec un sens nettement apparenté à la précédente et de la façon discutée en IV, 3.3.1 :

> { *Luc (achète + boit) du vin en tonneau(x)*
> { *Luc (achète + boit) des tonneaux de vin*
> { *Luc achète du sucre en morceau(x)*
> { *Luc achète des morceaux de sucre.*

Avec d'autres paires formellement analogues, on observe des différences de sens importantes qui semblent exclure toute mise en relation, ce serait le cas pour

> *Luc brûle le bois de la maison*
> *Luc brûle la maison en bois.*

Le problème se pose donc de déterminer les éléments lexicaux N_2 qui se correspondent dans les structures étudiées. D'après les exemples, ces N_2 se présentent comme des *Dnom*, mais étant donné que tous les substantifs qui peuvent être interprétés comme en contenant d'autres peuvent occuper des positions de *Dnom* (II, 2.1), l'extension lexicale *a priori* du phénomène est considérable.

L'étude de cette extension est pourtant susceptible de constituer un argument supplémentaire en faveur de l'existence d'une relation de type transformationnel entre les deux constructions examinées, le fait que de nombreux *Nd* entrent dans des phrases appariées de façon régulière constituerait un argument statistique, donc nouveau, en faveur de l'existence de la relation. Il est important de noter que la relation que nous discutons déborde largement le cadre des déterminants[34]. Nous la retrouvons avec des *N* très variés, dans toute sorte de positions syntaxiques (Gross 1975 ; Boons, Guillet, Leclère 1976 ; Leclère 1978) :

— en N_0 auquel cas le complément de nom *Prép N* est permuté :

> *La forme du lit étonne Luc*
> = *Le lit étonne Luc par sa forme*
> *Les feux avant de Max clignotent*
> = *Max clignote des feux avant*

— en objet direct, la restructuration existe alors sans permutation

> *Luc admire la sincérité d'Eve*
> = *Luc admire Eve pour sa sincérité*
> *Ceci heurte la sensibilité d'Eve*
> = *Ceci heurte Eve dans sa sensibilité*
> *Luc a frôlé le bras de Léa*
> = *Luc a frôlé Léa au bras.*

Dans tous ces exemples, une relation de coréférence obligatoire, analogue à celle que nous avons appelée relation de projection (Gross 1968), lie les deux groupes formés ; nous observons aussi que la *Prép* peut varier. Nous retrouverons toutes ces caractéristiques dans les diverses constructions de *Nd* examinées ci-dessous :

a) *dans Nd*

Nous avons les exemples

> *Luc a lu la totalité de ce livre*[35]
> = *Luc a lu ce livre dans sa totalité*
> * *Luc a lu ce livre dans la totalité*
> *Luc a lu ce livre en totalité.*

et

---

34. Cette relation peut être considérée comme une extension de l'opération d'élévation du sujet, appelée raising en anglais, et discutée par Chomsky 1973 ; Postal 1973 ; Ruwet 1972.

35. L'analyse de *tout* dans

> *Luc a lu tout ce livre*

pourrait être liée à celle de *totalité*. Ces deux éléments seraient rapprochés syntaxiquement par [restruc]. De même la phrase

> *Luc a totalement lu ce livre*

compléterait le paradigme de ces objets directs. L'analyse des formes en *-ment* serait alors celle envisagée en II, 14 (Gross 1971).

Nous avons également

> *La totalité du livre a plu à Luc*
> = *Le livre a plu à Luc (dans sa + en) totalité*
> *Luc tient à la totalité du livre*
> = *Luc tient au livre (dans sa + en) totalité*

b) *pour la plupart*

Les phrases suivantes sont susceptibles d'être analysées de la même façon :

> *Pour la plupart, mes amis dorment*
> *Mes amis, pour la plupart, dorment*
> *Mes amis dorment, pour la plupart*

pour la plupart y a la mobilité d'un adverbe. Elles seraient associables à

> *La plupart de mes amis dorment*

par [restruc]. Ainsi, dans la forme de départ, il existe des contraintes entre $Dét\ N_1 = la\ plupart$ et $Dét_2$ (IV, 2.3 ; IV, 2.6), nous les retrouvons dans les formes en *pour la plupart* :

> * *La plupart de (beaucoup + peu + trop) de mes amis dorment*
> * *(beaucoup + peu + trop) de mes amis dorment pour la plupart.*

Les formes suivantes posent un problème dans le cadre de cette analyse :

> ? *Mes amis dorment pour la plupart d'entre eux.*

En effet, les segments *mes amis* et *d'entre eux* devraient s'exclure puisqu'associés tous deux à un seul $Dét_2\ N_2$. Cependant, comme ils sont compatibles quoique pléonastiques (*eux* se réfère obligatoirement à *mes amis*), on pourrait considérer qu'une opération de reduplication accompagnée d'un détachement s'est appliquée, rendant compte de l'ensemble de ces observations. D'autres *Dét* sont substituables à *la plupart* dans la discussion précédente, nous avons par exemple

> *Mes amis, pour (beaucoup + l'essentiel), sont fous*

mais
> * *Mes amis, pour (peu + trop), sont fous.*

Certains autres *Dét* ont une construction légèrement différente :

> ? * *Mes amis, pour la moitié, sont fous*
> *Mes amis, pour la moitié d'entre eux, sont fous*

le complément qui reprend le sujet est obligatoire cette fois.

c) *N par N*

On peut se demander s'il n'existe pas des relations analogues à celles que nous avons analysées par restructuration dans

> *Max a lu ces livres page par page*
> *Max a lu cette bibliothèque livre par livre.*

Ces phrases sont en effet très voisines en sens de

> *Max a lu (toutes) les pages de ces livres*
> *Max a lu (tous) les livres de cette bibliothèque.*

Par ailleurs, il y a complémentarité entre les deux formes :

> * *Max a lu toutes les pages de ces livres, page par page*
> ? * *Max a lu tous les livres de cette bibliothèque, livre par livre.*

Les exemples suivants indiquent que le phénomène existe avec les *N* qui généralisent les *Nd* :

> *Max a dépouillé toutes les années de cette revue*
> *= Max a dépouillé cette revue, année par année.*

De part et d'autre de *par*, il y a identité morphémique stricte :

> *Luc achète des livres, paquets de douze unités par paquets de douze unités*
> ** Luc en achète paquets par paquets de douze (unités + E)*
> ** Luc en achète paquets de douze (unités + E) par paquets.*

Ceci permet d'envisager une analyse des formes simples *par N* (elles sont analogues aux *en N*) au moyen de la réduction

$$N \text{ par } N \rightarrow \text{ par } N$$

Cette identité se retrouve avec d'autres *Prép*, comme dans *reproche sur reproche, goutte à goutte, pas à pas, jour après jour*, etc., et peut-être dans *Luc va de ville en ville*, quoique *Luc va de ville en village* soit accepté.

L'analyse de ces constructions pose le problème de rendre compte de l'identité des *N* dans la forme de départ. Cette identité pourrait toutefois être rapprochée de contraintes formellement voisines : D'une part l'identité des *N* dans les formes de base des articles définis (III, 2.2), d'autre part l'apparition dans les restructurations d'un adjectif possessif à antécédent toujours déterminé, ce qui correspond à la duplication d'un *N* pronominalisé par la suite. Cependant le contraste entre

et
> *Luc achète des livres par paquets de douze unités*
> ** Luc achète des paquets de douze unités de livres*

révèle une complémentarité entre *livres* et *unités* qui nécessite vraisemblablement une révision de la notion simple de duplication à laquelle nous nous sommes référé.

d) *à N*

Il existe des paires mettant en jeu *Prép = à* :

> *Luc boit des pleins seaux de vin*
> *= Luc boit du vin à pleins seaux*
> *Luc achète de pleines brassées de livres*
> *= Luc achète des livres à pleines brassées*

l'adjectif *plein* est obligatoire dans *à Dnom*.

Nous pourrions encore envisager d'analyser par restructuration des paires comme

> *Luc a lu (la moitié de ce livre)*
> *= Luc a lu (ce livre) (à moitié)*

mais dans certains cas, l'un des deux membres de la paire n'est pas attesté :

> *Luc a lu ce livre (à demi + en entier[36])*
> ** Luc a lu le demi de ce livre.*

---

36. Le substantif *entièreté* est déviant dans
> *? Luc a lu l'entièreté de ce livre*
> *? Luc a lu ce livre dans son entièreté.*
La construction nominale du *même* type mais avec *demi* est entièrement inacceptable. Notons la différence entre ces deux éléments utilisés comme *Adv* :
> *Luc est à demi fou* ; *? * Luc est en entier fou.*

La restructuration pourrait éventuellement servir à relier d'autres *Dét* à des *Préd*, mais des difficultés nouvelles apparaissent. Ainsi, dans la paire

> *Luc a lu (près de trois livres)*
> *Luc a lu (trois livres) (à peu près)*

près (Dnom) et *à peu près (Préd)* n'ont pas les mêmes adjonctions (IV, 3.1.1), et ces formes n'ont pas des sens identiques. De même, si *au plus (Préd)* et *au moins (Préd)* sont associés avec *moins (Dnom)* et avec *plus (Dnom)*, c'est de manière croisée, les paires les plus voisines en sens étant

> { *Luc a lu (plus de trois livres)*
> { *Luc a lu (trois livres) (au moins)*
> { *Luc a lu (moins de trois livres)*
> { *Luc a lu (trois livres) (au plus).*

Pour ces raisons, nous avons décrit ces éléments comme de simples adjonctions (*Dét* ou *Préd*) à des *GN*, adjonctions indépendantes les unes des autres.

e) *à Dnum*

Les segments *à Dnum (E + N)* que l'on observe dans

> *Ces personnes viendront à douze*

ont une mobilité d'adverbe, ils se comportent comme des compléments indépendants du *GN* qu'ils déterminent, tant du point de vue de l'extraction que du passif :

> *C'est à douze que ces personnes viendront*
> *C'est à douze personnes qu'ils viendront*
> *Ces personnes ont été entassées à douze par Luc dans une auto.*

Lorsque *à Dnum* porte sur un pronom, comme dans

> *Ils viendront à douze personnes*

il n'est pas clair que *ils* et *douze personnes* soient coréférents. L'absence d'accord en genre entre ces deux formes infirmerait plutôt une telle hypothèse, mais l'intuition d'un lien sémantique entre elles reste clair. La forme *à Dnum* est difficilement acceptable lorsqu'elle porte sur un *GN*, même quand les conditions sémantiques de la détermination sont favorables, comme dans

> * *Ces enfants viendront à douze fillettes*
> * *Ces fillettes viendront à douze enfants.*

Les constructions suivantes comportent la forme *à Dnum* portant sur des compléments :

> *Luc entassera ces personnes à douze dans une auto*
> *Luc rêve d'enfants, à douze dans sa maison*

elles sont voisines en sens de

> *Luc entassera ces douze personnes dans une auto*
> *Luc rêve de douze enfants dans sa maison.*

Le problème des relations entre ces phrases est donc du même type que celui qui vient d'être abordé.

Notons encore un exemple où les *Prép par*, *à* et *de* alternent avec *E* :

> { *Le kilo de ce produit (coûte + vaut) trois francs*
> { *Ce produit (coûte + vaut) trois francs (le + par + au + du) kilo*

avec une application de l'extraction au dernier exemple qui fournit un résultat inattendu : le complément direct et non pas le sujet est extrait en compagnie du déterminant :

C'est trois francs (le + par + au + du) kilo que ce produit (coûte + vaut).

f) Autres formes

Il existe d'autres constructions *à N* qui ont des propriétés syntaxiques et sémantiques voisines des précédentes, mais qui n'ont pas de forme correspondante en *Dnom*. Nous avons par exemple les phrases

Max a bu du vin à (gogo + tire-larigot + foison + volonté)
mais   *∗ Max a bu (un + le + du + etc.) (gogo + tire-larigot + etc.) de vin*

leur analyse introduit vraisemblablement

Le vin est à (gogo + tire-larigot + foison + volonté).

Il existe des différences syntaxiques entre certaines de ces formes. Ainsi, les formes *à N* ci-dessus sont sémantiquement et formellement voisines entre elles. En même temps, il pourrait exister entre *vin* et *foison* la relation explicite de *le vin foisonne.* Il ne semble pas qu'il y ait aussi une relation entre *vin* et *volonté*, et entre *Max* et *volonté*. Par contre, on voit moins bien comment *gogo* et *tire-larigot* pourraient être contraints d'une façon analogue puisqu'ils ne peuvent pas occuper d'autres positions syntaxiques que celles que nous mentionnons ici. Ces expressions ne sont pas limitées aux formes *à N*, il existe également des *en N*. Nous avons ainsi

Max achète du vin en vrac
mais   *∗ Max achète (du + un + le) vrac de vin.*

Considérons la phrase

Luc a acheté des lits au nombre de dix[37]

elle comporte une forme *à N* ou *à Dnum* qui, sémantiquement au moins, est apparentée aux cas déjà examinés. Il existe cependant une différence importante, le complément en *à* ne peut pas être extrait indépendamment de l'objet direct :

∗ C'est au nombre de dix que Luc a acheté des lits.

Dès lors, ce complément sera analysé comme un épithète de l'objet direct, c'est-à-dire au moyen de la dérivation

Luc a acheté des lits Qu ces lits sont au nombre de dix
[relativation] → *Luc a acheté des lits qui sont au nombre de dix*
[qui T être z.] → *Luc a acheté des lits au nombre de dix.*

En IV, 3.3.1 nous avons défini la relation de restructuration d'une façon qui l'assimilait à une transformation. Dans notre esprit, la formulation donnée est superficielle et ne peut guère être utilisée qu'à des fins purement manipulatoires. En effet, chacune des formes mises en relation est susceptible d'être analysée d'une façon plus profonde :

---

37. Cette construction est prolongeable par *au nombre de dix unités.*

— *Prép N$_2$ (en nombre élevé)* analysé comme attribut de l'objet *(ces lits)* aura sa source dans

Ces lits sont en nombre élevé

— de même *Dét$_1$ N$_1$ de Dét$_2$ N$_2$ (un nombre élevé de lits)* devra être décomposé en éléments plus simples. En II, 2.1, nous avons analysé des formes analogues par des dérivations du type suivant :

Luc a acheté des lits Qu ces lits sont d'une bonne qualité
[relativation] → *Luc a acheté des lits qui sont d'une bonne qualité*
[*qui T être z.*] → *Luc a acheté des lits d'une bonne qualité*[38]
[*Dnom* p.] → *Luc a acheté une bonne qualité de lits.*

Si nous analysons *Luc a acheté un nombre élevé de lits* de la même façon, nous devons partir de

* *Ces lits sont d'un nombre élevé.*

Le fait que forme de base et formes intermédiaires (comme *des lits d'un nombre élevé*) ne soient pas attestées pourrait faire perdre de l'intérêt à cette dérivation. Celle-ci a néanmoins le gros avantage de décomposer l'opération complexe et nouvelle de restructuration en opérations plus simples et connues de par ailleurs. Le problème de l'apparition de la préposition *(en)* reste entier, mais il est déplacé à un niveau plus intéressant nous semble-t-il, celui des relations qui existent entre les deux formes

Ces lits sont (en + d'un) nombre.

Ainsi, d'une façon naturelle, nous sommes encore amené à considérer que les quantificateurs sont introduits à partir de phrases complètes. L'analyse de [restruc] suggère des possibilités intéressantes pour ces formes de départ.

La description que nous avons donnée des combinaisons de (pré)déterminants peut donc apparaître comme essentiellement distributionnelle. Nous avons cependant tenu compte de diverses transformations et dégagé des contraintes combinatoires générales. Ces observations font que l'image obtenue ici est nettement différente des représentations strictement distributionnelles qui ont été amorcées pour l'anglais par Harris 1946 et Chatman. Alors que dans ces études on présentait une recherche des séquences de mots de longueur maximale centrées sur un nom principal, nous avons tenté de dégager les mécanismes en jeu. Nous pouvons affirmer qu'en première approximation il n'en existe que deux : celui de l'imbrication récurrente des *GNdéf* dans des *GN* et celui de l'adjonction des *Préd*. Une analyse transformationnelle plus poussée pourrait éventuellement les réduire à un seul mécanisme de placement d'un opérateur dans une phrase de niveau différent. Ces analyses nous semblent constituer une simplification notable par rapport aux descriptions distributionnelles dans lesquelles, même à un stade élémentaire, l'existence de six niveaux indépendants était déjà démontrée.

---

38. Cette partie de la dérivation possède une certaine généralité. Elle intervient pour rapprocher
Ce paquet est de douze livres et *Le paquet de douze livres*
Ce livre est de deux cents pages et *Le livre de deux cents pages.*

3.4   *Aspect du verbe, déterminants et prédéterminants*

Les phrases les plus simples mettent en évidence des dépendances complexes entre la présence de certains (pré)déterminants et l'interprétation des verbes auxquels ils se rattachent par l'intermédiaire de substantifs sujets et compléments. Considérons par exemple la phrase

Max mange du gâteau

elle a au moins les deux interprétations (1) et (2) :

(1)   *Max est en train de manger du gâteau*
(2)   *Max a l'habitude de manger du gâteau.*

Cette ambiguïté est très générale, elle affecte de nombreux verbes et la plupart des formes de temps. Elle interfère avec la présence de certains *Dét* et *Préd*. Ainsi

Max mange un gâteau

semble n'avoir que l'interprétation (1), mais la phrase voisine (elle a le même *Dét*)

Max mange un gâteau par jour[39]

n'a que l'interprétation (2). D'autres interprétations sont encore possibles. Considérons la phrase

Luc a mangé le gâteau que Léa préparera demain

elle pourrait sembler absurde au premier abord (sauf peut être dans des ouvrages de science-fiction mettant en jeu des voyages dans le temps). Mais elle a une interprétation plus simple, où l'article défini *le* a le sens de *le type de, la sorte de*. Cette interprétation se retrouve pour *ce* dans

Max mange beaucoup ce gâteau
= *Max mange souvent cette sorte de gâteau*

qui ne peut guère avoir l'interprétation correspondant à (1). Ce type de phénomène combiné avec d'autres (difficulté d'avoir des sujets indéfinis, articles porteurs de coréférence) fait que certaines phrases sont inacceptables tant elles sont difficiles à interpréter et ce, malgré une grande simplicité formelle (le lecteur s'en convaincra en s'attardant par exemple sur

Des enfants mangent les bonbons).

Dans les discussions traditionnelles sur l'aspect, il est souvent question d'aspect dit répétitif ou fréquentatif. Il est important de noter que la seule mise au pluriel du sujet ou d'un complément introduit de tels éléments de sens. Certaines de ces différences de sens, observées dans l'interprétation (1) de

Ces garçons mangent (un + des) gâteaux
Max mange (un + des) gâteaux

pourraient certainement s'exprimer en termes de la notion de répétition (de l'action de manger)[40]. Ces différences s'observent plus nettement dans les

---

39. Pour une étude détaillée de ces compléments en *par*, cf. Dessaux. Notons que ce complément est interdit dans les constructions très duratives :
*   *Ce livre pèse deux kilos par jour.*
40. L'analyse que nous avons donnée de *beaucoup* adverbe (I, 5) permet d'expliciter également la notion de répétition.

exemples suivants où l'effet décrit dépend du verbe principal : les formes

Le bateau a franchi le détroit (pendant dix heures + dix heures durant)

sont peut-être au premier abord inacceptables, alors que les phrases

Les bateaux ont franchi le détroit (pendant dix heures + dix heures durant)

sont naturelles. La seule différence formelle entre ces exemples est le passage de sujet singulier à sujet pluriel. Mais en fait, les premiers exemples sont interprétables si l'on considère que le bateau a fait des allers et retours pendant dix heures ; dans les derniers exemples, chaque bateau ne franchit le détroit qu'une fois, c'est l'ensemble de la flotte qui nécessite dix heures de franchissement. On voit nettement ici l'intervention du pluriel dans la notion d'aspect répétitif.

Les correspondances entre aspect du verbe et déterminants pourraient jouer un rôle fondamental dans l'étude de certaines nominalisations, dans une relation comme celle qui opère entre

Max hachure ce rectangle

et
Max fait des hachures dans ce rectangle

l'intuition de répétition associée au verbe *hachurer* serait caractérisée par la présence OBLIGATOIRE du pluriel dans la forme nominalisée

* *Max fait une hachure dans ce rectangle.*

Ces relations sont des plus courantes dans le lexique français (Giry 1977 ; Gross 1975 ; Meunier 1977 ; de Negroni), elles peuvent également mettre en jeu des aspects duratifs. Par exemple, la relation entre

Luc adore Léa

et
Luc a de l'adoration pour Léa

interdirait, du fait de l'aspect duratif de *adorer*, le pluriel dans la forme nominalisée

Luc a des adorations pour Léa.

Notons pour mémoire quelques autres dépendances entre forme du *V* et certains *Dét* :

— en position objet direct

* *Max aime du vin*
Max veut du vin

par contre au conditionnel nous avons

Max aimerait du vin

— en position sujet

? * *De l'argent intéresse Max*
De l'argent intéresserait Max.

Il est possible que ces contraintes (mal étudiées) soient liées au problème de l'interprétation d'autres *Dét* (V, 3.1). Certaines phrases suggèrent cette possibilité :

Max aime le vin (le générique[41])

---

41. La notion de générique est étroitement associée à la notion de duratif, elle-même proche (sinon identique) à l'interprétation *avoir l'habitude de.*

Max veut le vin (*le* spécifique)
Max aimerait le vin (*le* peut être spécifique).

Enfin de nombreux *Préd* que nous avons mentionnés peuvent être liés à d'autres notions d'aspect (*entièrement* à l'accompli, *encore* à l'inaccompli ; II, 14).

Nous rappellerons pour conclure ces remarques sur l'aspect que l'association entre aspect et (pré)déterminants est naturelle dans le cadre de l'analyse de Harris 1976. L'aspect d'une phrase y est en effet décrit comme un opérateur de niveau supérieur. Nous avons par exemple

Que Max boive du vin est fréquent
= *Max boit du vin fréquemment.*

Les opérateurs d'aspect ayant la même nature profonde que les opérateurs de détermination il n'est plus surprenant que ces deux chapitres de la grammaire, presque toujours dissociés, aient en fait des relations particulièrement étroites.

V

RECHERCHES NOUVELLES
SUR LA NATURE DU GROUPE NOMINAL

Dans les chapitres qui précèdent nous avons souvent suivi l'analyse traditionnelle des *GN*. Nous avons pu constater que les analyses distributionnelle et transformationnelle n'en différaient pas sensiblement. Seul apparaît un degré de formalisation plus poussé.

Dans toutes ces approches il est fait usage d'un même postulat : Les linguistes ont distingué des constituants dans la phrase et ils ont perçu que ces constituants devaient eux-mêmes être analysés en termes de constituants des mêmes types que ceux du premier niveau d'analyse, et ainsi de suite. Par exemple

Max a lu le livre que Luc a donné à Eve

sera analysé selon les représentations de la figure V, 1, à des variantes près dues à des différences de terminologie ou de formalisation qui ne nous concernent pas ici. Le postulat que nous retrouvons universellement assure que les niveaux d'analyse sont indépendants les uns des autres. Ainsi dans notre exemple, la forme générale de phrase : sujet-verbe-objet direct ou bien *GN V GN* est indépendante du contenu formel et lexical des sujet et objet, c'est-à-dire des deux *GN*. Ce postulat s'identifie pratiquement au principe transformationnel, qui pose que les transformations sont des opérations formelles, par définition s'appliquant à des structures comme *GN V GN* indépendamment de la constitution interne des *GN*. C'est le cas par exemple du passif ou de l'extraction dans *C'est ... Qu*, lesquelles opérations déplacent des *GN* entiers.

On peut penser que la croyance en l'extrême généralité du principe transformationnel a masqué le fait que les transformations pouvaient dépendre de la constitution interne des *GN* concernés, le principe transformationnel a en effet, dans une large mesure, limité la description du *GN* à des règles de formation de constituants (règles de Chomsky). Lorsqu'il n'en a pas été ainsi, les règles ont été définies de façon à respecter l'indépendance des niveaux que nous avons signalée et le formalisme du cycle a été défini précisément à cette fin.

Nous avons déjà rencontré des constructions où ce postulat est clairement mis en défaut, les principaux exemples sont :

— *tout* et *entier* (II, 13), *seul* et *seulement* (II, 8) qui présentent des rela-

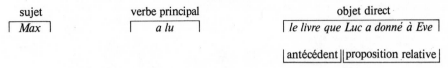

Premier niveau :

sujet	verbe principal	objet direct
Max	a lu	le livre que Luc a donné à Eve

antécédent ‖ proposition relative

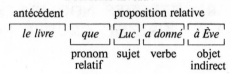

Deuxième niveau :

antécédent   proposition relative

le livre   que   Luc   a donné   à Ève

pronom   sujet   verbe   objet
relatif   indirect

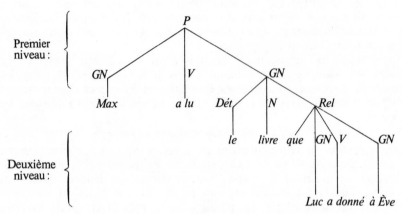

Figure V, 1

tions entre adjectifs et adverbes (II, 14 ; III, 3.1.2c ; V, 3.2) situés à des niveaux différents puisque l'on peut avoir

$N_0 V (N_1) (Adj\text{-}ment) = N_0 V (N_1 Adj)$
(Eve porte simplement une toge = Eve porte une simple toge).

Rappelons l'exemple

Max a une curieuse façon de se comporter

où l'adjectif *curieuse* est en relation directe avec l'adverbe obligatoire qui accompagne normalement *se comporter* ;

— les négations qui peuvent s'abaisser à des profondeurs variées à l'intérieur de *GN* comportant des cascades de compléments de noms (IV, 2.1) ;

— les constructions de IV, 3.3 qui ont été analysées par restructuration.

Nous examinerons dans ce chapitre un certain nombre de faits nouveaux qui vont à l'encontre du postulat mentionné et qui, s'ils devaient être formalisés dans des systèmes de type génératif, imposeraient certainement de sérieuses révisions aux modèles employés aujourd'hui.

1   Groupes nominaux à structure double

Considérons la phrase

(1)   *Max a rapporté une agression sauvage contre Luc.*

Elle s'analyse avec *Max* comme sujet et *une agression contre Luc* comme objet direct. Ce complément se divise à son tour en *une agression* d'une part et le complément de ce nom *contre Luc*. Cette analyse est syntaxiquement justifiée dans un cadre formel par la cohérence avec laquelle s'appliquent les transformations pertinentes à cette forme de phrase.

Si par exemple nous appliquons l'extraction dans *C'est ... Qu* à l'objet direct nous obtenons

C'est une agression sauvage contre Luc que Max a rapporté

et notre analyse est motivée par le fait que les deux constituants ne peuvent pas être extraits indépendamment l'un de l'autre :

* *C'est contre Luc que Max a rapporté une agression sauvage*
* *C'est une agression sauvage que Max a rapporté contre Luc.*

L'application systématique d'autres transformations affectant l'objet direct conduit aux mêmes conclusions sur la nature de ce complément.

Considérons maintenant la phrase

(2)   *Max a commis une agression sauvage contre Luc.*

Son analyse se présente de façon identique à celle de (1) : *Max* est sujet et l'objet direct *une agression contre Luc* se décompose en *une agression* et le complément de nom *contre Luc*. Dans (1) comme dans (2), nous avons affaire à une même relation syntactico-sémantique entre *agression* et *Luc*, celle qui est observable dans *agresser Luc*. Mais le comportement syntaxique de (2) est très différent de celui de (1), l'application de l'extraction nous fournit ainsi, d'une part la forme obtenue avec (1) soit

C'est une agression sauvage contre Luc que Max a commis

mais d'autre part dans (2) les deux parties de l'objet direct sont dissociables :

C'est contre Luc que Max a commis une agression sauvage
C'est une agression sauvage que Max a commis contre Luc.

Cette dualité s'observe avec toutes les transformations affectant l'objet direct ; par exemple, avec le passif, nous constatons la différence

* *Une agression sauvage a été rapportée par Max contre Luc*
Une agression sauvage a été commise par Max contre Luc.

Nous observons ce phénomène dans d'autres positions syntaxiques. Ainsi en position sujet, nous avons

{ *Une agression contre Luc interviendra à trois heures*
{ *Une agression contre Luc déplairait à Max*

{ *Un accord avec Luc interviendra à trois heures*
{ *Un accord avec Luc déplairait à Max*

et les différences

{   *Une agression interviendra contre Luc à trois heures*
{ * *Une agression déplairait contre Luc à Max*

{   *Un accord interviendra avec Luc à trois heures*
{ * *Un accord déplairait avec Max à trois heures.*

Nous pouvons opérer de façon systématique comme nous l'avons fait en IV, 3.3 et appliquer toutes les transformations pertinentes à toutes les positions syntaxiques (Gross 1976a), nous obtenons alors confirmation des différences précédentes et de leur cohérence.

Dans les interprétations de (1) et (2), nous percevons que la relation entre *agression* et *Luc* est la même ; or le comportement syntaxique de *contre Luc* est très différent dans les deux phrases. Le problème posé est donc le suivant : pourquoi existe-t-il deux comportements aussi différents pour une même séquence de compléments et d'abord quelles sont les conditions dans lesquelles ces comportements apparaissent, c'est-à-dire quels sont les verbes principaux qui les déterminent ?

L'examen de (1) et (2) révèle une différence profonde d'interprétation :

— dans (1) *Max* n'est pas l'auteur de l'*agression*, tandis que
— dans (2) *Max* est l'auteur de l'*agression*.

Cette différence est générale, et nous la retrouvons dans un grand nombre d'exemples. Nous avons ainsi

$$\left\{ \begin{array}{l} \textit{Max a dénoncé une pression sur Luc} \\ \textit{Max a exercé une pression sur Luc} \end{array} \right.$$

$$\left\{ \begin{array}{l} \textit{Max note une différence avec Luc} \\ \textit{Max accuse une différence avec Luc} \end{array} \right.$$

$$\left\{ \begin{array}{l} \textit{Max étudie un accord avec Luc}[1] \\ \textit{Max passe un accord avec Luc} \end{array} \right.$$

Nous retrouvons ici la différence sémantique observée entre (1) et (2) : dans la deuxième phrase de chaque paire, *Max* est d'une certaine façon le sujet du substantif objet direct, alors que ce n'est pas le cas pour la première phrase ; ainsi, le sens (sinon la forme) de

? Max presse (sur) Luc
Max diffère de Luc
Max s'accorde avec Luc

est inclus dans l'interprétation des secondes phrases, ce qui peut suggérer l'intervention d'une opération de nominalisation. Mais il peut être difficile de trouver une telle phrase avec verbe dans certains cas, par exemple si nous remplaçons *accord* par *contrat* dans la dernière paire. De ce point de vue, les faits sont moins clairs ou différents lorsque le verbe dit principal est intransitif, il n'existe pas en effet de position syntaxique que pourrait occuper l'auteur de l'*agression* ou l'autre partie dans l'*accord*.

On trouve des différences importantes entre les constructions (1) et (2) au niveau des déterminants de *agression*, certaines rendent compte de la différence de sens que nous venons d'observer. Considérons ainsi la distribution des adjectifs possessifs. Dans (1), nous observons une liberté complète de personne-nombre, toutes les phrases

Max a rapporté (mon + ton + son + ... + leurs) agressions contre Luc

---

1. Nous ne nous intéressons pas ici à *avec Luc* adverbe d'accompagnement.

sont acceptées. Dans (2) nous avons des contraintes la forme

(2′)   *Max a commis son agression contre Luc*

est acceptée, avec peut-être un effet pléonastique dû à la coréférence obligatoire[2] entre *Max* et *son* ; par contre, les séquences

                    * Max a commis (mon + ton + leurs) agressions contre Luc

sont inacceptables, car ne pouvant pas être interprétées avec le référent du possessif comme sujet de *agresser ;* nous avons d'ailleurs au départ

                            * Max a commis l'agression de Léa contre Luc[3]
alors que   *Max a rapporté l'agression de Léa contre Luc.*

Etant donné que (2′) est voisin sinon identique en sens à (2) on pourrait envisager l'existence d'une transformation

                                  (2′) → (2)

qui effacerait le possessif coréférent au sujet (III, 3.4, remarque 4).

Considérons encore la distribution des articles définis et indéfinis. Dans

            Max effectue une étude précise des propriétés de ce corps

la séquence complément est du type (2), c'est-à-dire qu'elle est analysable en un et/ou deux compléments (Giry 1977) : on a par exemple

            Une étude précise est effectuée par Max des propriétés de ce corps.

Par contre il n'en va pas de même dans la phrase

                Max effectue l'étude des propriétés de ce corps

qui diffère surtout de la précédente par une modification du *Dét* de *étude* : on a ainsi

            ? * *L'étude est effectuée par Max des propriétés de ce corps.*

Ces considérations nous rapprochent du traitement des nominalisations par verbe opérateur (Harris 1964, Gross 1975, Giry 1977, Labelle, Meunier 1977, de Negroni). Ce traitement est essentiellement basé sur des rapprochements opérés entre des phrases comme

    ⎰ *Max hait Luc*
    ⎱ *Max a de la haine pour Luc*
    ⎰ *Max étudie les propriétés de ce corps*
    ⎱ *Max fait une étude des propriétés de ce corps*
    ⎰ *Ceci contredit cela*
    ⎱ *Ceci est en contradiction avec cela*

rapprochement effectué au moyen d'un verbe (relativement) vide de sens, ici *avoir, faire, être en.* Dans les constructions nominalisées, le comportement de la séquence complément est la plupart du temps celui qui est observé dans

---

2. La coréférence n'est pas obligatoire avec *rapporter* ; cette différence se retrouve dans le processus de nominalisation, nous avons

            Max a rapporté une attaque contre la ville par l'ennemi
            * *Max a commis une attaque contre la ville par l'ennemi.*

L'interdiction de la dernière forme s'explique par la nécessité d'un possessif sous-jacent à *un* et coréférent à *Max* : la forme passive comportant *par N*, il ne peut y avoir alors de source *de N* pour le possessif.

3. Cette forme n'est acceptée qu'avec *l'agression de Léa* interprété comme *la même sorte d'agression que celle qui a un rapport avec Léa* ; alors, *Max* est le sujet de *agression.*

(2). On pourrait donc penser que les séquences compléments des phrases de type (1) sont introduites à partir de cette opération de nominalisation par une dérivation de la forme

(a)   *Max a rapporté une chose Qu Cette chose est qu'on a agressé Luc*
(b) = *Max a rapporté une chose Qu Cette chose est qu'on a fait une agression contre Luc*
(c) = *Max a rapporté une chose Qu Cette chose est une agression contre Luc*
(d) = *Max a rapporté une chose qui est une agression contre Luc*
(1) = *Max a rapporté une agression contre Luc.*

La nominalisation par opérateur support de temps intervient entre (a) et (b).
Au cours de la réduction (b) = (c) une structuration se produirait qui constituerait *une agression contre Luc* en *GN*, ensuite la relativation (Vergnaud 1974) et d'autres réductions conduiraient à (1). Cette analyse ne permet pas de rendre compte des phrases de type (2). Il semble qu'il faille rechercher leur analyse dans une extension de la notion de verbe support. Nous avons en effet tenté de limiter cette notion à un petit nombre de verbes, mais la délimitation est peu tranchée, ainsi *commettre* est un aussi bon candidat opérateur support que *faire* :

> *Max agresse Luc*
> = *Max commet une agression contre Luc*

de même, les différences entre

> *Max hait Luc*
> *Max a de la haine pour Luc*
> *Max éprouve de la haine pour Luc*
> *Max ressent de la haine pour Luc*

sont ténues, il est donc difficile d'exclure *éprouver* et *ressentir* comme opérateurs en ne conservant que *avoir*. De plus, les propriétés des séquences complément dans les trois dernières phrases sont celles que nous avons observées dans (2).

Cette situation est générale, chaque fois que nous avons utilisé un opérateur, il était possible de lui substituer une certaine variété de verbes non vides de sens ; nous avons par exemple

$$Ceci \begin{pmatrix} a \\ + \ présente \\ + \ accuse \\ + \ montre \\ + \ enregistre \end{pmatrix} de\ la\ ressemblance\ avec\ cela.$$

Ces remarques suggèrent l'hypothèse suivante : les verbes dont la séquence complément est du type (2) sont des extensions d'opérateurs dans le sens ci-dessus. Cette hypothèse conduit d'une part à examiner la relation de nominalisation par opérateur et d'autre part les extensions possibles. Ce programme est encore loin d'être réalisé (Giry-Schneider 1978).

2   Groupes nominaux à modifieur complétif

Nous examinerons maintenant une construction nominale qui présente des difficultés d'analyse provenant de dépendances formelles analogues à celles que nous venons d'examiner en ce qu'elles ne sont pas locales.

Considérons les discours synonymes suivants :

> *Max apprécie le fait que Luc dorme*
> *Luc dort, Max apprécie ce fait*

fait, accompagné ou non de *Qu P*, y est sélectionné par *apprécier*. Il existe de nombreux *N* comme *fait* qui acceptent une complétive (Leclère 1971) :

> *Max répand la rumeur que Léa est partie*
> *Max accepte l'idée que Léa parte*
> *Cela donne à Max l'impression que Léa est partie*
> *La possibilité que Léa parte ennuie Max.*

Il semble donc légitime d'accepter une première analyse commune à toutes ces constructions : la complétive à la droite de ces *N* apparaissant dans une position comparable à celle qu'occupent les relatives et les compléments de nom, il est justifié de la considérer comme un modifieur de nom. De plus, lorsque les principales transformations s'appliquent aux formes *Dét N Qu P*, ces dernières se comportent comme la plupart des *GN* non fragmentables *Dét N Rel*, *Dét N Prép N*, ce qui revient à dire que *Qu P* n'est pas en général séparable de son *N*. Ces observations valent également pour les constructions infinitives *(de) VΩ* qui sont généralement associées aux *Qu P* par un processus général de réduction.

Cependant, on observe les restrictions suivantes : il existe des verbes sélectionnant comme sujet ou complément(s) certains *N* à complétive, mais qui ne peuvent pas sélectionner les mêmes *N* accompagnés de leur complétive ; ainsi *comprendre* sélectionne *désir* comme objet direct dans

> *Max comprend (ce désir + le désir que tu as eu)*

mais lorsque *désir* est accompagné d'une complétive, le même type de séquence devient inacceptable :

> * *Max comprend le désir que Léa parte*

Ce qui est remarquable ici, c'est que le sentiment d'inacceptabilité est indépendant du sens ; en effet on ne voit pas ce que pourrait être une raison sémantique d'avoir une telle incompatibilité et ce, d'autant plus que

> *Max comprend que Léa parte*

est accepté. Nous n'avons donc pas affaire à un phénomène de sélection de restriction. D'ailleurs, pour rendre compte de la distribution observée en termes de sélection ou de cooccurrence, il faudrait faire l'hypothèse de l'existence de deux substantifs correspondant à *désir* : *désir*$_1$ qui accepterait une complétive comme modifieur et *désir*$_2$. Il est difficile d'adopter une telle solution, d'une part parce qu'il ne semble pas y avoir de différence de sens entre les deux *N = désir*, d'autre part parce qu'une telle duplication d'entrées lexicales[4] devrait être faite pour des centaines de *N* qui acceptent *Qu P*. Nous devrions adopter la même solution pour décrire l'apparition du subjonctif dans le *Modif Qu P* (Gross 1975). Considérons

> *Max donne la preuve formelle que Luc peut partir*

---

4. Il n'est pas impossible qu'il y ait une différence de sens entre les deux utilisations de *idée*. Mais une telle différence ne justifierait pas la duplication des entrées, duplication qui devrait être étendue à tous les *N* acceptant *Qu P*. Il est donc préférable d'attribuer la différence de sens à une différence de modifieur.

Qu P ne peut pas s'y mettre au subjonctif :

> * *Max donne la preuve formelle que Luc puisse partir*

mais lorsque *preuve* est complément de *exiger*, son modifieur peut être au subjonctif :

> *Max exige la preuve formelle que Luc puisse partir.*

Il nous faut donc conclure à l'existence d'un phénomène dont il ne peut pas être rendu compte de façon naturelle dans le cadre des théories proposées à ce jour.

Les phénomènes présentés en V, 1 et V, 2 ont un caractère formel commun : nous observons dans les divers cas une dépendance entre le verbe principal et un modifieur attaché à un argument (sujet ou complément) nominal de ce verbe[5]. Ce caractère formel sera dit local.

Il existe d'autres analogies entre les deux types de phénomènes. Nous avons parlé de « sujet de substantifs » avec *agression* et *accord*. Nous avons, dans le cas des *N* acceptant une infinitive, une façon plus formelle mais peut-être analogue de parler du sujet de ces *N*. Ainsi dans

> *Max accepte l'idée de s'en aller*
> *J'accepte l'idée de m'en aller*

Max et *Je* sont respectivement les sujets de *s'en aller* puisqu'il y a accord en personne-nombre :

> * *Max accepte l'idée de m'en aller*
> * *J'accepte l'idée de s'en aller*

Dans

> *Je donne à Max l'idée de s'en aller*

c'est *Max* et non pas *Je* qui est sujet, alors que dans

> *Je donne à·Max l'impression de m'en aller*

Je est sujet de l'infinitive.

Le traitement suggéré pour la description de ces contraintes semble toujours consister en une extension du cadre dans lequel les complétives ont été décrites *(Qu P → VΩ* ; pour l'anglais la règle EQUI-NP deletion). Il existe cependant une autre possibilité d'analyse qui apparente ces constructions à celles de V, 1. Les constructions *Dét N Qu P* et *Dét N de VΩ* présentent en effet des restrictions sur leur *Dét* qui dépendent du verbe avec lequel elles sont combinées. C'est ainsi que dans

> * *Max comprend l'idée que Léa parte*
> * *Max comprend l'idée de partir*

la position de *Dét = l'* peut être occupée par un adjectif possessif quelconque, la sequence

> *Max comprend ton idée que Léa parte*

paraît plus acceptable que son homologue avec article défini, et cette différence est encore plus nette avec la construction infinitive :

> *Max comprend (mon + ton + notre) idée de partir*

---

5. La dépendance entre *Dét* et *Prép* des exemples suivants pourrait également être un phénomène du même type :

> *Max a eu le mal de le faire*
> * *Max a eu le mal à le faire*
> *Max a eu du mal à le faire.*

ces phrases ayant leur source dans

Max comprend l'idée de Léa de partir.

Dans ces exemples le sujet de l'infinitive est le possessif ou le complément de nom[6] :

Max comprend (son désir + le désir de Léa) de s'en aller
* Max comprend (son désir + le désir de Léa) de m'en aller
Max comprend mon désir de m'en aller.

Par ailleurs, avec certains *N*, les possessifs ou compléments de noms sont totalement interdits :

Max apprécie le fait que Léa parte
* Max apprécie son fait que Léa parte.

Entre ces exemples extrêmes, il existe les cas intermédiaires

(1)   *Max demande à Luc l'autorisation de s'en aller*
(2)   *Max demande à Luc son autorisation de s'en aller*

où à la fois le possessif et l'article défini sont permis. Dans le premier de ces deux exemples le sujet de *s'en aller* est *Luc*, dans le second c'est le possessif qui est le sujet, comme l'indiquent les séquences

Max demande à Luc mon autorisation de m'en aller
* Max demande à Luc ton autorisation de m'en aller.

Les analyses de (1) et (2) sont donc nettement différentes. Pourtant, il n'est pas clair que ces phrases soient indépendantes, sauf peut-être par l'interprétation du mot *autorisation* qui, dans (2) serait plus concret que dans (1) (on pense plus à une autorisation écrite). Une possibilité de rapprocher les deux analyses existe, elle consisterait à adopter une règle qui dans (2) effacerait *son* coréférent à *Luc* en conservant l'article défini (III, 3.4 remarque 4). Cette règle paraît alors très voisine de celle que nous avons proposée en V, 1. Elle opère dans le contexte analogue des nominalisations. Notons que cette règle opérera encore sur des possessifs attachés à des objets directs et coréférents au sujet :

J'étudie mes possibilités de m'en aller
= J'étudie les possibilités de m'en aller.

Néanmoins il semble difficile d'envisager son extension aux *N* qui comme *fait* n'acceptent pas ce complément de nom correspondant.

L'application de cette règle dépendrait du verbe principal[7] ; elle serait interdite par exemple dans le cas mentionné de

Max comprend son désir de partir.

Autrement dit, nous retrouvons la situation rencontrée en V, 1 : la règle définit deux types de verbes dont il se pourrait qu'ils aient des caractéristiques sémantiques voisines : extensions d'opérateurs dans un cas (*étudier* par exemple)

6. Notons que les séquences
Max comprend mon désir de (nous + s') en aller
sont acceptées sans identité entre possessif et pronom réfléchi. Toutefois, l'interprétation reste du même type : le référent de *mon* est sujet de *(nous + s') en aller*, mais il n'est plus forcément le seul sujet.
7. De plus elle dépend du *N* puisque nous avons
Max étudie ta proposition de t'en aller
* Max étudie la proposition de t'en aller.

et verbes « plus sémantiquement pleins » dans l'autre *(comprendre)*. Nous observons cependant des différences syntaxiques sensibles : dans le cas de V, 1 le modifieur du *N* peut acquérir une certaine autonomie en tant que constituant, nous n'observons pas cette possibilité avec les complétives et les infinitives. Rappelons toutefois, comme Ross 1967 l'a remarqué, qu'il est possible d'extraire des éléments de *Qu P* dans un cas, mais pas dans l'autre.

3 Groupes nominaux à dépendances entre *Dét* et *Modif*

Alors que les paradigmes nominaux habituellement considérés ont la forme suivante :

GN = Dét N Modif

avec   *Modif = E + Adj + Rel + de N* (c'est-à-dire *Modif* facultatif)
et   *Dét = le (la + les) + un (une) + des + ce (cet + cette + ces) + etc.*

il en existe bien d'autres qui ne sont jamais énumérés dans les grammaires.

Le fait que ce paradigme soit toujours cité provient certainement de sa régularité formelle. Celle-ci est apparente dans les équations que nous donnons, elle se traduit par une indépendance complète entre le choix du *Dét* et celui du *Modif*.

Nous examinerons ici quelques exemples de *GN = Dét N Modif* où apparaissent des dépendances entre *Dét* et *Modif*. Ces dépendances ont certainement fait que les grammairiens ont classé comme figées, lexicalisées ou idiomatiques, toutes sortes de constructions qui présentent à la fois une grande variété et des régularités importantes, mais ces régularités ont été masquées par une classification grossière qui a fait croire à l'existence d'exceptions nombreuses là où il était indispensable d'effectuer des études dépassant l'analyse la plus superficielle.

3.1 *Groupes nominaux à modifieur d'unicité*

Le paradigme de *GN* que l'on observe pour le complément en *par* de

Luc a trébuché par un hasard curieux

n'est pas du type régulier ci-dessus. Nous observons

Luc a trébuché par (hasard
+ un hasard curieux
+ le plus curieux des hasards)
* *Luc a trébuché par (un hasard*[8]
+ le hasard
+ le hasard curieux
+ le hasard qui était curieux
+ un hasard qui était curieux).

Notons bien que la dernière forme n'est considérée comme inacceptable que si elle ne comporte pas de pause entre l'antécédent *(hasard)* et le pronom

---

8. Ces formes sont acceptables avec intonation spéciale suggérant une prolongation de phrase :
Luc a mangé ce gâteau par un hasard... je ne vous dis que ça !

relatif *(qui)* ; le fait est assez surprenant puisque la relative sert de source aux adjectifs de

Luc a trébuché par un (curieux hasard + hasard curieux).

Cependant, des modifications (apparemment inessentielles) du contenu de la relative pourront rendre la forme acceptable, ce que nous constatons sur

Luc a trébuché par un hasard qui était pour le moins curieux.

De telles différences d'acceptabilité se retrouvent pour des choix de mots difficiles à préciser. Par ailleurs, certaines formes sont immédiatement acceptées :

Luc a trébuché par une coïncidence qui venait à point nommé
Luc a retrouvé Eve par la coïncidence que nous espérions tous.

Les exemples ci-dessus montrent que seules les formes *par GN* qui contiennent des *N spécifiques* ont ces propriétés, nous avons

N = *accident + chance + générosité + habitude + lâcheté + veine + etc.*

La préposition *par* n'est pas la seule à présenter ce phénomène, nous observons des faits voisins avec *de* (accompagnant certains N) :

Luc a trébuché de (façon curieuse
+ une façon curieuse
+ la plus curieuse des façons)
* Luc a trébuché de (façon
+ la façon curieuse
+ la façon qui était curieuse).

Notons que *Luc a trébuché d'une façon qui était curieuse* n'est accepté qu'avec une pause entre *façon* et *qui*.

Nous retrouvons le même paradigme avec divers N_1 classifieurs (I, 5) :

N_0 *est de* N_1
= *Ce thé est de ((forme + saveur + couleur) curieuse*
+ une (forme + saveur + couleur) curieuse
+ la (forme + saveur + couleur) la plus curieuse qui soit)
* Ce thé est de (forme + saveur + couleur
+ (une + la) (forme + saveur + couleur) + etc.).

Ces phrases sont associées à des phrases en *avoir* qui ont le même sens et une structure apparentée (Meunier 1977) :

N_0 *avoir* N_1
= *Ce thé a une (bonne qualité + forme curieuse)*

et le complément direct de *avoir* présente un paradigme de même type.

Nous présenterons encore quelques exemples de la même situation où nous ferons varier *Prép* et *N*.

Avec entre dans le paradigme

Luc travaille avec (sincérité
+ une sincérité douteuse
+ la plus douteuse des sincérités)
* Luc travaille avec (sincérité douteuse
+ une sincérité
+ la sincérité
+ la grande sincérité
+ la sincérité qui est grande).

Nous avons encore

> *Luc travaille avec une sincérité qui vous surprendra*
> *Luc travaille avec la sincérité qui le caractérise.*

Par ailleurs, *avec grande sincérité*[9] n'est pas entièrement exclu à la différence de ce qu'on observe pour *avec sincérité surprenante.* Les faits avec *sans* dans

> *Luc travaille sans enthousiasme*

sont quasi identiques aux précédents et il en va de même avec *Prép = dans* :

> *Luc est dans (une grande rage*
> *+ la rage la plus violente qui soit)*
> ** Luc est dans (rage*
> *+ la rage*
> *+ la rage qui est violente + etc.).*

Le cas de *Prép = sous* dans

> *Cette opération se fait sous pression*

s'apparente à celui de *sans*, et le paradigme en *à* qui suit est identique à celui de *de façon* :

> *Luc opère à (vitesse élevée*
> *+ une vitesse élevée*
> *+ à la vitesse la plus élevée qu'il ait obtenu*
> *+ à une vitesse qui convient parfaitement*
> *+ à la vitesse qui convient le mieux)*
> ** Luc opère à (vitesse*
> *+ une vitesse*
> *+ la vitesse*
> *+ la vitesse élevée*
> *+ la vitesse qui est élevée).*

Les compléments prépositionnels que nous venons de discuter peuvent être appelés adverbes de manière puisqu'ils sont pronominalisables par *ainsi* et par le pronom interrogatif *comment.* L'interdiction de la question en *Prép quoi* s'expliquera par l'impossibilité qu'a le nom *chose* de figurer comme *N* principal de ces compléments.

Ils ont un comportement particulier du point de vue de la coréférence. D'une part la pronominalisation selon *Prép ce(ci + la)* ou *y* est interdite, d'autre part les formes *Prép (le + la + les) N* ne sont pas porteuses de coréférence, ce qui est possible avec les *GN* dits normaux (III, 1.1).

Les variations d'acceptabilité rencontrées avec les relatives apparaissent comme liées à une notion sémantique que l'on pourrait appeler unicité. En effet, les *GN* exclus deviennent acceptables lorsque le modifieur leur attache une interprétation de référence unique. Ce résultat peut être obtenu aussi bien par des choix de mots particuliers que du fait de situations extra-linguistiques appropriées. Ainsi, l'introduction de l'adjectif *seul* peut avoir cette fonction :

> ** Luc opère de la façon qui (est + soit) intéressante*
> *Luc opère de la seule façon qui soit intéressante.*

---

9. *Grand* pourrait jouer un rôle de *Dét* plutôt que d'adjectif qualificatif ordinaire. Divers *Dét* peuvent avoir ici une fonction de *Modif*, nous avons noté cette propriété dans les tables *Dadv, Dnom* et *Dadj* (propriétés *de Dét (de) manière*).

Le superlatif a le même effet (II, 3.2) :

Luc opère de la façon la plus intéressante qui soit.

L'origine extra-linguistique de l'unicité apparaît clairement à travers l'emploi de certains adjectifs, la différence d'acceptabilité entre

Luc roule à la vitesse élevée

et *Luc roule à la vitesse légale*

est due à la nature sémantique des adjectifs : *légal* mais non pas *élevé* rend *la vitesse* unique. Cependant, dans une situation où, par exemple Luc roulerait dans un engin à trois vitesses chacune constante, la séquence refusée deviendrait acceptable, clairement parce que la vitesse élevée possèderait une référence unique.

Cette interprétation des restrictions qui pouvaient au premier abord paraître purement syntaxiques nous permet de mieux comprendre le caractère sémantique de la notion de coréférence. Nous avons localisé la source de la coréférence dans une relative (III, 1.2), coréférence et unicité sont donc en distribution complémentaire. En fait, le phénomène de la coréférence peut être interprété comme un cas particulier de celui de l'unicité. Alors que nous avons employé les termes de relation d'identité entre deux *GN* pour définir la coréférence, nous pourrions tout aussi bien la définir dans la terminologie de l'unicité de la référence d'un *GN* : une relative déictique rend unique l'interprétation de son *GN*. Autrement dit, la différence qui se présente entre les deux classes de phénomènes réside essentiellement dans l'opposition entre référence au discours (cas de la coréférence) et référence à la situation extra-linguistique (cas des formes discutées dans ce paragraphe). Inversement, au lieu de parler de référence unique pour certains *GN*, nous pourrions parler de relation entre un *GN* et son interprétation dans le contexte extra-linguistique du discours : lorsqu'on peut établir une telle relation, alors l'interprétation du *GN* est unique[10].

3.2 *Compléments à locution prépositionnelle*

Nous avons discuté de quelques locutions prépositionnelles en II, 1.5.3, nous les analysons plus en détail du même point de vue.

Considérons *au sujet de* (analysé en *à le sujet de*) dans

Je protesterai au sujet de (cette affaire + Luc).

Il est possible de substituer *ce* à *le* :

Je protesterai à ce sujet

et nous avons une forme possessive à source dans *de N* :

Je protesterai au sujet de N
= Je protesterai à son sujet.

---

10. La notion d'unicité du référent pourrait rendre compte de problèmes signalés par Kupferman à propos de *N* de partie du corps :

Le bras lui brûle
* *Le bras piqué par les guêpes lui brûle.*

225

On peut donc considérer *sujet* comme le *N* d'un *GN* indirect en *à*. Il existe cependant des contraintes sur *Dét* et *Modif*. Il est possible d'avoir certains *Adj* comme dans

(1)   *Je protesterai à ce sujet précis*

mais le domaine de variation est étroit, nous avons par exemple

* Je protesterai à ce sujet intéressant

alors qu'il n'y a pas d'incompatibilité sémantique entre *sujet* et *intéressant*, nous avons d'ailleurs

Ce sujet intéressant agace pourtant Luc.

Il n'existe pas non plus de relative déterminative associée aux *Adj* permis :

* Je protesterai (au + à ce) sujet qui est précis.

Cette observation est vraisemblablement à rapprocher de la relation de l'*Adj* avec le *Préd* adverbial dérivé (II, 14 ; IV, 3.1.2c) et il y a synonymie de (1) avec

Je protesterai précisément à ce sujet.

Les *Dind* et le pluriel sont interdits :

* Je protesterai à (un + ces + beaucoup de) sujets

ce qui constitue une anomalie.

Examinons *à propos de*, ici *Dét* = *E*, ce qui n'était pas possible avec *sujet*, par contre *le* est interdit :

* Je protesterai au propos de (cette affaire + Luc)

ce qui suggère l'application de la règle *le* → *E*. Le possessif et le démonstratif sont autorisés, l'adjectif *précis* également, dans les mêmes conditions qu'avec *sujet*. Pluriel et indéfinis sont inacceptables. La forme *à propos* possède un sens référentiel qui s'analyse vraisemblablement par effacement de *de N₁*.

A l'égard de a les mêmes propriétés que *au sujet de* avec en plus la possibilité d'avoir des *Dind* pluriel (*à différents égards, à beaucoup d'égards*, etc.).

Afin de, noté *à fin de*, est également analysable avec *N* = *fin* : le complément de ce *N* ne peut guère être un substantif, ce qui fait que le possessif ne s'observe pas, mais on trouve des complétives et infinitives qui font classer ces expressions comme des conjonctions de subordination. Un adjectif du type de *précis* ci-dessus est nécessaire en compagnie de l'article défini :

* Max travaille à la fin de manger
Max travaille à la seule fin de manger

et le possessif est acceptable dans d'autres constructions de *fin* (*Max est arrivé à ses fins*).

La construction avec *avis* est plus complexe, bien qu'analogue aux précédentes. Nous avons par exemple

Luc protestera, à son avis

alors que la source du possessif est inacceptable :

* Luc protestera, à l'avis de Max

par contre, nous avons la forme complémentaire en *de*

Luc protestera, de l'avis de Max.

Nous avons également des distributions peut-être complémentaires, bien que ce soit moins clair, avec

A (un + ces) avis autorisés, Luc protestera
? *D'(un + ces) avis autorisés, Luc protestera.*

Ces constructions posent le problème d'une éventuelle alternance entre *à* et *de* difficilement analysable en l'état actuel des connaissances ; elles sont peut-être à rapprocher d'une autre famille de *à N* et *de N* :

Max travaille à la (façon + manière) de Luc
= *Max travaille de la même (façon + manière) que Luc.*

Dans *à l'insu de N*, *de N* est source de *Poss*, ce qui n'est pas vrai dans *à l'instar de N*. Dans

A sa connaissance, rien ne sait produit

sa peut difficilement avoir *de N* pour source acceptable. Les formes *à force de*, *à l'instar de* et *auprès de* ne présentant pas de variabilité du *Dét* ou du *Modif*, elles peuvent être considérées comme figées, c'est-à-dire comme non analysables selon *à Dét N de*.

Les paradigmes sont regroupés dans le tableau V, 1.

Tableau V, 1

N	à N de N_1	à le N de N_1	à son N	à le N	à ce N	à ce N précis	à ces N	à un N (Adj + Rel)
sujet	−	+	+	−	+	+	−	−
propos	+	−	+	−	+	+	−	−
égard	−	+	+	−	+	+	+	−
fin	+	−	+	−	+	+	+	+
avis	−	−	+	−	−	−	−	−
manière	−	+	+	−	−	−	−	−
insu	−	+	+	−	−	−	−	−
instar	−	+	−	−	−	−	−	−
force	+	−	−	−	−	−	−	−
près	−	+	−	−	−	−	−	−
connaissance	−	−	+	−	−	−	−	−

Adj et *Rel* correspondent à des modifieurs « normaux », c'est-à-dire différents du type de *précis*.

Il existe d'autres compléments en *à* que l'on pourrait qualifier à première vue de figés, ils sont nombreux et présentent des structures nouvelles par rapport aux images de *GN* habituellement considérées (Danlos).

Dans de telles constructions, il n'est guère possible non plus d'opérer des changements généraux de déterminants ou de modifieurs :

à N = à (crédit + tempérament + gogo + satiété + tire-larigot + volonté)
à Artd N = à (le comptant + l'amiable + l'anglaise + l'abordage + l'arraché
    + le jugé + l'improviste + la rescousse + la vérité + le vrai)
à N de N_1 = à cause de N_1, *de N_1* ne fournit pas de possessif ;
à Artd N de N_1, nous avons
    — *à l'aide de (N_1 = un outil)* qui ne donne pas lieu à des possessifs :
    * *à son aide* ; il en va de même pour *au point (que Psubj + de VΩ)* ;
    — *à la (grande + immense) satisfaction de N_1, à la satisfaction géné-
    rale de N_1*, où l'on observe des adjectifs différents de ceux du type
    précis, ces *Adj* n'ont pas leur source dans des relatives détermina-
    tives ; *à la santé de N_1 ; au détriment de N_1 ; à l'encontre de N_1*,
    ici *de $N_1 \rightarrow Poss$; au cas où P (P = Max viendrait)*, où la forme
    où P (non substituable à *de N_1*) est contrainte en temps-mode,
    nous avons aussi la forme pronominale *auquel cas ; à la différence
    que P* qui pourrait être lié à *à ce(ci + la) près que P* (III,
    3.3.1 ; III, 3.3.3) ; *au risque (de VΩ + que Psubj + de N)* ;
à Adj N = à pleins seaux + à pleines poignées, où *N* est limité à certains *Dnom*
    (III, 3.3.3) ; *à pleines dents, à pleine gorge ; à douze personnes* (III,
    3.3.3) ; *à voix (haute + basse)*, alors que ? * *à voix aiguë ; à pre-
    mière vue ;*
à X = à bouche que veux-tu ; à n'en plus pouvoir, vraisemblablement dérivé de
    à V°Ω adverbial.

Notons encore que certains compléments de lieu (comme *à côté de N_1* ou
à droite de N_1) et de temps *(à midi, à l'arrivée de N_1)* de forme *à GN* possèdent
des restrictions sur le *Dét* du premier *N*.
    Les paradigmes que nous venons de considérer mettaient tous en jeu la
préposition *à*. Il en existe avec d'autres *Prép*, par exemple *dans*. Nous en donnons des exemples dans le tableau V, 2.

Tableau V, 2

N	dans le N de N_1	dans le N (que P + de VΩ)	dans son N	dans le N	dans ce N	dans ce N précis	dans ces N	dans un N (Adj + Rel)
but	–	+	–	–	+	+	–	+
espoir	+	+	–	–	+	+	–	+
hypothèse	+	+	–	–	+	+	–	+
cas	+	–	+	–	+	+	–	+
ensemble	–	–	+	+	–	–	–	–

Nous avons pris N_1 = *réussite* pour vérifier les acceptabilités notées ici. L'adjectif *précis* a les mêmes propriétés que dans le tableau V, 1. *Dans l'ensemble* est quasi figé et synonyme de *dans son ensemble*, mais la source du possessif n'est pas attestée, cette forme pourrait s'analyser au moyen de [restruc].

Nous retrouverions encore de tels paradigmes pour de nombreux compléments indirects ou locutions prépositionnelles *(avec l'espoir de ; de la part de ; du fait que P ; du coup ; par suite de N_1, à la suite de N_1 ; suite à N_1).*

Il existe également des constructions *Prép Dét N* où les *Ddéf* sont interdits mais où des *Dind* sont acceptés :

$$\begin{cases} \textit{Luc s'y est repris à (trois + plusieurs) fois} \\ \textit{* Luc s'y est repris à (ces + certaines) fois} \end{cases}$$

$$\begin{cases} \textit{Luc est venu à (deux + certaines + beaucoup de) reprises} \\ \textit{? * Luc est venu à (ces + des) reprises.} \end{cases}$$

4 Groupes nominaux et nominalisations

Il existe bien d'autres exemples qui montrent que la constitution interne d'un groupe nominal ne dépend pas de ce qui est habituellement appelé son substantif principal *N*, mais de la position syntaxique occupée par ce *GN*.

Dans la plupart des exemples qui précèdent, et sauf pour les (nombreuses) formes véritablement figées, les *N* en jeu peuvent être utilisés dans d'autres types de compléments ou dans des sujets, alors ils ne présentent plus les restrictions observées. Nous retrouvons la même situation dans les exemples ci-après ; ce sont d'abord des compléments indirects du verbe *être* qui ont la forme

$$N_0 \textit{ est Prép N de } N_1$$

où *Prép* est variable :

> *Ce travail est à la mesure de Max*
> *Ce travail est de la compétence de Max*
> *Faire ce travail est dans les attributions de Max*
> *Ce travail est du ressort de Max*
> *Ce travail est dans les cordes de Max.*

Le complément *de N_1* est source d'un possessif :

> *Ce travail est (à sa mesure + de sa compétence + etc.)*

et il n'existe aucune autre possibilité acceptable de *Dét − Modif* :

> ** Ce travail est (du + d'un + de ce) ressort*

le pluriel est souvent inacceptable :

> ** Ce travail est des (compétences + ressorts) de Max*

ni les *Adj*, ni les relatives déterminatives ne sont permis :

> ** Ce travail est à la mesure exceptionnelle de Max*
> ** Ce travail est de la compétence de Max qui est exceptionnelle.*

Cependant nous avons

> *? * Ce travail est de la haute compétence de Max*

mais
> ** Ce travail est de la remarquable compétence de Max*

et
> *Faire ce travail est dans attributions nouvelles de Max*

il semblerait qu'avec *Prép* = *dans* les restrictions soient moins fortes.

Les *N compétence* et *attributions* peuvent être utilisés dans des positions syntaxiques variées comme *N* principaux et cela sans restrictions spéciales :

> *La (E + remarquable) compétence de Max surprend Luc*
> *Luc connaît les attributions (E + controversées) de Max*

par contre les *N ressort* et *cordes* prennent un tout autre sens dans de telles positions. Pour cette raison, on pourrait les considérer comme des formes figées. Mais cette remarque ne vaut que pour ces éléments lexicaux particuliers et non pas pour la structure syntaxique discutée, celle-ci est productive en ce sens que de nombreux *N* libres peuvent y entrer. Notons à ce propos l'existence de paires comme

> ⎰ *Cette décision est au (bénéfice + profit) de Max*
> ⎱ *Cette décision (bénéficie + profite) à Max*
> ⎰ *Luc est à la (recherche + poursuite) de Max*
> ⎱ *Luc (recherche + poursuit) Max*
> ⎰ *Cet objet est à la disposition de Max*
> ⎱ *Max dispose de cet objet*

qui suggèrent l'intervention d'un processus de nominalisation par opérateurs. Un classement de certaines de ces formes a été opéré par B. du Castel.

Remarquons que les formes *Prép N de N_1* étudiées peuvent apparaître comme des compléments de nom, elles sont alors analysées par la dérivation

> *Luc a vérifié un travail Qu Ce travail est du ressort de Max*
> [relativation] → *Luc a vérifié un travail qui est du ressort de Max*
> [qui être z.] → *Luc a vérifié un travail du ressort de Max*

et *du ressort de Max* est bien un complément de nom puisque l'extraction conduit à

> * *C'est du ressort de Max que Luc a vérifié un travail.*

Notons encore un paradigme de *à GN* mettant en jeu des rapprochements entre d'autres verbes que *être* et certains noms, au moyen d'opérateurs. Nous observons des paires de la forme

> N_0 *V* N_1 ↔ N_0 *Vmt à Artd V-n de* N_1
> ⎰ *Max aide Luc*
> ⎱ *Max va à l'aide de Luc*
> ⎰ *Max recherche son auto*
> ⎱ *Max part à la recherche de son auto.*

Il apparaît en effet que dans la position du verbe on puisse trouver nombre d'éléments de la table 2 (les *Vmt*, Gross 1975). De même, les verbes *Vc, mt* de la table 3 (causatifs de mouvement) accepteront ces compléments :

> *Max envoie Luc à la recherche de son auto.*

Dans tous ces exemples, les verbes insérés ont un rôle aspectuel sensible.

Les compléments *à Artd V-n de N* ont les mêmes propriétés syntaxiques, celles des compléments en *manière, insu* discutés en V, 3.2 (tableau V, 1) : *de N_1* est obligatoire, c'est la source d'un possessif, et aucune autre combinaison *Dét − Modif* n'est permise[11].

---

11. Certaines de ces constructions donnent lieu à la pronominalisation suivante :
> *Ce problème est au centre de nos préoccupations*
> = *Ce problème y est au centre (E + # de nos préoccupations).*

Nous trouvons des compléments de ce même type sans verbe associé ; par exemple *au devant de N*, qui ne prend pas le possessif.

Dans les constructions N_0 *est Prép N de* N_1, il est aisé de substituer certains *Vmt* à *être* :

Ce travail (reste + demeure) du ressort de Max
Ce travail entre dans les attributions de Max
Ce travail sort des attributions de Max

où l'alternance des prépositions *de-dans* est celle que l'on observe avec les compléments des autres emplois des *Vmt*.

Il existe d'autres constructions analogues où *Prép = en* et où au lieu de *de* N_1 nous observons des compléments de forme variable *Prép* N_1 :

N_0 *est en N Prép* N_1.

Elles ont été étudiées par D. de Negroni, parmi elles on trouve des relations de nominalisation comme

N_0 *V* N_1 = N_0 *est en V-n avec* N_1
(Ceci contredit ton principe
= *Ceci est en contradiction avec ton principe)*
N_0 *V* N_1 = N_1 *est en V-n devant* N_0
(Cet if ébahit Eve = Eve est en ébahissement devant cet if).

Tout en étant complément de nom de *V-n*, *Prép* N_i se comporte comme un complément de verbe, ce qui correspond donc à une double analyse dans le sens de V, 1 : *Prép* N_i peut être soumis à extraction dans *C'est ... Qu*, ce que toutefois nous n'observons pas avec *de* N_1. D. de Negroni a encore remarqué que les adjectifs qui modifient *V-n*, comme *plein*, ont un caractère aspectuel marqué, ce qui coïncide avec le fait qu'ils ne peuvent pas avoir de source dans une relative déterminative. Ces *Adj* s'apparentent à *précis* (V, 3.2).

CONCLUSION

Nous avons donc considéré deux types de problèmes dans cet ouvrage :

— premièrement nous avons effectué une étude systématique (par rapport au lexique) des propriétés syntaxiques couramment associées aux (pré)déterminants. L'originalité de cette partie du travail n'est peut-être pas apparente, puisqu'après tout on pourrait considérer que nous n'avons fait que vérifier l'applicabilité des transformations déjà définies en grammaire traditionnelle et transformationnelle ;

— deuxièmement nous avons mis en évidence des relations nouvelles entre des formes qui n'avaient pas encore été apparentées. Ces relations semblent avoir une généralité au moins aussi importante que celle des propriétés connues à ce jour, c'est l'étude du lexique des (pré)déterminants qui nous permet de l'affirmer.

Mais revenons sur le premier point. Les notions de (pré)déterminant n'avaient jamais été définies, les études présentées ici pourraient nous permettre d'en donner des définitions syntaxiques. Il est cependant clair que ces définitions n'auraient aucun intérêt tant elles devraient incorporer de critères complexes et disparates. Nous nous sommes donc contenté des définitions intuitives qui nous ont conduit à un premier lexique. A partir de cette liste, nous avons pu étudier systématiquement les propriétés syntaxiques pertinentes.

Cette nouvelle forme d'étude a des conséquences empiriques importantes. Nous avons constaté qu'en pratique il n'existait pas deux (pré)déterminants possédant le même ensemble de propriétés syntaxiques. Cette observation met donc en lumière le fait qu'il n'est pas possible de distinguer un sous-ensemble quelconque de ces éléments lexicaux et de l'étudier pour en tirer des conclusions généralisables aux éléments voisins. Or cette pratique est celle de la grammaire générative : à partir de deux ou trois exemples, on construit un modèle (une théorie) dont on proclame la généralité, voire l'universalité, y compris l'innéité. Ainsi, quelques éléments lexicaux épars sont étudiés, dont on fait l'hypothèse qu'ils sont représentatifs. Nous avons démontré qu'il était indispensable de passer en revue la totalité des éléments concernés, et ce n'est qu'à ce stade que d'éventuelles propriétés générales pourraient être dégagées. De façon symétrique, cette étude a également montré que quelques éléments lexicaux avaient des propriétés ne recoupant pas celles des autres (pré)déterminants. C'est la seule façon de justifier une étude empirique de ces éléments poursuivie indépendamment des autres. Le respect de ce type de procédure expérimentale conditionne tout éventuel progrès en syntaxe.

Notre étude nous a également amené à affirmer une position théorique différente de celle de la grammaire générative.

L'utilisation des modèles (génératifs) transformationnels et des modèles de constituants a pendant des années fait découvrir et classer de nombreux faits. Mais aujourd'hui, la poursuite ordonnée de la même activité nous confronte avec une telle accumulation de phénomènes qu'une situation qualitativement nouvelle a été créée. Si jusqu'à présent les phénomènes ont pu être décrits par des systèmes formels indéfiniment aménageables, ceux-ci perdent tout intérêt lorsque l'on tente d'organiser la globalité des faits. Nous avons fait la démonstration de cette impuissance des grammaires génératives à décrire un ensemble non trivial de phrases simples (Gross 1975 ; Boons, Guillet, Leclère 1976), nous venons d'en donner ici un nouvel exemple à propos de ce qui est souvent considéré comme une simple analyse en constituants. Il devrait pourtant être clair que même en complétant ce type d'analyse par quelques transformations (chapitres I, II, IV), l'intérêt qu'il y a à employer des règles de réécriture est nul. De telles règles ont pu à l'occasion éclairer des aspects d'un phénomène particulier, ceci de façon purement locale. Mais, l'examen comme nous l'avons fait de données pouvant prétendre à représenter le système des déterminants d'une langue conduit à mettre à l'arrière-plan la majorité des phénomènes que traite la grammaire générative. L'échec de la description par système formel a essentiellement pour cause une extrême irrégularité des faits qui nécessite une multiplication considérable des règles et des catégories : le formalisme masque alors entièrement les régularités fondamentales.

Les théories génératives ne pouvant rendre compte des observations, on peut envisager diverses façons de les remplacer. Trois points méritent de retenir l'attention :

1) L'étendue des phénomènes qui restent à explorer empiriquement pose, en plus des problèmes fondamentaux de méthode, des questions remettant en cause les théories actuelles DE FAÇON INTERNE. Considérons ainsi l'exemple de la nominalisation, ce phénomène a été décrété irrégulier par Chomsky 1967. Une révision théorique s'en est suivie : la naissance de la théorie dite lexicaliste, dont la définition est suffisamment générale pour incorporer n'importe quel fait linguistique. Ce dogme fait que les problèmes de nominalisation ne suscitent plus le moindre intérêt chez les linguistes théoriciens, puisque par définition aucun fait nouveau à pertinence théorique n'est à attendre de leur étude. Or les travaux détaillés et extensifs qui ont été entrepris sur la nominalisation (Harris 1964 ; Dubois 1969 ; Gross 1975 ; Giry 1976 ; Labelle ; Meunier 1976 ; Negroni) démontrent que ces phénomènes sont des plus réguliers qui soient, quoique non transformationnels dans le sens étroit des théories génératives. Ce chapitre de la grammaire nécessite sans le moindre doute des généralisations de la notion de transformation, généralisations déjà opérées par d'autres auteurs pour de multiples raisons.

De plus, nous avons présenté au chapitre V divers phénomènes syntaxiques dont il est clair qu'ils échappent à toute description par grammaire générative. Ces constructions sont générales, et par le nombre des éléments lexicaux (noms et verbes) qui permettent de les former, et par leur caractère courant (qui rend surprenant le fait qu'elles n'aient pas été détectées plus tôt[1]). La nature de ces formes constitue une critique sérieuse de la notion simpliste de groupe nominal utilisée en grammaire générative, au point que les représentations arborescentes risquent de perdre toute leur signification présente.

Il est donc certain que la systématisation des études purement syntaxiques entraîne déjà la révision complète des théories actuelles.

2) On peut imaginer que des études sémantiques aboutiront à des concepts et à des théories qui auraient la capacité d'expliquer les irrégularités syntaxiques. En fait, une branche active de la grammaire générative est orientée dans cette voie. Cependant, notre opinion sur ces tentatives est qu'elles souffrent plus encore que la syntaxe générative de l'absence d'un soubassement empirique qui permettrait de délimiter les théories et les faits envisageables *a priori*. Les théories concurrentes sont rendues nombreuses par l'approche adoptée. En effet, les linguistes importent en bloc de la logique mathématique des systèmes dérivés de préoccupations bien autres que la représentation des langues naturelles. Or les logiciens conçoivent et perfectionnent sans cesse leurs systèmes, essentiellement pour améliorer leurs calculs. La quantité et la richesse des théories dont il est alors nécessaire d'envisager l'application et qu'il faut départager n'a aucune commune mesure avec la maigreur des faits sémantiques actuellement acceptés. Par ailleurs, nous pensons que l'intervention du sens doit être limitée à des éléments *linguistiques,* c'est-à-dire internes à la langue. Il n'existe aucune raison de penser que les éléments de sens de la logique appartiennent à la langue, ils ont été dégagés lors de l'étude de certains raisonnements mathématiques dont il est difficile d'affirmer qu'ils constituent des discours en langue naturelle.

Nous avons amorcé des études de sens qui échappent à cette critique ; en particulier, l'extension sémantique de la notion de coréférence (III ; V, 3.1) apparaît comme le prolongement direct d'études morpho-syntaxiques. Dans ce cas au moins, il existe un contrôle des notions de sens par les formes linguistiques.

Nous avons également utilisé des concepts de la théorie des ensembles pour décrire certaines interprétations de *GN*, cette activité ressemble donc à celle des grammairiens-logiciens. Elle s'en distingue cependant par le fait que les concepts ensemblistes sont bien plus abstraits que les concepts logiques. De plus, les notions simples dont nous nous servons n'entraînent pas l'obligation d'utiliser des systèmes complexes de calcul dont la pertinence linguistique n'est pas empiriquement motivée. D'ailleurs, bien que nous ayons trouvé commode d'interpréter certaines expressions en termes d'ensembles, nous ne voudrions pas exagérer l'importance de ces concepts. Le fait qu'ils soient applicables à un grand nombre d'éléments lexicaux pourrait simplement refléter, plutôt

---

1. On insiste souvent sur les avantages qu'il y a à utiliser un modèle ou une théorie afin de découvrir des faits nouveaux quasi indétectables autrement. Nous avons ici des exemples du revers de la médaille : la croyance en la généralité du modèle a certainement dissimulé de nombreux tels faits non couverts par le formalisme.

qu'un universel du langage, un accident culturel distinguant des sociétés dont les préoccupations quantifiantes sont passées en force dans la langue.

3) Dans la mesure où une quelconque séparation entre synchronie et diachronie n'a jamais pu être opérée, certaines des propriétés combinatoires surprenantes des (pré)déterminants pourraient n'être représentables que comme le résultat d'une évolution. On ne voit pas en effet pourquoi les explications n'existeraient qu'à l'intérieur de cadres synchroniques, ceci reviendrait à nier contre toute évidence l'intervention dans le fonctionnement d'une langue, de son passé, c'est-à-dire de la majeure partie de son lexique. Au contraire, en introduisant des contraintes d'évolution dans la description grammaticale, de nombreux faits inexplicables dans un cadre combinatoire sont susceptibles de recevoir un traitement adéquat. Il est d'ailleurs intéressant de rappeler que constamment dans les analyses synchroniques, il intervient des formes inacceptables attestées dans des états antérieurs de la langue. Souvent, une dérivation synchronique ressemble à une succession d'étapes diachroniques. Cette situation se reproduisant fréquemment et pour des langues différentes, il ne peut pas s'agir d'un accident ; il paraît donc nécessaire d'en rendre compte. Par définition, l'analyse synchronique n'a pas de prise sur cette question, mais une nouvelle forme de grammaire où les irrégularités synchroniques seraient expliquées en terme de diachronie implique directement l'existence de telles situations. Ces considérations n'affectent pas que la syntaxe, il est également nécessaire de les étendre à la phonologie. Les observations faites par T. M. Lightner vont dans un sens entièrement parallèle, et les questions par lui posées sur la délimitation de l'objet de la phonologie montrent que la séparation diachronie-synchronie couramment pratiquée aujourd'hui ne repose sur aucun fondement, ni théorique ni empirique.

Notre bibliographie reflète ces conclusions. Nous avons cité les études qui nous ont aidé, ainsi que celles qui nous ont semblé exemplaires par leur succès ou leur échec. Nous avons ainsi utilisé des études de la fin du dix-neuvième siècle et du début du vingtième, car dans la mesure où elles présentaient des faits combinatoires dans une perspective diachronique, elles sont apparues comme particulièrement éclairantes. En particulier, il nous a semblé que l'approche de Guillaume, libérée de divers facteurs sémantiques, était une des plus complètes qui ait jamais été mises en œuvre. De telles études paraissent pouvoir apporter des explications convaincantes.

Ce n'est donc qu'en éliminant les nombreux faits accidentels, souvent les plus voyants, que pourront se dégager les caractères les plus abstraits de la grammaire. L'extension de ce que Harris 1970 a appelé composante morphophonémique de la grammaire nous paraît être le cadre le mieux adapté à la description des irrégularités. Aujourd'hui, la façon dont ces contingences sont incorporées aux règles de la grammaire générative rend illusoires les tentatives d'accession aux mécanismes profonds du langage.

BIBLIOGRAPHIE

BAKER, C. L., 1970. Double Negatives, *Linguistic Inquiry*, Vol. 1, N° 2, Cambridge, Mass.

BARBAUD, Ph., 1974. *Constructions superlatives et structures apparentées*, thèse, Université Paris VIII.

BEAUZÉE, N., 1767. *Grammaire générale ou exposition raisonnée des éléments nécessaires du langage.*

BOONS, J.-P., 1974. Acceptabilité, interprétation et connaissance du monde, Actes du colloque franco-allemand de grammaire transformationnelle, Max Niemeyer, Tübingen. Traduction anglaise dans *Cognition* 2 (2) pp. 183-211.

BOONS, J.-P., GUILLET, A., LECLERE, Ch., 1976. *La structure des phrases simples en français :*
   I. *Les verbes intransitifs*, Droz, Genève.
   II. *Quelques classes de verbes transitifs*, *Rapport de recherches du L. A. D. L.* N° 6, Paris.

BONNARD, H., 1961. Le système des pronoms *qui, que, quoi* en français, *Le français moderne* XXIX, pp. 168-82, 241-51, d'Artrey, Paris.

BONNARD, H., 1966. *Lequel, qui (quoi)* pronoms relatifs, *Mélanges de grammaire française offerts à M. Grevisse*, Duculot, Gembloux.

BORILLO, A., 1971. Remarques sur les verbes symétriques français, *Langue française*, N° 11, Larousse, Paris.

BRUNOT, F., 1922. *La pensée et la langue*, Masson, Paris.

CASTEL, B. du, 1977. *Constructions prédicatives et nominalisation*, thèse, à paraître, L. A. D. L. Paris.

CHATMAN, S., 1960. Pre-adjectivals in the English nominal phrase, T. D. A. P., N° 22, Université de Pennsylvanie, Philadelphie.

CHEVALIER, J.-C., 1966. Eléments pour une description du groupe nominal, *Le français moderne*, t. 34, pp. 241-253, d'Artrey, Paris.

CHEVALIER, J.-C., ARRIVÉ, M., BLANCHE-BENVENISTE, C., PEYTARD, J., 1964. *Grammaire Larousse du français contemporain*, Larousse, Paris.

CHOMSKY, N., 1961. On the Notion Rule of Grammar, *Proc. Am. Math. Soc.*, Vol. XII, Providence, R. I.

CHOMSKY, N., 1965. *Aspects of the Theory of Syntax*, M. I. T. Press, Cambridge, Mass.

CHOMSKY, N., 1967. Remarks on nominalization, in *Readings in English Transformational Grammar*, R. Jacobs & P. Rosenbaum eds., Blaidsdell, Waltham, Mass.

CHOMSKY, N., 1973. Conditions on transformations, in *A Festschrift for Morris Halle*, S. R. Anderson & P. Kiparsky eds., Holt, Rinehart & Winston Inc.

CLÉDAT, L., 1898. Etudes de syntaxe française. Seul., *Revue de philologie française*, t. XII, pp. 65-70.

CLÉDAT, L., 1899. Etudes de syntaxe française, *Revue de philologie française*, t. XIII. Les emplois de *tout* : pp. 42-63, Remarques sur l'emploi de *nul* : pp. 140-143, Sur les emplois de *même* : pp. 229-239.

CLÉDAT, L., 1901. La préposition et l'article partitifs, *Revue de philologie française*, t. XV, pp. 81-131.

CLÉDAT, L., 1923. L'article défini devant les adjectifs numéraux, *Romania*, t. 49, pp. 423-424.

COPPIN, J., 1930. Notes sur le mot *même*, *Revue de philologie française*, t. XLII, pp. 131-138.

CORNULIER, B. de, 1973. Sur une règle de déplacement de négation, *Le français moderne*, N° 1, d'Artrey, Paris.

DANLOS, L., 1978.   Structure et contenu d'une famille d'adverbes de manière, à paraître.

DESSAUX, A.-M., 1976.   Déterminants nominaux et paraphrases prépositionnelles, *Langue Française*, N° 30, Larousse, Paris.

DUBOIS, J., 1965.   *Grammaire structurale du français. Nom et pronom*, Larousse, Paris.

DUBOIS, J., 1969.   *Grammaire structurale du français. La phrase et ses transformations*, Larousse, Paris.

DUCROT, O., 1970.   « Peu » et « un peu », *Cahiers de lexicologie*, I, Didier-Larousse, Paris.

FAUCONNIER, G., 1974.   *La coréférence : syntaxe ou sémantique ?*, Le Seuil, Paris.

FAUCONNIER, G., 1976.   *Arguments logiques et grammaticaux*, thèse, L. A. D. L. à paraître.

FOULET, L., 1930.   *Petite syntaxe de l'ancien français*, Champion, Paris.

GAATONE, D., 1971.   *Etude descriptive du système de la négation en français contemporain*, Droz, Genève.

GIRY, J., 1974.   Formes passives à sujet sans déterminant. Description, *Recherches linguistiques* N° 2, Université Paris VIII.

GIRY, J., 1977.   *La nominalisation par opérateur. L'opérateur FAIRE dans le lexique*, thèse, L. A. D. L., Paris, 1972 ; à paraître, Droz, Genève.

GIRY-SCHNEIDER, J., 1978. Interprétations aspectuelles de constructions à double analyse, *Lingvisticae Investigationes*, Vol. 2, Fasc. 1, Benjamins, Amsterdam.

GOUET, M., 1976.   On a class of circumstancial deletions, *Linguistic Inquiry*.

GOUGENHEIM, G., 1965.   *Celui* et *ce* aux points de vue syntaxique et fonctionnel, *Bull. Soc. Ling. de Paris*, t. 60, pp. 88-96.

GREVISSE, M., 1964.   *Le Bon Usage*, 8ᵉ édition, Duculot, Gembloux.

GROSS, M., 1967.   Sur une règle de cacophonie, *Langages* 7, Didier-Larousse, Paris ; reproduit dans *La grammaire*, pp. 277-293, M. Arrivé & J.-C. Chevalier, Klincksieck, Paris, 1970.

GROSS, M., 1968.   *Grammaire transformationnelle du français. Syntaxe du verbe*, Larousse, Paris.

GROSS, M., 1971.   Grammaire traditionnelle et enseignement du français, *Langue française* 11, Larousse, Paris.

GROSS, M., 1972.   On Grammatical Reference, *Generative Grammar in Europe*, M. Bierwisch, F. Kiefer & N. Ruwet eds., Reidel, Dordrecht.

GROSS, M., 1973.   Conjonctions doubles, *Rapport de recherches du L. A. D. L.* N° 1, Paris.

GROSS, M., 1974.   Problèmes syntaxiques de l'intonation, *Actes des 5ᵉ Journées du groupe « Communication parlée » du Groupement des Acousticiens de Langue Française.*

GROSS, M., 1974.   A Remark about Plural Agreement between Determiner and Noun, *Linguistic Inquiry*, vol. V, N° 4, Cambridge, Mass.

GROSS, M., 1975.   *Méthodes en syntaxe*, Hermann, Paris.

GROSS, M., 1976a.   Sur quelques groupes nominaux complexes, *Méthodes en grammaire française*, J.-C. Chevalier & M. Gross éds., Klincksieck, Paris.

GROSS, M., 1976b.   Groupes nominaux objets directs sans déterminant, *Rapport de recherches du L. A. D. L.* N° 2, Février 1974 ; *Mélanges offerts à G. Mounin.*

GROSS, M., 1976.   Remarks on the separation between syntax and semantics, *Festschrift for W. P. Lehmann*, à paraître, Mouton, La Haye.

GROSS, M., 1977.   Une analyse non présuppositionnelle de l'extraction dans *C'est ... Qu*, *Linguisticae Investigationes*, Vol. 1, Fasc. 1, Benjamins, Amsterdam.

GUILLAUME, G., 1919.   *Le problème de l'article et sa solution en français contemporain*, Hachette, Paris.

GUILLET, A., 1971.   Morphologie des dérivations, *Langue française* N° 11, Larousse, Paris.

GUILLET, A., 1975.   Morphologie et syntaxe : quelques exemples d'interaction, *Recherches linguistiques* N° 3, Université Paris VIII.

GUNNARSON, K.-A., 1972.   *Le complément de lieu dans le syntagme nominal*, C. W. K. Gleerup, Lund.

HAASE, A., 1935. *Syntaxe française du 17ᵉ siècle*, Delagrave, Paris.

HALL, B., 1962. Prearticles in English ; All about predeterminers ; A preliminary attempt at a historical approach to modern English predeterminers, miméographié, M. I. T., Cambridge, Mass.

HARRIS, Z. S., 1946. From Morpheme to Utterance, *Language* 22, pp. 161-183.

HARRIS, Z. S., 1964. The Elementary Transformations, T. D. A. P. 54, Université de Pennsylvanie, réimprimé dans *Papers in Structural and Transformational Linguistics*, pp. 482-532, Reidel, Dordrecht, 1970.

HARRIS, Z. S., 1968. *Mathematical Structures of Language*, Wiley, New York.

HARRIS, Z. S., 1970. The Two Systems of Grammar : Report and Paraphrase, *Papers in Structural and Transformational Linguistics*, Reidel, Dordrecht.

HARRIS, Z. S., 1976. *Cours de syntaxe*, Le Seuil, Paris.

HIRSCHBUHLER, P., 1972. *Even* : remarques sémantiques, *Recherches linguistiques* N° 1, Université Paris VIII.

KATZ, J., POSTAL, P., 1964. *An Integrated Theory of Linguistic Description*, M. I. T. Press, Cambridge.

KAYNE, R. S., 1974 et 1975. French Relative « Que », *Recherches Linguistiques* Nᵒˢ 2 et 3, Université Paris-Vincennes.

KAYNE, R. S., 1975. *French Syntax*, M. I. T. Press,Cambridge, Mass. Le Seuil, Paris, 1977.

KLIMA, E. S., 1964. Negation in English, *The Structure of Language, Readings in the Philosophy of Language*, J. Fodor & J. Katz eds., Prentice-Hall, Englewood Cliffs, N. J.

KUPFERMAN, L., 1976. Etudes sur l'article en français, Thèse de 3ᵉ cycle, Université de Paris-Vincennes.

KURODA, S.-Y., 1965. Attachment Transformations, miméographié, M. I. T., Cambridge, Mass.

KURODA, S.-Y., 1968. English Relativization and Certain Related Problems, *Language*, 44, 2-1.

KURODA, S.-Y., 1969. Remarks on the Notion of Subject with Reference to Words like *also, even,* or *only, Annual Bulletin*, Research Institute of Logopedics, Université de Tokio.

KURODA, S.-Y., 1977. Description of presuppositional phenomena — from a nonpresuppositional point of view, *Lingvisticae Investigationes*, Vol. 1, Fasc. 1, pp. 61-161, Benjamins, Amsterdam.

LABELLE, J., 1974. *Etudes de constructions avec opérateur « avoir »*, thèse, L. A. D. L., Paris.

LAKOFF, G., 1970. Pronominalization, negation and the analysis of adverbs. *Readings in Transformational Grammar*, R. Jacobs and P. S. Rosenbaum eds., Ginn and Co, Waltham, Mass.

LANGACKER, R., 1968. Observations on French Possessives, *Langages*, 44, 1.

LE BIHAN, M., 1974. *Le nom propre. Etude de grammaire et de rhétorique*, thèse, Université de Rennes.

LECLÈRE, Ch., 1971. Remarques sur les substantifs opérateurs, *Langue française* N° 11, Larousse, Paris.

LECLÈRE, Ch., 1978. Noms appropriés et restructuration, *Lingvisticae Investigationes*, Vol. 2, Fasc. 1, Benjamins, Amsterdam.

LIGHTNER, T. M., 1975. On the role of derivational morphology in generative grammar, *Language*, 51, 3.

MARTIN, R., 1969. Analyse sémantique du mot « peu », *Langue française* 4, Larousse, Paris.

MARTIN, R., 1975. Sur l'unité du mot *même, Travaux de linguistique et de littérature*, Strasbourg.

MARTINON, Ph., 1927. *Comment on parle en français*, Larousse, Paris.

MEUNIER, A., 1975. Quelques remarques sur les adjectifs de couleur, *Rapport de recherches du L. A. D. L.* N° 2, Paris 1974 ; *Grammatica* III, Toulouse.

MEUNIER, A., 1977. Sur les bases syntaxiques de la morphologie dérivationnelle, *Lingvisticae Investigationes*, Vol. 1, Fasc. 2, Benjamins, Amsterdam.

MILNER, J.-C., 1975. *Quelques opérations de détermination en français. Syntaxe et interprétation.* Thèse d'état, Université Paris VII.

MOIGNET, G., 1967. Le système du paradigme *qui, que, quoi, Tra. Li. Li.* 5, Strasbourg.

MULLER, C., 1975. *Grammaire générative du français : la négation et les quantificateurs,* thèse, Université Paris V.

NEGRONI, D. de, 1978. *Classes de substantifs et nominalisations verbales,* thèse à paraître, L. A. D. L., Paris.

PICABIA, L., 1971. Des adjectifs et de quelques problèmes de formalisation du lexique, *Langue française* N° 11, Larousse, Paris.

PICABIA, L., 1977. *Les constructions adjectivales simples du français. Etude transformationnelle systématique,* thèse L. A. D. L., Paris, 1970, à paraître ; Droz, Genève.

PIOT, M., 1974. Quelques adverbes conjonctifs en français, *Rapport de recherches du L. A. D. L.* N° 2, Paris.

PIOT, M., 1975. Les restrictions *ne ... que* et *seul* (aperçu à partir de leur distribution), *Recherches linguistiques* N° 3, Université Paris VIII.

POSTAL, P., 1966. On So-Called Pronouns in English, *Georgetown Monographs on Language and Linguistics* N° 19, F. P. Dinneen ed.

POSTAL, P., 1967. Linguistic Anarchy Notes, miméographié.

POSTAL, P., 1973. *On Raising,* M. I. T. Press, Cambridge, Mass.

ROHRER, Ch., 1974. Zur Bedeutung von *tout* und *chaque* im Französischen, *Interlinguistica,* Max Niemeyer, Tübingen.

RONAT, G., 1975. Une contrainte sur l'effacement du nom, *Recherches linguistiques* N° 3, Université Paris VIII.

ROSS, J. R., 1964. The Grammar of Measure Noun Phrases in English, présenté à la réunion de la Société de linguistique d'Amérique.

ROSS, J. R., 1967. *Constraints on Variables in Syntax,* thèse, M. I. T., Cambridge, Mass.

ROSS, J. R., 1971. « Act », *Readings in English Transformational Grammar,* R. Jacobs & P. S. Rosenbaum eds., Blaisdell, Waltham, Mass.

ROUVERET, A., 1975. Sur la notion de sujet spécifié, *Rapport de recherches du L. A. D. L.* N° 5, Paris. *Lingvisticae Investigationes,* Vol. 1, Fasc. 1, 1977, Benjamins, Amsterdam.

ROY HARRIS, M., 1968. French *autre,* a Classificational Crux, *Romance Philology,* 24-4, pp. 450-462.

RUWET, N., 1972. *Théorie syntaxique et syntaxe du français,* Le Seuil, Paris.

RUWET, N., 1975. Les phrases copulatives en français, *Recherches linguistiques* N° 3, Université Paris VIII.

SALKOFF, M., 1973. *Une grammaire en chaîne du français,* Dunod, Paris.

SANDFELD, Kr., 1928. *Syntaxe du français contemporain,* I *Les pronoms,* Champion, Paris.

SCHMITT-JENSEN, J., 1970. Observations sur le pronom *lui, Revue romane,* t. 5-2.

STOCKWELL, R. P., SCHACTER, P., HALL-PARTEE, B., 1973. *The Major Syntactic Rules of English,* Holt, Rinehart & Wilson, New York.

VERGNAUD, J.-R., 1974. *French Relative Clauses,* thèse, M. I. T., Cambridge, Mass.

VERGNAUD, J.-R., 1975. La réduction du nœud S dans les relatives et les comparatives, *Rapport de recherches du L. A. D. L.* N° 5, Paris.

VIKNER, C., 1969. Le syntagme du nombre cardinal en français, *Revue romane,* t. 4-2.

WAGNER, R.-L., PINCHON, J., 1962. *Grammaire du français classique et moderne,* Hachette, Paris.

WARTBURG, F. von, *Französisches Etymologisches Wörterbuch.*

YNGVE, V., 1961. The Depth Hypothesis, *Proc. Am. Math. Soc.,* Vol. XII, Providence, R. I.

YVON, H., 1950. *Le, la, les,* article ou pronom, *Le français moderne,* t. 1, pp. 17-31, d'Artrey, Paris.

YVON, H., 1901 à 1907. Sur l'emploi du mot « indéfini » en grammaire française, *Revue de philologie française,* I, t. 15, 1901 ; II, t. 16, 1902 ; III, t. 18, 1904 ; IV, t. 21, 1907.

ANNEXE des TABLES

Table *Dadv*

	$N_0 V$ Dét	que P	que P parallèle	N_0 est Dét	Dét de $N_0 V\Omega$	Dét $V\Omega$	Dét de N_0 que $P V\Omega$	Dét de $N_0 V\Omega$ que P	$N_0 V$ Dét de N_1	N_0 Aux Dét V-pp de N_1	N_0 en V Dét	N_0 en V Dét $\neq$ de N_1	$N_0 V$ Dét $\neq$ de N_1	N_0 est Dét Adj	N_0 l'est Dét	$N_0 V$ Prép Dét de N_1 / $N_0 V$ Prép Dét		Dét d'entre eux	Dét d'eux	Dét N	Dét de Nplur	Dét de GNdéf, plur	Dét de Dind Nplur	Dét de Nnomb, sing	Dét de Nmas	Dét de Nabs	Dét de fois	Dét de temps	de Dét de manière
autant	+	−	+	+	+	+	+	+	+	+	+	+	−	−	+	+	+	+	−	−	+	+	−	−	+	+	+	+	+
d'autant moins	+	−	−	+	+	+	−	+	+	+	+	+	−	+	+	+	+	+	−	−	+	+	−	−	+	+	+	+	+
d'autant plus	+	−	+	+	+	+	−	+	+	+	+	+	−	+	+	+	+	+	−	−	+	+	−	−	+	+	+	+	+
de moins en moins	+	−	−	+	+	+	+	−	+	+	+	+	−	+	+	+	+	+	−	−	+	+	−	−	+	+	+	+	−
de plus en plus	+	+	+	+	+	+	+	−	+	+	+	+	−	+	+	+	+	+	−	−	+	+	−	−	+	+	+	+	−
davantage	+	+	+	+	+	+	+	+	+	+	+	+	−	+	+	+	+	+	−	−	+	+	−	−	+	+	+	+	+
moins	+	−	+	+	+	+	+	+	+	+	+	+	−	+	+	+	+	+	−	−	+	+	−	−	+	+	+	+	+
plus	+	−	+	+	+	+	+	+	+	+	+	+	−	+	+	+	+	+	−	−	+	+	−	−	+	+	+	+	+
plus ou moins	+	−	−	+	+	+	+	−	+	+	+	+	−	+	+	+	+	+	−	−	+	+	−	−	+	+	+	+	+
pas mal	+	−	+	+	+	+	−	−	+	+	+	+	−	+	+	+	+	+	−	−	+	+	−	−	+	+	+	+	+
tant	+	+	−	+	+	+	−	+	+	+	+	+	−	−	+	+	+	+	−	−	+	+	−	−	+	+	+	+	+
tant et tant	+	−	−	+		+	+	−	−	+	+	+	+	−	−	−	+	+	+	−	−	+	+	−	−	+	−	+	+	−
assez	+	−	−	+	+	+	+	−	+	+	+	+	−	+	+	+	+	+	−	−	+	+	−	−	+	+	+	+	+
beaucoup	+	−	−	+	+	+	+	+	+	+	+	+	−	−	+	+	+	+	−	−	+	+	−	−	+	+	+	+	+
peu	+	−	−	+	+	+	+	−	+	+	+	+	−	+	+	+	+	+	−	−	+	+	−	−	+	+	+	+	+
trop	+	−	−	+	+	+	+	−	+	+	+	+	−	+	+	+	+	+	−	−	+	+	−	−	+	+	+	+	+
un ((tout) petit) peu	+	−	−	−	+	+	+	−	+	+	+	+	−	+	+	+	+	+	−	−	+	+	−	−	+	+	−	−	−
un epsilon	+	−	−	−	+	+	+	−	+	+	+	+	−	+	+	+	+	+	−	−	+	+	−	−	+	+	−	−	−
un poil	+	−	−	−	+	+	+	−	+	−	+	+	−	+	+	+	+	+	−	−	+	+	−	−	+	+	−	−	−
un soupçon	+	−	−	−	+	+	+	−	+	+	+	+	−	+	+	+	+	+	−	−	+	+	−	−	+	+	−	−	−
un tantinet	+	−	−	−		+	+	−	+	+	+	+	−	+	+	+	+	+	−	−	+	+	−	−	+	+	−	+	−
abondamment	+	−	−	−	+	+	−	−	+	+	+	−	−	−	−	+	+	+	−	−	+	+	−	+	−	+	−	+	+
drôlement	+	−	−	+	+	+	−	−	+	+	+	−	+	+	+	+	+	+	−	−	+	+	−	+	−	+	+	+	−
énormément	+	−	−	+	+	+	−	−	+	+	+	−	+	+	+	+	+	+	−	−	+	+	−	+	−	+	+	+	+
étonnamment	+	−	−	−	+	+	−	−	+	+	+	−	+	+	+	+	+	+	−	−	+	+	−	+	−	+	+	+	+
excessivement	+	−	−	−	+	+	−	−	+	+	+	−	+	+	+	+	+	+	−	−	+	+	−	+	−	+	+	+	+
infiniment	+	−	−	+	+	+	−	−	+	+	+	−	+	+	+	+	+	+	−	−	+	+	−	+	−	+	+	+	+
passablement	+	−	−	+	+	+	−	−	+	+	+	−	+	+	+	+	+	+	−	−	+	+	−	+	−	+	+	+	+
putainement	+	−	−	+	+	+	−	−	+	+	+	−	+	+	+	+	+	+	−	−	+	+	−	+	−	+	+	+	+
suffisamment	+	−	−	+	+	+	−	−	+	+	+	−	+	+	+	+	+	+	−	−	+	+	−	+	−	+	+	+	+
tellement	+	+	−	+	+	+	−	+	+	+	+	−	+	+	+	+	+	+	−	−	+	+	−	+	−	+	+	+	+
vachement	+	−	+	+	+	+	−	−	+	+	+	−	+	+	+	+	+	+	−	−	+	+	−	+	−	+	+	+	+
ne ... aucunement	+	−	−	−	−	−	−	−	+	+	+	+	−	+	+	−	−	+	−	+	−	−	+	+	−	+	+	+	+
ne ... guère	+	−	−	−	−	−	−	−	+	+	+	+	−	+	+	−	−	+	−	+	−	−	+	+	−	+	−	−	+
ne ... jamais	+	−	−	−	−	−	−	−	+	+	+	−	−	+	+	−	−	+	+	−	−	+	+	−	+	+	−	−	−
ne ... ni	−	−	−	−	−	−	−	−	+	+	+	−	−	+	−	−	−	−	+	+	−	−	+	+	−	−	−	−	−
ne ... pas	+	−	−	−	−	−	−	−	+	+	+	+	−	+	+	−	−	+	−	+	−	−	+	+	−	+	+	−	−
ne ... plus	+	−	−	−	−	−	−	−	+	+	+	+	−	+	+	−	−	+	−	+	−	−	+	+	+	−	−	−	−
ne . point	+	−	−	−	−	−	−	−	+	+	+	−		+	+	−	−	+	−	+	−	−	+	+	+	−	−	−	−

Table *Dnom*

	$N_0 V Dét$	N_0 est Dét	Dét de $N_0 VΩ$	Dét $VΩ$	$N_0 V Dét de N_1$	N_0 Aux Dét V-pp de N_1	N_0 en V Dét	N_0 en V Dét ≠ de N_1	N_0 le V Dét	$N_0 V Dét ≠ de N_1$	$N_0 V Prép Dét de N_1$	$N_0 V Prép Dét$	Dét d'entre eux	Dét d'eux	Dét N	Dét de Nplur	Dét de GNdéf, plur	Dét de Dind Nplur	Dét de Nnomb, sing	Dét de Nmas	Dét de Nabs	Dét sing (Accord)	Dét plur (Accord)	Accord fém	Dét de (Dét) fois	Dét de (Dét) temps	de Dét de manière
un groupe	—	+	+	+	+	—	+	+	—	—	+	—	+	—	+	—	—	+	+	+	—	+	+	—	+	—	—
la moitié	—	—	+	+	+	—	+	+	—	—	+	+	+	—	+	—	—	—	+	—	—	+	+	—	+	+	—
un morceau	—	—	+	+	+	—	+	+	—	—	+	—	+	—	—	—	—	—	—	+	—	+	+	—	+	—	—
un nombre ... Rel	—	+	+	+	+	—	+	+	—	—	+	—	+	—	—	—	+	+	—	—	—	+	+	—	+	—	+
une partie	—	—	+	+	+	—	+	+	—	—	+	—	+	—	—	—	+	+	—	—	—	+	+	—	+	—	+
une quantité ... Rel	—	+	+	+	+	—	+	+	—	—	+	—	+	—	—	+	+	—	—	+	+	+	+	—	+	—	+
la plupart	—	—	+	+	+	—	+	—	—	—	+	+	+	—	—	—	—	+	—	—	—	+	—	—	+	+	—
le plus clair	—	—	+	+	+	—	+	—	—	—	+	+	+	—	—	—	—	+	—	—	—	+	—	—	+	—	—
le (plus) gros	—	—	+	+	+	—	+	—	—	—	+	+	+	—	—	—	—	+	—	—	—	+	—	—	+	—	—
le ((tout) petit) peu ... Rel	+	—	+	+	+	—	+	+	—	—	+	+	+	—	—	+	+	—	+	+	+	+	—	—	+	—	—
l'un	—	—	+	+	+	—	—	—	—	—	+	+	+	+	—	—	—	—	—	—	—	+	—	+	+	—	—
chacun	—	—	+	+	+	—	—	—	+	—	+	—	+	+	—	—	+	—	—	—	—	—	—	+	+	—	—
quelques-uns	—	+	+	+	+	—	+	+	+	—	+	—	+	+	—	—	—	+	—	—	—	—	+	+	+	—	—
ne ... rien	—	+	+	+	+	+	+	—	—	—	+	+	—	—	—	—	—	—	+	—	—	—	—	—	+	—	—
(bon) nombre	—	+	+	+	+	—	+	+	—	—	+	—	+	—	—	+	+	—	—	—	—	—	—	—	+	—	+
plein	—	+	+	+	+	—	+	+	—	—	+	—	+	—	—	+	+	—	—	+	+	—	—	—	+	+	+
quantité	—	—	+	+	+	—	+	+	—	—	+	+	+	—	—	—	—	—	—	—	—	—	—	—	+	+	+
combien	—	+	+	+	+	—	+	+	—	—	+	+	+	—	—	+	+	—	—	+	—	—	—	—	+	+	+
lequel	—	+	+	+	+	—	—	—	—	+	+	+	+	—	—	+	+	—	—	—	+	+	+	+	+	—	—
n'importe combien	—	+	+	+	+	—	—	+	+	—	+	+	+	—	—	+	+	—	—	—	—	—	—	—	+	—	+
n'importe lequel	—	—	+	+	+	—	—	—	—	+	+	+	+	—	—	+	+	—	—	—	+	+	+	+	+	—	—
Dieu sait combien	—	+	+	+	+	—	+	+	—	—	+	+	+	—	—	+	+	—	—	—	—	—	—	—	+	—	+
Dieu sait lequel	—	—	+	+	+	—	—	—	—	+	+	+	+	—	—	+	+	—	—	—	+	+	+	+	+	—	—
je ne sais combien	—	+	+	+	+	—	+	+	—	—	+	+	+	—	—	+	+	—	—	—	—	—	—	—	+	—	+
je ne sais lequel	—	—	+	+	+	—	—	—	—	+	+	+	+	—	—	+	+	—	—	—	+	+	+	+	+	—	—
qui sait combien	—	+	+	+	+	—	+	+	—	—	+	+	+	—	—	+	+	—	—	—	—	—	—	—	+	—	+
qui sait lequel	—	—	+	+	+	—	—	—	—	+	+	+	+	—	—	+	+	—	—	—	+	+	+	+	+	—	—
moins	—	+	+	—	+	—	—	—	—	—	+	—	—	—	—	—	+	—	—	—	—	—	—	—	+	—	—
plus	—	+	+	—	+	—	—	—	—	—	+	—	—	—	—	—	+	—	—	—	—	—	—	—	+	—	—
près	—	+	+	—	+	—	—	—	—	—	+	—	—	—	—	—	+	—	—	—	—	—	—	—	+	—	—
Dnum Nmes	—	+	+	+	+	—	+	+	—	—	+	+	+	—	—	+	+	—	+	+	—	—	—	—	—	+	—
un ordre de grandeur	—	+	+	—	+	—	—	—	—	—	+	—	—	—	—	—	+	—	—	—	—	—	—	—	+	—	—
autour	—	+	+	—	+	—	—	—	—	—	+	—	—	—	—	—	+	—	—	—	—	—	—	—	+	—	—
au-delà	—	+	+	—	+	—	—	—	—	—	+	—	—	—	—	—	+	—	—	—	—	—	—	—	+	—	—
(au + en) dessous	—	+	+	—	+	—	—	—	—	—	+	—	—	—	—	—	+	—	—	—	—	—	—	—	+	—	—
(au + en) dessus	—	+	+	—	+	—	—	—	—	—	+	—	—	—	—	—	+	—	—	—	—	—	—	—	+	—	—
(au + dans le) voisinage	—	+	+	—	+	—	—	—	—	—	+	—	—	—	—	—	+	—	—	—	—	—	—	—	+	—	—
(aux + dans les) alentours	—	+	+	—	+	—	—	—	—	—	—	—	—	—	—	—	+	—	—	—	—	—	—	—	+	—	—
(aux + dans les) environs	—	+	+	—	+	—	—	—	—	—	—	—	—	—	—	—	+	—	—	—	—	—	—	—	+	—	—
dans la fourchette	—	+	+	—	+	—	—	—	—	—	—	—	—	—	—	—	+	—	—	—	—	—	—	—	+	—	—

Table *Dnom*

	$N_0 V$ Dét	N_0 est Dét	Dét de $N_0 V\Omega$	Dét $V\Omega$	$N_0 V$ Dét de N_1	N_0 Aux Dét V-pp de N_1	N_0 en V Dét	N_0 en V Dét ≠ de N_1	N_0 le V Dét	$N_0 V$ Dét ≠ de N_1	$N_0 V$ Prép Dét de N_1	$N_0 V$ Prép Dét	Dét d'entre eux	Dét d'eux	Dét N	Dét de Nplur	Dét de GNdéf, plur	Dét de Dind Nplur	Dét de Nnomb, sing	Dét de Nmas	Dét de Nabs	Dét sing	Dét plur	Accord fém	Dét de (Dét) fois	Dét de (Dét) temps	de Dét de manière
																								Accord			
dans la zone	−	+	+		+	−	−	−	−	−	−	−	−	−	−	−	+	−	−	−	−	−	−	−	+	−	−
dans les limites	+	−	+	−	+	−	−	−	−	−	−	−	−	−	−	−	+	−	−	−	−	−	−	−	+	−	−
dans les parages	−	+	+		+	−	−	−	−	−	−	−	−	−	−	−	+	−	−	−	−	−	−	−	+	−	−
dans les	−	+	+		+	−	−	−	−	−	−	−	−	−	−	−	+	−	−	−	−	−	−	−	+	−	−
du côté	−	+	+		+	−	−	−	−	−	−	−	−	−	−	−	+	−	−	−	−	−	−	−	+	−	−
de l'ordre	−	+	+		+	−	−	−	−	−	−	−	−	−	−	−	+	−	−	−	−	−	−	−	+	−	−
en deçà	−	+	+		+	−	−	−	−	−	−	−	−	−	−	−	+	−	−	−	−	−	−	−	+	−	−
pour une valeur	−	−	+		+	−	−	−	−	−	−	−	−	−	−	−	+	−	−	−	−	−	−	−	+	−	−
pour	−	−	+		+	−	−	−	−	−	−	−	−	−	−	−	+	−	−	−	−	−	−	−	+	−	−

Table *Dadj*

	N_0 est Dét	Dét de $N_0 V\Omega$	Dét $V\Omega$	$N_0 V$ Dét de N_1	N_0 en V Dét	N_0 en V Dét ≠ de N_1	$N_0 V$ Dét ≠ de N_1	$N_0 V$ Prép Dét de N_1	$N_0 V$ Prép Dét	Dét d'entre eux	Dét d'eux	Dét de Nplur	Dét de GNdéf, plur	Accord fém	Accord sing	Accord plur	Ddéf Dét N	Dind Dét N	Dét fois	Dét temps	de Dét de manière
														Accord							
un	+	+	−	+	+	+	−	+	+	+	−	−	+	+	+	−	−	−	+	+	−
deux	+	+	+	+	+	+	+	+	+	−	+	−	+	−	−	+	+	−	+	−	−
trois	+	+	+	+	+	+	+	+	+	−	+	−	+	+	−	+	+	−	+	−	+
certains	−	+	+	+	+	+	+	+	+	−	+	−	+	+	−	+	+	−	+	−	+
chaque	−	+	+	+	+	−	+	+	+	+	−	−	+	+	+	−	+	−	+	−	−
différents	−	+	+	+	+	+	+	+	+	+	−	−	+	+	−	+	+	−	+	−	+
divers	−	+	+	+	+	+	+	+	+	+	+	−	+	+	−	+	+	−	+	−	+
force	−	+	+	+	+	+	+	+	+	+	−	−	+	+	+	−	+	−	+	−	+
maint	−	+	+	+	+	+	+	+	+	+	−	−	+	+	+	−	+	−	+	−	+
plusieurs	+	+	+	+	+	+	+	+	+	−	+	−	+	−	−	+	+	−	+	−	+
quelque	−	+	+	+	−	−	−	+	+	+	−	−	+	+	+	−	+	−	+	−	+
quelques	−	+	+	+	−	−	−	+	+	+	−	−	+	−	−	+	+	−	+	−	+
tel	+	+	+	+	−	−	−	+	+	+	−	−	+	+	+	−	+	−	+	−	+
tout	−	+	−	+	−	−	−	+	+	+	−	−	+	+	+	−	−	−	+	−	−
ne ... aucun	−	+	+	+	+	+	−	+	+	+	+	−	+	+	+	−	−	−	+	−	+
ne ... nul	−	+	+	+	+	+	−	+	+	+	−	−	+	+	+	−	−	−	+	−	+
ne ... nul autre que N	−	+	+	+	+	+	−	+	+	+	−	−	+	+	+	−	−	−	+	−	+
quel	−	+	−	+	−	−	−	+	+	−	−	−	−	−	+	+	−	−	+	−	+
n'importe quel	−	+	−	+	−	−	−	+	+	−	−	−	−	−	+	+	−	−	+	−	+
Dieu sait quel	−	+	−	+	−	−	−	+	+	−	−	−	−	−	+	+	−	−	+	−	+
je ne sais quel	−	+	−	+	−	−	−	+	+	−	−	−	−	−	+	+	−	−	+	−	+
qui sait quel	−	+	−	+	−	−	−	+	+	−	−	−	−	−	+	+	−	−	+	−	+
l'autre	−	+	+	+	+	+	+	+	+	+	−	−	−	+	−	−	+	+	−	−	+
le moins Adj	−	+	+	+	+	+	+	+	+	+	+	−	−	+	+	+	−	−	+	−	+
le plus Adj	−	+	+	+	+	+	+	+	+	+	+	−	−	+	+	+	+	−	+	−	+
le seul ... Rel	−	+	+	+	−	−	+	+	+	+	−	−	−	+	+	+	−	−	+	−	+
un autre	−	+	+	+	+	+	−	+	+	+	−	−	−	+	+	+	−	−	+	−	+
un certain	−	+	−	+	+	+	−	+	+	+	−	−	−	+	+	−	−	−	+	+	+
un seul	−	+	+	+	+	+	−	+	+	+	−	−	+	+	+	−	−	−	+	−	+
d'aucuns	−		+										+	+		+					

Table *Préd*

	$N_0 V$ Préd	que P	que P parallèle	Préd $N_0 V\Omega$	Préd $V\Omega$	Préd $N_0 Qu P V\Omega$	Préd $N_0 V\Omega Qu P$	$N_0 V$ Préd N_1	N_0 Aux Préd V-pp N_1	$N_0 V$ Préd	N_0 est Préd Adj	N_0 l'est Préd	$N_0 V$ Prép Préd N_1	$N_0 V$ Préd Prép N_1	Préd Dnum Nplur	Préd un Nsing	Préd GNdéf, plur	Préd GNdéf, sing	Préd de Artg N	$N_0 V$ Préd Prép N_1	N_1 Préd	C'est Préd N_1 Qu [P — Préd N_1]	Accord fém	N_0 ne V Préd pas de N	N_0 ne V pas Préd N_1	tout Préd	bien Préd
à demi	+	—	—	—	—	—	—	+	+	—	+	+	—	—	+	+	+	+	+	+	+	—	—	—	—	+	—
à moitié	+	—	—	—	—	—	—	+	+	—	+	+	—	—	+	+	+	+	+	+	+	—	—	—	—	+	—
à peine	+	—	—	+	—	—	—	+	+	—	+	+	+	+	+	+	+	+	+	+	+	+	—	—	—	—	—
à Tind près	+	—	—	+	—	—	—	+	+	—	+	+	+	+	+	+	+	+	+	+	+	+	—	—	—	—	—
au (grand) mieux	+	—	—	+	—	—	—	+	+	—	+	+	+	+	+	+	+	+	+	+	+	+	—	—	—	+	—
au moins	+	—	—	+	—	—	—	+	+	—	+	+	+	+	+	+	+	+	+	+	+	+	—	—	—	—	+
au pire	+	—	—	+	—	—	—	+	+	—	+	+	+	+	+	+	+	+	+	+	+	+	—	—	+	+	+
au pis (aller)	+	—	—	+	—	—	—	+	+	—	+	+	+	+	+	+	+	+	+	+	+	+	—	—	—	+	+
au plus	+	—	—	+	—	—	—	+	+	—	+	+	+	+	+	+	+	+	+	+	+	+	—	—	—	+	+
au tiers	+	—	—	—	—	—	—	+	+	—	+	+	+	+	+	+	+	+	+	+	+	—	—	—	—	+	—
en entier	—	—	—	+	—	—	—	+	+	—	—	—	+	+	+	+	+	+	+	+	+	—	—	—	—	+	—
en gros	+	—	—	+	—	—	—	+	+	—	+	+	+	+	+	+	+	+	+	+	+	+	—	—	—	—	—
en moins	+	—	—	+	—	—	—	+	+	—	+	—	+	+	+	+	+	+	+	—	+	+	—	—	—	+	—
en plus	+	—	—	+	—	—	—	+	+	—	+	+	+	+	+	+	+	+	+	+	+	+	—	—	—	+	—
en totalité	—	—	—	+	—	—	—	+	+	—	—	—	+	+	+	+	+	+	+	+	+	—	—	—	—	+	—
en tout (et pour tout)	—	—	—	+	—	—	—	+	+	—	—	—	+	+	+	+	+	+	+	+	+	+	—	—	—	+	—
approximativement	+	—	—	+	—	—	—	+	+	—	+	+	+	+	+	+	+	+	+	+	+	+	—	—	—	+	—
entièrement	+	—	—	+	—	—	—	+	+	—	+	+	+	+	+	+	+	+	+	+	+	+	—	—	—	+	—
exactement	—	—	—	+	—	—	—	+	+	—	+	+	+	+	+	+	+	+	+	+	+	+	—	—	—	+	—
exclusivement	+	—	—	+	—	—	—	+	+	—	+	+	+	+	+	+	+	+	+	+	+	+	—	—	—	+	—
littéralement	+	—	—	+	—	—	—	+	+	—	+	+	+	+	+	+	+	+	+	+	+	—	—	+	—	+	—
notamment	+	—	—	+	—	—	—	+	+	—	+	+	+	+	+	+	+	+	+	+	+	—	—	+	—	+	—
particulièrement	+	—	—	+	—	—	—	+	+	—	+	+	+	+	+	+	+	+	+	+	+	—	—	+	—	+	+
pratiquement	+	—	—	+	—	—	—	+	+	—	+	+	+	+	+	+	+	+	+	+	+	+	—	—	—	+	—
précisément	+	—	—	+	—	—	—	+	+	—	+	+	+	+	+	+	+	+	+	+	+	+	—	—	—	+	+
premièrement	+	—	—	+	—	—	—	+	+	—	+	+	+	+	+	+	+	+	+	+	+	—	—	—	+	+	—
seulement	+	—	—	+	—	—	—	+	+	—	+	+	+	+	+	+	+	+	+	+	+	+	—	—	—	+	—
simplement	+	—	—	+	—	—	—	+	+	—	+	+	+	+	+	+	+	+	+	+	+	—	—	+	+	+	—
spécialement	+	—	—	+	—	—	—	+	+	—	+	+	+	+	+	+	+	+	+	+	+	—	—	+	—	+	+
strictement	+	—	—	+	—	—	—	+	+	—	+	+	+	+	+	+	+	+	+	+	+	+	—	—	—	+	—
totalement	+	—	—	+	—	—	—	+	+	—	+	+	+	+	+	+	+	+	+	+	+	+	—	—	—	+	—
uniquement	+	—	—	+	—	—	—	+	+	—	+	+	+	+	+	+	+	+	+	+	+	—	—	—	—	+	—
virtuellement	+	—	—	+	—	—	—	+	+	—	+	+	+	+	+	+	+	+	+	+	+	—	—	+	—	—	—
avant tout	+	—	—	+	—	—	—	+	+	—	+	+	+	+	+	+	+	+	+	+	+	—	—	+	—	—	+
par dessus tout	+	—	—	+	—	—	—	+	+	—	+	+	+	+	+	+	+	+	+	+	+	+	—	—	—	—	—
pas tout à fait	—	—	—	+	—	—	—	+	+	—	+	+	+	+	+	+	—	—	—	—	—	—	—	—	—	—	—
surtout	+	—	—	+	—	—	—	+	+	—	+	+	+	+	+	+	+	+	+	+	+	+	—	—	—	—	—
tous	—	—	—	+	+	—	—	+	—	+	—	—	—	—	+	—	+	—	—	—	+	—	—	+	—	+	—
tout	—	—	—	+	+	—	—	+	+	+	+	+	+	+	—	+	—	+	—	—	+	—	—	+	—	+	—
bien	—	—	—	+	—	—	—	+	—	—	+	—	+	—	—	—	—	—	+	—	—	—	+	—	—	—	—

245

Table *Préd*

	N_0 V Préd	que P	que P parallèle	Préd N_0 VΩ	Préd VΩ	Préd N_0 Qu P VΩ	Préd N_0 VΩ Qu P	N_0 V Préd N_1	N_0 Aux Préd V-pp N_1	N_0 V Préd	N_0 est Préd Adj	N_0 l'est Préd	N_0 V Prép Préd N_1	N_0 V Préd Prép N_1	Préd Dnum Nplur	Préd un Nsing	Préd GNdéf, plur	Préd GNdéf, sing	Préd de Artg N	N_0 V Préd Prép N_1	N_1 Préd	C'est Préd N_1 Qu [P — Préd N_1]	Accord fém	N_0 ne V Préd pas de N	N_0 ne V pas Préd N_1	tout Préd	bien Préd
comme	−	−	−	+	−	−	−	+	+	−	+	−	−	−	+	+	+	+	+	+	+	+	−	−	−	+	−
d'abord	+	−	−	+	−	−	−	+	+	−	+	−	+	+	+	+	+	+	+	+	+	+	−	−	+	+	−
encore	+	−	−	+	−	−	−	+	+	−	+	+	+	+	+	+	+	+	+	+	+	+	−	+	+	+	−
ensuite	+	−	−	+	−	−	−	+	+	−	+	+	+	−	+	+	+	+	+	−	+	+	−	+	−	+	+
environ	−	−	−	+	−	−	−	+	+	−	+	−	−	+	+	+	+	+	+	+	+	+	−	−	−	−	−
jusqu'à	−	−	−	+	−	−	−	+	+	−	+	−	+	−	+	+	+	+	+	−	+	−	−	+	−	−	−
même	+	−	−	+	−	−	−	+	+	+	+	+	+	−	+	+	+	+	+	+	+	−	−	+	−	+	−
ne ... que	+	+	+	+	−	+	−	+	+	−	+	−	+	−	+	+	+	+	+	−	+	+	−	+	+	+	−
plutôt	+	−	−	+	−	+	−	+	+	−	+	+	+	−	+	+	+	+	+	−	+	+	−	+	−	+	−
presque	−	−	−	+	−	−	−	+	+	−	+	+	+	−	+	−	+	+	+	+	−	+	−	−	−	−	−
quelques	−	−	−	+	−	−	−	+	+	−	−	−	+	−	+	−	+	−	−	−	+	−	−	−	−	−	−
seul	−	−	−	+	−	−	−	−	−	−	−	−	−	−	+	+	+	+	+	−	+	−	+	−	−	−	−

INDEX DES NOMS

RÈGLES ET TERMES

accord : v. genre, nombre, 86 n. 28, 134, 139-41, 149, 153, 207, 220.
Accord fém. : 24, *Dnom, Dadj, Préd.*
Accord plur. : 24, *Dadj.*
Accord sing : 24, *Dadj.*
adjectif (*Adj.*) : 12, 18, 22, 32, 37-8, 43, 49, 58, 61, 66, 69-70, 77, 82, 87-8, 91, 95, 97, 99-100, 102, 105-6, 110, 113, 121, 131, 147-8, 151-2, 182, 202, démonstratif (*Adjd*) : v. *ce*, possessif (*Poss*). v. possessif.
adverbe (*Adv.*) : v. permutation (de), 18, 22 n. 7, 25, 38-42, 45-8, 54-6, 70, 78, 91, 96, 106-8, 158, 164-8, 175, 184, *Advd* : 38, 156-8, 164-8, 171-2.
ajustement morphologique : 129, 133-4, 140.
antécédent : d'un pronom : 28, 34, 57, 115-22, 132, 206, d'une relative : 132, 137, 147, 222.
appositif : v. explicatif.
apposition : 86, 103 n. 50, 110, 173, 175, 194.
article : défini (*Artd*), v. *le*, indéfini pluriel, v. *des*, partitif, v. *du*.
[*Artg* z.] : 89, 94.
aspect : 39-40, 53, 91, 108, 167, 171, 210-2, 231.
attribut de l'objet direct : 202-3, 209.
auxiliaire (*Aux*) : 40, 42, 131, 201.

Baker, C. L. : 162.
Beauzée, N. : 140.
Bely, N. : 11.
Bonnard, H. : 137.
Boons, J.-P. : 36 n. 19, 61, 141, 204, 233.
Borillo, A. : 35 n. 16.

cacophonie (règle de) : 41 n. 28, 52, 109, 113, 180, 189, 196.
cardinal : 80 n. 20, 129, 150.
Castel, B. du : 230.

causatif : 112, 230.
[*ce* z.] : 128-9, 134-6, 139-40, 149.
[*cela* z.] : 190.
Chatman, S. : 209.
Chevalier, J.-C. : 11-2, 17.
Chomsky, N. : 13 n. 1, 36 n. 19, 50 n. 1, 74 n. 14, 175, 204, 213, 233.
classes disjointes : 9-10, 53.
classification : 9-10, 15-9, 49.
classifieur : 52 n. 2, 65, 142, 144-5, 147, 223.
Clédat, L. : 84, 101, 103, 168.
comparatif, v. complétive : 23, 68-9, 71, 98, 105, 188, 194.
complément de définition : 17, 25, 28, 30-1, 36, 69-72, 77, 80, 82-3, 88, 122, 125-8, 135, 139-40, 144, 149, 153, effacement, v. [*de LUI* z.].
complément : circonstanciel : 33, 46, 74 n. 13, 103-4, 109-10, 113-14, 138, 179, 183, 188, 228-9, d'objet direct : 9-10, 25, 31, 33, 37, 42, 49, 55, 66, 73, 74 n. 13, 85, 88-9, 92, 94, 108-9, 111-2, 114, 137, 177, 180-1, 193, 197-9, 204, 208, (d'objet) indirect : v. les prépositions, 9-10, 31, 35-6, 42, 45-6, 55-6, 75-6, 85, 89-90, 102, 109-10, 112-4, 136-7, 198, 201, 226, 229.
complément de nom : v. possessif, 131-2, 198, 215, 219-21, 230.
complétive (proposition) (*que P*) : 23-4, 47, 68-9, 73, 77-9, 98, 131, 137-8, 147-8, 161-2, 170, 179, 201, 218-22, 226, 228, extraite : 148, réduction : 187-90, 219-21.
composition (règle de) : 44, 178.
concessive (proposition) : 77, 98.
conditionnel : 211-2.
conjonction de coordination : v. *et, ou*, ..., parallélisme, réduction, 73, 89-90, 100, 116 n. 1, 136, 184-94.
conjonction de subordination : v. complétive, 97-101, 185-94, 226, 228.

contrastif (effet) : 17, 89, 92, 94, 96, 98, 161, 189, 191.
cooccurrence : v. sélection.
Coppin, J. : 101.
coréférence : 22 n. 6, 23, 25, 28-30, 37, 63, 98, 104, 115-25, 127-8, 132 n. 8, 136 139, 141-4, 147-8, 150, 185, 187, 204-5, 207, 210, 216, 221, 224-5, 234.
Cornulier, B. de : 162.
corpus : 95 n. 40.
cycle : v. ordre, 148, 213.

[Dadv p.] : 40-1.
Danlos, L. : 227.
Ddéf Dadj N : 22, Dadj.
[de cela z.] : 189.
de Dét de manière : 41-2, 224 n. 9, Dadv, Dnom.
de Dét manière : 41-2, 224 n. 9, Dadj.
de LUI → en : 30 n. 14, 37-8, 123-4, 127, 143, 196 n. 30.
de LUI → Poss : 139.
[de LUI z.] : 29-32, 35 n. 16, 36, 39, 91, 127-8, 130, 140-3, 149, 151 n. 19, 226.
[de z.] : 56-7, 81, 83, 134-6, 139, 143, 149, 160, 168.
[des z.] : 154.
Dét de (Dét) fois : 41, Dadv, Dnom.
Dét de (Dét) temps : 41, Dadv, Dnom.
Dét de Ddéf, plur : 21, 56, Dadv, Dnom, Dadj.
Dét de Dind, plur : 21, Dadv, Dnom.
Dét de GN que P VΩ : 23, Dadv, Préd.
Dét de GN VΩ que P : 23, Dadv, Préd.
Dét de Nabs : 21, Dadv, Dnom.
Dét de Nmas : 21, 41, Dadv, Dnom.
Dét de Nnomb, sing : 21, 27, 41, 57, Dadv, Dnom.
Dét de Nplur : 21, 34, 56-7, 96, Dadv, Dnom, Dadj.
Dét fois : 41, Dadj.
Dét N : 17-8, 25, 56-7, 89, Dadv, Dnom.
Dét temps : 41, Dadj.
Dét VΩ : 31, 92, Dadv, Dnom, Dadj, Préd.
Dét plur : 24, Dnom.
Dét... pour (que Psubj + V°Ω) : 23.
Dét sing : 24, Dnom.
détachement ([détach]) : 31, 34, 57-8, 74, 81, 83, 95, 100, 107, 128, 130, 132-3, 135, 137, 139-40, 148-9, 205, Dadv, Dnom, Dadj.
déterminant : numéral (Dnum) : v. deux, trois, etc., 14, 20, 22, 31, 41, 54, 57-8, 60-2, 68, 73-4, 76, 91, 98-9, 103, 122, 150-1, 165-9, 171-2, 179-83, 194, 207-8, zéro : 17, 25 n. 8, 34, 41, 58, 108-14, 184-5.
déterminatif : 72, 118-9, 129, 132 n. 8, 138, 143-4, 150 n. 17, 226, 228-9, 231.

diachronie : 10, 140, 151, 235.
Dind Dadj N : 22, Dadj.
[Dind z.] v. [un z.], 196.
discours : 16, 28-30, 36, 121, 132-3, 141, 148, 225.
distributionnelle (propriété) : 16, 29, 66, 126, 137, 209, 213.
Dubois, J. : 61, 137, 233.
Ducrot, O. : 96 n. 43.
Dugas, A. : 69.
Duplication : 140, 205-6.

e muet : 15.
effacement de N approprié : 16, 31, 39-40, 61, 63, 68, 72, 90, 100 n. 48, 102, 141, 143-6, 149, 151-3, 179, 218.
élévation du sujet : 204 n. 34, 218.
ellipse : v. effacements.
[en z.] : 37-8, 143, 152.
exclamative (proposition) : 79, 97.
exhaustivité : 10, 73.
explicatif : 32, 84, 103 n. 50, 119, 136.
extraction : 69, 98, 129, dans C'est... Qu : 25, 46-7, 51, 179, 182, 187, 189, 191, 194, 197-9, 201-2, 207-8, 213, 215, 222, 230-1, Préd.
extraposition ([extrap]) : 23, 37, 42-3, 198-201, 203-5.

facultatif : 13, 43.
Fauconnier, G. : 35 n. 16, 46 n. 32, 82, 103, 162.
féminin (marque du) (fém, -v) : 14-5, 134, 140.
figée (expression) : 110, 112, 114, 132 n. 8, 167, 180, 222, 227, 229.
Foulet, L. : 55 n. 5, 63-4.
fraction (Nf) : v. él. lexicaux : 168-9, 182 n. 19.
français : classique : 26, 38 n. 20, 42, 59, dialectal : 10, 38 n. 20, 69, 156, littéraire : 26, 95 n. 40, 167, 196, populaire : 68, 69 n. 11, 76, 88, 92, 128, 130, 132 n. 8, 133-6, 139-40, 148, 160, 167, québecois : 69, vieilli : 31, 88, 136, 140.

Gaatone, D : 89.
générative (grammaire) : 10, 12-3, 49, 54, 93, 118, 137, 154, 214, 232-5.
générique (interprétation) (Artg) : v. genre. sorte, type, 14-5, 19, 22 n. 6, 25-6, 52, 63, 71, 115, 133, 164, 197, 210-1.
genre (g) : v. féminin, masculin, 24, 70, 82, 100 n. 48, 129, 140-1, 145-7.
Giry, J. : 111, 131, 211, 217-8, 233.
Gouet, M. : 145, 184 n. 21.
Gougenheim, G. : 125.
grammaticalisé : v. figé.
Grevisse. M. : 17, 87 n. 29.

Gross, M. : 27, 40 n. 25, 57, 76-7, 86, 90, 107 n. 56, 109, 111, 123, 125, 131, 133-4, 139 n. 10, 147, 162-3, 185, 187, 189, 191, 204, 211, 216-7, 219, 230, 233.
Guillaume, G. : 109, 235.
Guillet, A. : 61, 141, 146 n. 14, 204, 233.
Gunnarson, K.-A. : 30.

Haase, A. : 26 n. 9, 59.
Hall-Partee, B. : 13 n. 1, 50 n. 1.
Harris, Z. S. : 11, 16, 48, 61, 74 n. 14, 78-9, 119, 142, 147-8, 161, 175, 179 n. 14, 191, 203, 209, 212, 217, 235.
Hirschbuhler, P. : 182 n. 18.

idiome : v. figé.
impératif : 161-2.
impersonnel : v. extraposition.
incise (proposition) : 32, 78, 136, 148.
inclusion ensembliste : v. complément de définition, 17, 28, 30, 59, 71, 77, 84, 125-6, 129-30, 135, 142, 149-51, 180, 183, 192-3, 234.
infinitive (proposition) (*VΩ*) : 23-4, 33, 131, 138, 151, 186-9, 201, 219-21, 226, 228.
interprétation (règle d') : 54 n. 4, 146-7.
[interrogation] : v. question.
intonation : d'admiration : 27, 55 n. 5, 222 n. 8, interrogative : 78, montante : 152, rupture (#) : 32, 47, 84-5, 119, 161, 177, 198, 222-3.

Katz, J. : 79 n. 19, 89.
Kayne, R. S. : 35 n. 16, 36 n. 18, 46 n. 32, 90, 103.
Klima, E. S. : 89, 163.
Kupferman, L. : 225 n. 10.
Kuroda, S.-Y. : 45, 79 n. 19, 100, 118, 121 n. 4.

Labelle, J. : 131, 217, 233.
Lakoff, G. : 162.
Langacker, R. : 138 n. 9.
Le Bihan, M. : 147.
[*le* z.] : 103, 127-8, 141, 143, 226.
Leclère, Ch. : 61, 141, 204, 219, 233.
lexicalisée (forme) : v. figé.
lexicaliste (théorie) : 233.
liaison : 128.
Lightner, T. M. : 62, 235.
LUI → *L* : 15, 77 n. 17, 133-6, 139-41, 149.

marque : v. féminin, pluriel, 15, 24, 29 n. 13, 81-2, 129, 133-4, 141, 143, 153.
Martin, R. : 96 n. 43, 99.
Martinon, Ph. : 17, 33, 37, 89 n. 33, 103, 124, 140, 152.
métaphore : 26, 73.
Meunier, A. : 61, 65 n. 8, 131, 211, 217, 233.

Milner, J.-C. : 142 n. 11.
modifieur (*Modif*) : v. adjectif, relative, 10, 33, 36, 41, 60, 64, 104, 130-2, 135, 138, 222-5.
[*Modif* z.] : 121-2, 127, 133, 141, 196.
Modif → *quel* : 135-6.
Moignet, G. : 137.
morphème : v. mot.
mot : 16.
Muller, Cl. : 11, 69.

N → *LUI* : 14, 30, 77 n. 17, 81 n. 21, 123, 127-30, 133-4, 139-40, 143-4, 149.
N → *un* : 81-3.
N_0 *Aux Dadv V-pp de* (*N* + *GN*) : 42, *Dadv, Dnom*.
N_0 *Aux Préd V-pp* Ω : 46, *Préd*.
N_0 *en V Dét* : 33-4, *Dadv, Dnom, Dadj*.
N_0 *est Dét* : 42, 153 n. 21, *Dnom, Dadj*.
N_0 *est Dét Adj* : 37-8, *Dadv*.
N_0 *l'est Dét* : 37-8, *Dadv*.
N_0 *l'est Préd* : 38, *Préd*.
N_0 *est Préd Adj* : 38, *Préd*.
N_0 *V Dét* : 17-8, 38-9, *Dadv, Dnom*.
N_0 *V Dét* # *de N* : 34, *Dadv, Dnom*.
N_0 *V Préd* : 45, *Préd*.
N_0 *V Préd Prép* N_1 *Préd*.
N_0 *V Préd Dét* 35-6, *Dadv, Dnom, Dadj*.
N_1 *Préd* 45, *Préd*.
négation : v. él. lexicaux en *ne*..., 19, 23, 31, 35, 43, 59, 68-9, 78 n. 18, 79, 84, 88-95, 98, 110, 153, 159-65, 173, 190-1, 193, abaissement : 162, 214.
Négroni, D. de : 211, 217, 231, 233.
niveau de langue : v. français.
nom : abstrait (*Nabs*) : 14, 17, 19-21, 26-7, 126, collectif (*Ncoll*) : 61, 126, concret : 26, 60, 70, 117, contenant : 60, déterminatif (*Nd*) : 54, 60-6, 97, 102, 126, 166, 168, 171, 197, 204, 206, de masse (*Nmas*) : 14, 17, 19-21, 39 n. 23, de mesure (*Nmes*) : 60-3, nombrable (*Nnomb*) : 14, 17, 20-1, 27, 39 n. 23, de partie du corps (*Npc*) : 141, 225 n. 10, propre (*Npr*) : 113 n. 60, 143-7.
nombre (*n*) : v. pluriel, singulier, 24, 30, 70, 130, 140-1.
nominalisation : 61-2, 139, 208, 210, 216-8, 221, 229-31, 233.
non restrictif : v. explicatif.

ordinal : 72, 151, 168 n. 5.
ordre des règles : 81, 93-4.

parallélisme des conjonctions : 23, 48, 69, 98, 135, 188, 191-2, *Dadv, Préd*.
participe passé (*V-pp*) : 40, 42-3, 46, 86, 91-3 n. 36, 131, 138, 156-7, 181, 201.
participe présent (*V-ant*) : 96, 104, 131, 138.

partitif : v. du, 88, 173, 193.

[passif] : 16, 37, 40 n. 25, 42-3, 45, 51, 76, 85-6, 91-4, 105, 109, 156, 181, 197-200, 207.

pause : v. intonation (rupture).

[pc z.] : 189 n. 26.

performatif : 64, 79, 97, 120-1, 162, 188.

permutation (règles de) : 16, 42-8, 195, d'adjectif : 58, d'adverbe : 46, 55-6, 84, 91, 165, 181, 190, 194, 198-201, 204-5, 207, de *Dadv* (*[Dadv* p.]*)* : 43-4, 46-7, 88, 92-4, 160, 164, de *Dnom* (*[Dnom* p.]*)* : 51-4, 88, 154, 171, 209, de longueur : 198, 201-2, de *Préd* (*[Préd* p.]*)* : 22, 45-7, 56, 84-6, 86 n. 27, 90, 94, 103, 165, 173, 175, 245-6, de *quel* : 77, 135-6, 139.

phrase : 16.

Picabia, L. : 113.

Pinchon, J. : 57, 110.

Piot, M. : 85, 182.

pluriel : marque du (*plur, -s*) : 14-5, 134, nom pluriel (*Nplur*) : 14, 21-2, 26 n. 10, 27, 55, 61-4. 80, 100, 102, 115, 146, 171, 184, 191, 197, 210-1, 226, 229-30.

polarité : 62, 162.

portée : 46-7, 91, 161 n. 1, 164, 173, 175, 181 n. 17, 187-8, 192, 207.

possessif : 30 n. 14, 104, 115, 127, 138-14, 206, 216-7, 220-1, 226-31.

[*Poss z.*] : 141, 217, 221.

Postal, P. : 79 n. 19, 89, 117, 204.

Préd Ddéf Nplur : 22, *Préd.*

Préd Ddéf Nsing : 22, *Préd.*

Préd Dnum Nplur : 22, *Préd.*

Préd un Nsing : 22, *Préd.*

prédéterminant numéral (*PDnum*) : 74-5.

préposition : v. él. lexicaux, complément indirect.

[*Prép* z.] v. [*de* z.], 40 n. 25, 63, 90, 113, 180, 183.

principe « A sur A » : 36 n. 19.

profonde (structure) : 54.

projection : 205.

pronom (*Pron*) : v. coréférence, référence lexicale, démonstratif (celui) : 65, 83, 96, 123-35, 137, 141, 150-1, possessif : v. possessif, pré-verbal (*Ppv*) : v. él. lexicaux, 33-4, 36, relatif : v. *qui, que, quoi, dont, où*, 63, 88, 130, 136-8.

quantificateur : 46-7, 209.

[*que cela z.*] : 188-9.

que P : v. comparatif, *Dadv, Préd.*

que P parallèle : v. comparatif, *Dadv, Préd.*

question : directe : 51, 77-9, 134-6, 198, 200-3, 224, indirecte : 78-9, 134-5, 202.

[*qui être z.*] : 32-3, 53, 60, 95, 98, 100, 118, 130-1, 147-8, 151, 154, 182, 208-9, 218, 223, 226, 230-1.

réciproque : 97.

récursivité : v. effacement, 146.

réduction des complétives : v. complétive, réduction des conjonctions : 23, 79, 100. 168-9, 175, 179 n. 15, 182-93, 206.

réécriture (règle de) : 13, 233.

référence : 115-8, 123-4, 137, 142, 149, 224-5 de discours : v. coréférence, 123, externe : 123-4, 144, 147, d'inclusion : v. inclusion, 33-7, 57, 127, 133, 135-6, 139-41, 149, 151, lexicale : 30, 34-6, 57, 122-4, 127-8, 130, 140, 147-8.

[relativation] : v. relative, 51, 53, 60, 198, 201-2, 208-9, 218, 230.

relative (proposition) (*Rel*) : 14, 32, 35 n. 17, 64-6, 69, 77, 96, 98, 101, 117-22, 126, 131, 151, 153-4, 219, 225, sans antécédent : 147-8, 202.

reproductibilité : 26.

restrictif : v. déterminatif.

restriction : v. *ne... que, seul(ement).*

restructuration ([restruc]) : 197-209, 214, 229.

Rohrer, Ch. : 82.

Ronat, G. : 132.

Ross, J. R. : 61, 64, 91, 222.

Rouveret, A. : 23.

Roy Harris, M. : 97.

Ruwet, N. : 136, 182, 204.

Salkoff, M. : 178.

Sandfeld, K. : 17, 95 n. 40-1, 103.

Schacter, P. : 50 n. 1.

Schmitt-Jensen, J. : 138 n. 9.

sélection (règle de) : 12, 49, 129, 155, 163, 166, 219.

séquence vide (*E*) : 13.

singulier : 101, nom singulier (*Nsing*) : 14, 21-2, 27, 29 n. 13, 52, 63.

spécifique (sens) : 53, 116, 212.

subjonctif : 69, 138, 151, 219-20, 224-5.

substantif : v. nom.

substitution (règle de) : v. $N \rightarrow LUI, un$, 14-5, 35 n. 7, 123.

sujet (N_0) : 9, 14, 31-3, 35 n. 17, 36-7, 47, 55, 62, 74 n. 13, 76, 84-6, 91-2, 93 n. 37, 101-2, 109, 120, 137, 180-1, 211, 220-1.

superlatif : v. *le moins Adj, le plus Adj*, 27, 34-5, 58, 65, 69-72, 140, 149, 225.
supplétion : 156-8.
surface (structure de) : 50, 54, 68, 84.

T : v. *à T ind près, près*.
temps : 49, 108, 120, 157-8, 210, 228.
transformationnelle (propriété) : 17, 49, 213, 233.

U : v. *dire, savoir, combien, quel, lequel*, 54, 58, 60, 76-9, 88 n. 31, 153, 167, 169-70, 172, 174, 177.
[*un* z.] : 52, 83, 110, 113, 152, 154, 196.

unicité : 224-5.
[*uns* z.] : 81.

variables (*T, U, V, W*) : 44.
Vasseux, Ph. : 11.
verbes de mouvement (*Vmt*) : 230-1.
Vergnaud, J.-R. : 186, 218.

Wagner, R.-L. : 110.
Wartburg, F. von : 62.

Yngve, V. : 175.
Yvon, H. : 125.

INDEX DES ÉLÉMENTS LEXICAUX

à : 9, 35, 36 n. 18, 46, 56, 73, 76, 88-9, 98 n. 47, 104, 108-10, 130, 138, 178-84, 204, 206-8, 220 n. 25, 224-30.

à peine (*Préd*) : 22, 42 n. 29, 45, 176-7, 180.

à peu près (*Préd*) : 18, 56, 62, 76, 179-80.

à quelque chose près (*Préd*) : 22.

à Tind près (*Préd*) : 176, 179-80.

-able : 131.

abondamment (*Dadv*).

abonder : 60-1.

absolument : 164-5, 167, 172.

accord : 215-6.

adorer : 211.

afin : 114, 226-7.

agir : 41-2.

agression : 215-8.

aide : 228, 230.

ailleurs : 98 n. 47.

aimer : 40, 97, 211-2.

-aine : 62.

ainsi : 224.

aller : 180, 230.

ami : 126-7.

appellation : 145 n. 12.

apprécier : 190, 219.

approximativement : 107, 176, 182.

après : 190, 206.

arriver : 33, 37.

aspect : 70, 152.

assez (*Dadv*) : 21 n. 5, 23, 44 n. 31, 62, 68 n. 10, 153, 159-60, 165, 173-4.

attributions : 229, 231.

au-dessous (*Dnom*) : 20, 73.

au-dessus (*Dnom*) : 20, 73.

au mieux (*Préd*) : 179.

au moins (*Préd*) : 176, 178, 180, 207.

au pire (*Préd*) : 176, 179.

au pis (*aller*) (*Préd*) : 179.

au plus (*Préd*) : 176, 178, 180, 207.

au voisinage (*Dnom*) : 73.

aussi : 105, 109, 156-8, 164-5, 167, 172, 190-1.

aussitôt : 190.

autant (*Dadv*) : 23, 37-8, 62, 69, 73 n. 12, 97, 156-7, 159-61, 165, 174.

autour (*Dnom*) : 73, 104.

autre : 19-20, 83 n. 22, 86-7, 89-90, 97-9, 101, 151, 162, 169-70, 172, 174, 192.

aux alentours (*Dnom*).

aux environs (*Dnom*) : 24, 73, 74 n. 15, 75-6, 167.

avant : 179, 190, 245.

avec : 40, 110, 113, 184 n. 22, 216, 223-4.

avis : 226-7.

avoir : 117 n. 56, 111-3, 217-8, 220 n. 5, 223.

bande : 126.

beaucoup (*Dadv*) : 9, 12-3, 17-9, 21-2, 27-30, 32-5, 37-44, 55-6, 91, 125-7, 153-4, 156-7, 159-60, 165, 174, 177, 196, 205, 210, 229.

bénéficier : 230.

bien (*Préd*) : 19, 22, 25, 38, 44, 63, 99-100, 158, 160, 165-8, 171-2, 176, 179.

bon : v. *nombre*, 167, 196.

but : 228.

cas : 162-3, 228.

ce : 15, 63, 77, 79, 84, 115, 119-21, 125, 128-9, 137, 141-3, 147-8, 153, 155, 226-9.

certains (*Dadj*) : v. *un certain*, 9, 12-3, 17-8, 22, 24-5, 29, 32, 35, 91, 95, 126, 153, 169, 172-4, 177, 196-7, 202, 229.

chacun (*Dnom*) : 28-9, 34-5, 46 n. 32, 54, 58-9, 64, 66, 82-4, 99, 153, 166.

chaque (*Dadj*) : 17-8, 24, 34, 36, 58-9, 82-4, 99, 101, 103, 153, 155, 169-72, 174, 177.

chercher : 112.

cheveu : 179.

chose : 35, 89-90, 92, 98, 126, 147-8, 152, 179, 202, 218, 224.

ci : 132, 134, 143, 147, 149-50.

cinq : 168 n. 5.

cinquaine : 62.

cinquième : 168.

combien (*Dnom*) : 39 n. 23, 42, 54, 60, 62, 78-9, 88 n. 31, 167.

comme (*Préd*) : 63, 91 n. 34, 105, 110, 112-3, 194.

comment : 78, 200, 224.

compétence : 229-30.
complètement : 108.
comporter(se) : 214.
comprendre : 89, 180, 219-22.
condition : 112-3.
connaissance : 111, 227.
confiance : 107 n. 56, 111-2, 156.
conscience : 111-2.
contenir : 51.
contraire : 194.
contrairement : 194.
contredire : 231.
cordes : 230.
côté : 72, 104, 152, 228.
couche : 64.
couleur : 52, 65, 145, 223.
coup : 160 n. 52, 229.
craindre : 92 n. 35.
crédit : 228.

d'aucuns (Dadj) : 31, 59.
d'autant moins (Dnom) : 69, 159, 165, 190.
d'autant plus (Dnom) : 23, 69, 159, 165, 174, 180 n. 16, 190.
dans : 40, 73, 104, 204-5, 224, 228-9, 231.
dans la zone (Dnom) : 73.
dans le voisinage (Dnom) : 57, 73.
dans les (Dnom) : 18, 58, 73-6.
dans les environs (Dnom) : 73-4.
dans les limites (Dnom) : 73.
dans les parages (Dnom) : 73.
davantage (Dadv) : 159, 165, 174.
de : 9, 13, 30, 32, 35-6, 40, 50, 57, 68 n. 10, 74, 76, 108-10. 112-3, 125, 129, 137, 179-80, 183-4, 188, 206-8, 209 n. 38, 223, 226-7, 229, 231.
de l'ordre (Dnom) : 31-2, 34, 42, 57, 73.
de moins en moins (Dadv) : 69.
de peur de : 114.
de plus en plus (Dadv) : 69.
décidement : 182.
demander : 112, 135.
demeurer : 231.
demi : 145-6, 168, 206, 245.
depuis : 52, 190.
dernier : 72, 122 n. 5, 150.
des : 19, 22, 25, 27, 41 n. 28, 52-3, 63, 108-9, 123, 184, 229.
désigner : 105.
devant : 230.
deux (Dadj) : 14, 53, 150, 165 n. 5, 169-72, 174, 229.
deuxième : 72, 150.
différemment : 194.
différence : 194, 228.
différents (Dadj) : 33, 58, 106 n. 53, 169-70, 172, 174.
dire : 55 n. 5, 64, 78 n. 18.

divers (Dadj) : 22, 33, 41, 58, 91, 153, 169-70, 172, 174, 196-7.
donner : 112, 219-20.
dont : 32, 130, 137.
dose : 60.
douzaine : 62.
drôlement (Dadv) : 106, 159, 165, 174.
du (de la) : 19-20, 22, 25-6, 52, 56, 63, 108-9, 123.
du côté (Dnom) : 73.
durant : 210.
ébahir, 231.

-ée : 52 n. 2, 62.
effectivement : 19 n. 2.
égard : 226-7.
élevé : 225.
elle(s) : v. *LUI*.
en (Ppv) : 33-4, 36, 40 n. 25, 57, 74 n. 15, 83-4, 95, 102, 117 n. 2, 122-4, 148, 196 n. 33.
en (Prép) : 60, 68 n. 10, 73, 104, 110, 160-1, 178, 195-205, 196 n. 33, 208-9, 217, 231.
en dessous (Dnom) : 73.
en dessus (Dnom) : 73.
en gros (Préd) : 45-6, 173, 176, 180.
en train : 211.
encore (Préd) : 19, 163, 212.
endroit : 98 n. 47, 104.
énormément (Dadv) : 42, 106, 159, 165, 174.
ensemble : 228-9.
ensuite (Préd) : 30.
entier : 102, 107 n. 56, 206, 213, 245.
entièrement (Préd) : 105, 107 n. 56, 108, 212.
entièreté : 206.
entre : 28-9, 72, 83, 154, 179-80, 182, 184. 205.
entrer : 231.
environ (Préd) : 18, 22, 32, 73, 80, 173, 176.
envoyer : 230.
epsilon (Dadv) : 159, 165, 174, 179.
espèce : 144.
espoir : 228-9.
essentiel : 205.
et : 135, 168-9, 183-5, 187 n. 23, 189-91.
eux (elles) : v. *LUI*, 28-9, 72, 104.
exactement (Préd) : 107, 176.
excepté : 192-4.
exception : 194.
exclusion : 194.
exclusivement (Préd) : 176.
exister : 33.
exploser : 39.

façon : 40-2, 48, 64, 70, 77, 101, 106, 214, 223-6.
faire : 90-1, 112, 156, 211, 217-8.

fait : 147-8, 219, 221, 229.
falloir : 91.
fin : 114, 226-7.
fois : 39-41, 63, 165-7, 171-2, 184, 228.
foison : 61, 208.
force : 40, 227.
force (Dadj) : 59, 169, 172, 174.
forcément : 182.
forme : 110, 223.
fort(ement) : 70, 158, 164-5, 167, 172, 179.
fréquemment : 212.
fréquent : 212.

genre : 144.
gogo : 208, 228.
grand : 27, 29, 33, 36, 92, 162, 179, 195-6, 224, 228.
groupe (Dnom) : 59, 64, 126, 166-7, 171, 243.
guise : 194.

habitude : 211, 212 n. 41, 223.
hasard : 222-3.
heureusement : 46, 48.
hier : 46, 48.
hypothèse : 228.

idée : 147, 219-21.
immédiat : 73.
impression : 219.
indiquer : 105.
infiniment (Dadv) : 43, 106, 159, 165, 174.
instar : 227.
insu : 227, 230.
intensité : 40.
intéresser : 211, 226.

jusqu'(à) (Préd) : 173, 176, 180-1.

l'autre (Dadj) : 57, 83 n. 22, 97-8, 169, 172, 174, 244.
l'un (Dnom) : 28-9, 32, 34, 58, 82-3, 87, 97, 99, 151, 167.
là : 132, 134, 143-4, 147, 149-50.
la plupart (Dnom) : 21, 34-5, 41, 58, 151, 167, 170, 203, 205.
le (la, les) (Ppv) : 33, 35, 37-8, 74 n. 15, 83, 103, 116, 134, 140, 157, 198, 201-3.
le (la, les) (Artd, L) : 14-5, 25, 77, 170, 172.
le gros (Dnom) : 34, 58, 72, 167.
le moins Adj (Dadj) : 69-72, 172, 174.
le peu... Rel (Dnom) : 18, 96-7, 151, 167.
le plus Adj (Dadj) : 69-72, 172, 174.
le plus clair (Dnom) : 34, 58, 72, 167.
le seul... Rel (Dadj) : v. *seul*, 87, 150, 169, 172, 174, 244.
légal : 225.

lequel (Dnom) : v. *quel*, 24, 34, 54, 58-9, 76-9, 134-7, 167, 177, 202.
les : 74, 83 n. 22.
leur (Poss) : 139 n. 10.
lieu : 194.
littéralement (Préd) :
longueur : 65.
lui (leur) (Ppv) : 36 n. 18, 225 n. 10.
lui (Pron) : v. *LUI*.
LUI : 14-5, 85, 101, 128-30, 139 n. 10.

maintenant : 190.
maints (Dadj) : 59, 169-72, 174, 184.
mais : 19 n. 2, 193-4.
manière : 41-2, 106, 224 n. 9, 226, 230.
marque : 145.
masse : 12.
meilleur : 71.
même (Préd) : 45, 85 n. 25, 92, 94, 97-101, 106, 151 n. 19, 170, 172, 184.
-ment : 43, 70, 85-6, 106-8, 160, 182, 204 n. 35, 213-4, 226.
mentionner : 119-22.
mi... mi : 184.
mieux : 70-1, 179, 245.
moi : 85, 101.
moindre : 92.
moins (Dadv) (Dnom) : 57-8, 67-73, 92, 92 n. 35, 96, 104, 159-61, 165-8, 174, 178, 194, 207, 223, 245.
moitié (Dnom) : 29, 30 n. 14, 36, 46, 57, 59, 65-7, 168-9, 177-8, 184, 205-6, 243, 245.
moment : 163.
monde : 26, 92, 96.
morceau (Dnom) : 21, 26-9, 30 n. 14, 59, 64, 166-8, 171, 197, 203.
moyenne : 196 n. 32.

n'importe : 58, 76, 88 n. 31, 165 n. 4, 167, 170-2, 174, 177, 243-4.
ne... aucun (Dadj) : 28-9, 41, 59, 83-4, 88, 99, 106, 163-5, 169, 174.
ne... aucunement (Dadv) : 88, 106, 159-61, 164-5.
ne... goutte : 88.
ne... guère (Dadv) : 20, 31, 88, 91-2, 159, 161, 165.
ne... jamais (Dadv) : 18, 44 n. 31, 47 n. 35, 88-9, 91, 109-10, 159, 161-5.
ne... mie : 88.
ne... ni : 18, 88-9, 92, 159-61, 163-5, 176, 185, 191, 242.
ne... nul (Dadj) : 34, 35 n. 17, 58, 88, 99, 169, 174.
ne... pas (Dadv) : 14, 31, 44 n. 31, 47 n. 34, 68 n. 10, 88-9, 91-4, 98-9, 104, 159-65, 176-7, 181, 190-1.

ne... personne : 88, 90, 92 n. 35, 104, 162, 165 n. 4.
ne... plus (Dadv) : 31, 47 n. 34, 68, 88-9, 91, 93 n. 36, 94, 104, 159, 161-5.
ne... point (Dadv) : 88-9, 104.
ne... que (Préd) : 42, 47 n. 34, 85-91, 98, 103, 105, 152, 162, 177, 198-9, 201-2.
ne... rien (Dnom) : 34, 42 n. 29, 54, 58, 88, 90, 98, 103-4, 165 n. 4, 171.
neuvaine : 62.
nom : 145.
nombre (Dnom) : 13, 27, 29, 36, 41, 54, 59, 64-5, 80, 97 n. 46, 107, 166-9, 171, 195-201, 208-9, *bon nombre (Dnom)* : 17-8, 54, 64-6, 167.
nombreux : 171, 203.
non plus : 190-1.
notamment (Préd).
nous : 28, 72, 101, 104, 139 n. 10.
notre : 139 n. 10.

œuvre : 102.
onze : 169.
opposé : 194.
or : 193 n. 30.
ou (Conj) : 69, 73, 79, 135, 163, 183-5, 187-8.
où : 77-8, 100.
outre : 190.

paquet : 167, 206.
par : 60, 63, 106, 113, 161, 171, 179, 203-8, 210, 222-3.
par suite de : 114.
paraître : 91.
parmi : 182.
part : 98, 106, 229.
particulier(ement) (Préd) : 107, 176.
partie (Dnom) : 26-7, 59, 66, 72, 184, 243.
partir : 230.
pas mal (Dadv) : 62, 159, 165, 174.
pas tout à fait (Préd) : 92, 176, 180.
passablement (Dadv).
pendant : 40, 190, 211.
perdre : 111-2.
personne : 31, 35 n. 17, 82, 126, 151.
peser : 39.
petit : 96.
peu (Dadv) : v. *le peu... Rel (Dnom), un peu*, 35-6, 40, 42, 44, 76, 80 n. 20, 96-7, 109, 158-60, 165, 174, 178-9, 205, 207, 242.
pire : 71, 245.
place : 194.
plein (Dnom) : 54, 167. 206, 228, 231.
plus (Dadv) (Dnom) : 16, 19-20, 23, 57-8, 67-73, 81, 92, 96, 104, 159-61, 165-7, 174, 178, 189-90, 194, 207, 245.

plus ou moins (Dadv) : 69, 73, 165, 167.
plusieurs (Dadj) : 21-2, 24, 41, 62, 153, 171, 229.
plutôt (Préd) : 173, 186-9.
poil (Dadv) : 159, 174, 179.
porter : 112-3.
pour (Dnom) (Prép) : 23-4, 40, 62-3, 76, 97, 104-5, 109, 112-3, 130-1, 167-8, 178, 194, 203, 205, 223.
pratiquement (Préd) : 176.
précéder : 120-1.
précis : 226-9, 231.
précisément (Préd) : 176-7, 226.
prendre : 112-3.
premier : 72, 107, 150-1, 228.
premièrement (Préd) : 107.
près (Dnom) : v. él. lex. en *près*, 22, 31-2, 34, 57-8, 76, 104, 167, 176-7, 207, 227-8.
presque (Préd) : 32, 165-7, 172, 176-7.
proche : 73.
produit : 144.
profiter : 230.
propos : 113, 226-7.
putainement (Dadv) : 106 n. 54.

qualité : 52 n. 2, 53, 65-7, 154.
quand : 77-8, 84, 100, 121.
quantité (Dnom) : 20-1, 36, 54, 63-5, 97 n. 46, 106, 161, 167, 184, 195.
quart : 145, 166, 168.
que : 40 n. 25, 79, 137-8.
quel (Dadj) : 46, 58-9, 76-9, 88 n. 31, 130, 134-7, 147 n. 16, 169-72, 174.
quelconque : 80, 82, 87 n. 30, 101, 163.
quelqu'un : 59, 82, 147, 163.
quelque (Dadj) : 34, 59, 77 n. 16, 80-2, 95 n. 42, 96, 147, 172, 174, 177, 202.
quelques (Dadj) (Préd) : 34 n. 15, 59, 62, 80-2, 126, 169, 171-2, 174, 177.
quelques uns (Dnom) : 34, 58-9, 80-2, 153, 167.
qui : 32, 64, 76, 137, 223.
quoi : 78 n. 18, 137, 224.

raconter : 78 n. 18.
raison : 40.
rarement : 42 n. 29.
réellement : 165.
regarder : 79.
rendre : 112.
reprises : 40, 229.
ressort : 229-31.
rester : 40, 231.

sans : 110.
sauf : 192-4.
savoir : 42, 46, 58, 60, 76-8, 88 n. 31, 97, 147-8, 167, 172, 174, 243-4.
sembler : 91.

seul (Préd) : 14, 22, 24, 34-5, 84-8, 99, 105, 106 n. 52, 107, 110, 150-2, 169-70, 179, 213, 224, 244.

seulement (Préd) : 30, 84-6, 105, 107, 213.

si... que P : 44 n. 31, 97, 156-7, 165, 172.

sien : 139-40.

simple(ment) (Préd) : 107, 162, 176, 182, 214.

sixaine : 62.

soi : 101.

sorte : 27, 36, 52-3, 100 n. 48, 106-7, 119, 136, 144, 169, 171, 176-7, 210.

sortir : 231.

soupçon (Dadv) : 159, 179 n. 13.

sous : 40, 110, 224.

souvent : 46 n. 33, 110, 210.

spécialement (Préd) : 176.

strictement (Préd) : 176-7.

suffisamment (Dadv) : 23, 62, 106, 159, 165, 174.

suivre : 121.

suite : 229.

sujet : 225-7.

superficiellement : 22 n. 7.

supplément(aire) : 19-20.

sur : 74 n. 13, 99, 110, 179, 182-3, 206.

surtout (Préd) : 22, 179.

tant (Dadv) : 38, 47, 62, 96-7, 110, 157, 159, 161, 165, 174, 184, 194.

tant et tant (Dadv).

tantinet (Dadv) : 40, 159, 174, 179.

tantôt : 185.

tas : 167.

tel (Dadj) : 22, 34, 35 n. 17, 47, 58, 106, 169-72, 174, 183, 191-2.

tellement (Dadv) : 23, 47-8, 106, 156-7, 159, 162-3, 165, 170, 174.

temps : 38 n. 22, 39-41, 80, 138, 184.

terme : 133.

tiers : 168, 178, 245.

tire-larigot : 208, 228.

tirer : 112.

toi : 85, 101.

total : 33, 66, 107 n. 56

totalement (Préd) : 105, 107 n. 56, 108, 182, 204 n. 35.

totalité : 105, 182, 203-5, 245.

toujours : 89 n. 33.

tout (Dadj) (Préd) : 12, 22, 24-5, 28 n. 11, 30, 34-5, 36 n. 18, 46 n. 32, 59, 60, 70, 84, 89 n. 33, 96, 99-106, 147-8, 151 n. 18, 165, 167, 169, 172, 174, 176-9, 184, 204 n. 35, 205-6, 213.

tout à fait : 181.

très : 38 n. 22, 44 n. 31, 79, 96, 105, 156-8, 164-5, 167, 172, 176.

trois (Dadj) : 14, 42, 150, 169-70, 172, 174, 177.

trop (Dadv) : 21 n. 5, 23-4, 28, 35, 37, 40 n. 26, 43-4, 68 n. 10, 81, 91, 96, 97 n. 45, 153, 159-61, 165, 173-4, 178, 196, 205.

trouver : 112.

type : 52-3, 144, 169, 196, 210.

un (Dadj) : 14, 28-9, 31-3, 41, 52-3, 81-2, 169, 172, 174.

un certain (Dadj) : 33-4, 41, 59, 63, 95, 166, 171-2, 174, 184.

un peu (Dadv) : 20, 40, 63, 96-7, 153, 159, 165, 173-4.

un seul (Dadj) : 87, 99, 172, 174.

unique : 88, 107.

uniquement (Préd) : 107, 176, 182.

unité : 36, 206, 208 n. 37.

vachement (Dadv) : 106, 159-60, 165, 174.

valeur : 76, 244.

variés : 171.

vers : 74 n. 13.

virtuellement (Préd) : 176, 182.

vitesse : 224.

voir : 79.

volonté : 208, 228.

vous : 28, 72, 101, 104.

vrac : 208.

vraiment : 44 n. 31, 164-5, 167.

y : 224, 230 n. 11.

Imprimerie BERGER-LEVRAULT, Nancy. — Octobre 1977.
Dépôt légal : 1977-4ᵉ. — Nᵒ 778335. — Nᵒ de série Editeur : 8287.
IMPRIME EN FRANCE *(Printed in France)*. — 70343-10-77.